Karen Kingsbury

Beroemd

roman

vertaald door Rika Vliek

Beroemd is het eerste deel van de serie over Dayne Matthews.

E-book © Uitgeverij Voorhoeve – Utrecht, 2012
Postbus 13288, 3507 LG Utrecht
www.kok.nl

Oorspronkelijk verschenen onder de titel *Fame* bij Thomas Nelson, Inc., P.O. Box 141000, Nashville TN 37214-1000, USA.
© Karen Kingsbury, 2005

Vertaling Rika Vliek
Omslagillustratie istockphoto/Brain McDonald
Omslagontwerp Bas Mazur

ISBN E-book 978 90 297 0700 8
ISBN Gedrukte uitgave 978 90 297 0695 7
NUR 302

Opgedragen aan

Donald, mijn prins op het witte paard
Kelsey, mijn geliefde dochter
Tyler, mijn prachtige zoon
Sean, mijn lieve jongen
Josh, mijn aardige zoon met leiderschapskwaliteiten
EJ, mijn uitverkorene
Austin, mijn teerhartige zoon
God Almachtig, onze Schepper

1

Het kon niet al te moeilijk zijn om de persoon te vinden die geknipt was voor de rol.

Voor *Dream on*, de romantische komedie waarin Dayne Matthews de hoofdrol zou spelen, hadden ze een dorpsmeisje nodig, een vrolijk, vlot type dat droomde van de grote stad en dat vooral overkwam als ongeveinsd onschuldig.

Dayne had 's ochtends een stuk of zes van Hollywoods beste actrices langs zien komen om auditie te doen, maar tot nog toe was er niet één geschikt gebleken voor de rol. Het waren getalenteerde, aardige, knappe actrices. Met twee van hen had hij geschitterd in verschillende speelfilms, met twee was hij uit geweest en met de overige twee had hij zich vermaakt op een of ander feest.

Met drie van de zes had hij de nacht doorgebracht.

De gezichten van deze meisjes hadden op de voorkant van alle roddelbladen gestaan en in theorie konden ze allemaal de rol van een dorpsmeisje vervullen. Zo moeilijk was dat niet. De actrices die Dayne vandaag had gezien, konden vrolijk en vlot zijn en draaiden ongetwijfeld hun hand niet om voor de rol van een droomster.

Maar er ontbrak iets, en tegen drieën die middag wist Dayne wat er ontbrak.

De onschuld.

Dayne leunde achterover in zijn stoel toen de laatste van de zes haar tekst oplas. Onschuld kon je niet veinzen, zelfs niet met een optreden dat een Oscar waard was. Onschuld was iets wat uit je hart kwam en aan je ogen te zien was, en daaraan ontbrak het hun allemaal.

Mitch Henry, de casting director, liep achter in de zaal heen en weer. Hij beëindigde de auditie met de laatste actrice en nam afscheid van haar.

Terwijl ze de zaal uitliep, keek ze naar Dayne en schonk hem een plagerige glimlach. 'Tot ziens.' Zij was een van degenen met wie hij uit was geweest. Feitelijk had hij ongeveer een maand met haar samengeleefd, zij het met onderbrekingen. Lang genoeg in ieder geval om ervoor te zorgen dat hun foto's een paar keer in de roddelbladen verschenen. Ze hield zijn blik even vast. 'Bel me.'

'Ja.' Dayne deed alsof hij een hoed voor haar afnam, maar zijn grijns verdween nog voordat ze de zaal verliet. Hij wendde zich tot Mitch. 'Wie volgt?'

'Wie volgt?' Er verschenen diepe rimpels tussen Mitch' ogen en in zijn antwoord klonk door hoe gefrustreerd hij was. 'Weet je hoe moeilijk het was om op een en dezelfde dag zes van de bestbetaalde actrices hier te laten opdraven? Zoveel talent als we vandaag in huis hadden, is niet eens voor de rol vereist, Dayne. Het zou voor hen allemaal een fluitje van een cent zijn.'

'Ze zijn goed. Ze zijn allemaal goed.' Dayne trommelde met zijn vingers op de tafel. 'Maar er ontbreekt iets.' Na een korte stilte vervolgde hij: 'Onschuld heb ik niet gezien, Henry. Geraffineerdheid, koketterie, ga met me naar bed, ja. Maar onschuld, nee.'

'Best.' Mitch smeet zijn klembord op de tafel en riep een langslopende stagiair toe dat hij de deur dicht moest doen. Op tafel lagen de dossiers van de zes actrices, en toen de deur dicht was, kwam Mitch een paar stappen dichter naar Dayne toe. 'We zijn gebonden aan een strak tijdschema, Matthews.' Hij greep de rand van de tafel vast en boog zich naar Dayne toe. 'In Hollywood ligt onschuld nu niet bepaald voor het oprapen.'

'Nee, dat klopt.' Dayne duwde zijn stoel achteruit, liep naar het raam en keerde Mitch de rug toe. Terwijl hij naar de wazige blauwe lucht staarde, zag hij opeens een gezicht voor zich. Het was een gezicht dat hem al bijna een jaar was bijgebleven. Het beeld bracht hem op een idee. Het zou toch best kunnen? Ze werkte in het theater. Ze had vast al weleens gedroomd over het witte doek.

Dayne voelde dat Mitch naar hem stond te kijken en draaide zich om. 'Ik heb een idee.'

'Een idee?' Mitch krabde op zijn achterhoofd en liep met grote stappen naar de deur en weer terug. 'Wat moeten we met een idee? Een actrice moeten we hebben. Over vier maanden beginnen de opnames en deze speelfilm is te belangrijk om het op het laatste moment te laten aankomen.'

'Weet ik.' Het idee begon vaste vorm aan te nemen. Het was beslist mogelijk. Welk meisje zou zo'n kans laten lopen? 'Moet je horen, Mitch, geef me een week de tijd. Ik heb iemand in gedachten, maar ze woont in een andere staat.' Hij leunde tegen de vensterbank. 'Ik denk dat ik ervoor kan zorgen dat ze over een week hier is. Volgende week maandag.'

Mitch sloeg zijn armen over elkaar en vroeg sarcastisch: 'Een meisje dat je in een nachtclub hebt ontmoet, Matthews? Was je dronken en heb je haar iets beloofd? Wil jij dat ik daarop wacht?'

'Nee.' Dayne stak zijn hand op. 'Zij is echt degene die we moeten hebben. Geef me een kans.'

Dayne had geen idee hoe de beslissing van de casting director zou uitvallen. Na een korte stilte veegde Mitch de zes dossiers en het klembord bij elkaar en pakte ze van de tafel. 'Eén week.' Hij was halverwege de deur toen hij zich nog een keer omdraaide en Dayne aankeek. 'Ik hoop voor jou dat ze goed is.'

Pas toen Dayne weer alleen was, keek hij uit het raam. Wat had hij daarnet gedaan? Dat hij een week de tijd had gekregen, betekende dat het andere talent in de wachtkamer werd gezet. Het betekende dat hij een budget van tientallen miljoenen dollars op het spel zette om een meisje te vinden dat hij nog maar één keer had gezien, en haar te vragen auditie te doen voor een hoofdrol in een grote speelfilm waarin hij haar tegenspeler zou zijn.

En dat terwijl zij misschien niet eens belangstelling had of helemaal niet kon acteren.

Het was een dwaas idee geweest, op één ding na. Het afgelopen jaar was hij slechts één keer ongeveinsde onschuld tegengekomen, en dat was toen hij ditzelfde meisje had gezien in een klein theater in Bloomington, Indiana. Zij had het podium doen oplichten toen ze orde schiep in de chaos van een twintigtal verklede kinderen aan het eind van wat kennelijk de eerste voorstelling was van de theatergroep.

Hij herinnerde zich bijna alles nog van wat hij die dag had gezien, maar niet helemaal tot in de details. Het theater stond op zo'n goed bereikbare plek dat het hem ongetwijfeld geen enkele moeite zou kosten om het terug te vinden. Maar van het meisje wist hij bijna niets, behalve dan hoe ze heette.

Dayne legde zijn handen op de vensterbank en leunde met zijn voorhoofd tegen het koude glas. Hij zou naar Indiana kunnen vliegen om haar daar proberen te vinden, maar dat zou ongetwijfeld tot gevolg hebben dat de paparazzi achter hen aankwamen, en dat ze gek zouden worden van de vraag waarom Dayne Matthews in Bloomington, Indiana was.

En dat niet voor het eerst.

Hij draaide zich om en pakte zijn sleutels en zijn mobiele telefoon. Ze moest toch op een of andere manier te bereiken zijn; hij moest haar kunnen vragen naar Hollywood te komen voor een auditie, zonder dat er in ieder roddelblad in de stad een artikel over verscheen. Dayne stopte de telefoon in zijn zak en liep door de gang in de richting van de lift.

Hij had dringend behoefte aan een kop koffie. Aan een kop extra sterke espresso. Zijn meeste vrienden in de filmindustrie hadden hun toevlucht genomen tot minder bekende gelegenheden, waar zij koffie konden drinken zonder direct herkend te worden. Dayne niet. Hij dronk alleen maar koffie bij Starbucks; ergens anders was ze lang zo lekker niet. Als de paparazzi een foto van hem wilden maken terwijl hij daar naar binnen ging en weer naar buiten kwam met zijn extra sterke espresso, wat ze bijna altijd deden, zou hem dat een zorg zijn. Misschien kon hij een reclamedeal sluiten, in de zin dat hij voor een Starbucksvestiging voor hen poseerde. Dayne grinnikte. Dan zouden ze wel aftaaien, want dan was er geen lol meer aan.

Hij trok de achterdeur van het kantoorgebouw open en voelde meteen de warmte van de zon op zijn gezicht. Het was prachtig weer, niet zo mistig als het meestal was in juni. Hij liep over het eigen parkeerterrein van de studio naar zijn zwarte Escalade vlak bij de struiken en de hoge omheining. Op de parkeerterreinen achter de studio was meestal geen meute opdringerige journalisten te bekennen. Het kwam alleen weleens voor dat een fotograaf in de bomen klom of op een helling in de buurt zat en een camera met telelens op de ingang van het kantoorgebouw gericht hield. Maar dat gebeurde alleen maar wanneer een belangrijke transactie met succes was afgesloten, iemand nodig aan een afkickprogramma moest beginnen of meer van dat soort dingen.

Vandaag leek het overal rustig. Op dit moment van de dag zouden er niet al te veel fotografen op de loer liggen. Zijn

SUV was bovendien nieuw. Slechts een enkeling zou weten dat hij achter de getinte ramen zat. Hij verliet de parkeerplaats van de studio en sloeg linksaf, de La Cienage Boulevard op.

Twee straten verder keek hij in zijn achteruitkijkspiegel en zag een bekende Volkswagen. Paparazzi, ondanks het feit dat hij in een andere auto reed. Hij haalde zijn schouders op. *Mij een zorg. Mijn gedachten kunnen ze niet lezen.*

Af en toe vond hij het leuk om hen om de tuin te leiden. Hij keek weer in zijn achteruitkijkspiegel en bedacht dat hij wel zin had in een geintje. Hij maakte een bocht om vanaf de boulevard naar een winkelcentrum te rijden, maar stopte niet bij de Starbucks. In plaats daarvan parkeerde hij zijn auto vlak bij een drogisterij, drie deuren verderop. Hij pakte zijn honkbalpetje, trok het diep over zijn ogen en ging naar binnen. Er was verder niemand in de zaak. Dayne liep snel naar het rek met bladen om de meest recente exemplaren van alle vier de nationale roddelbladen te pakken. Veelkleurige, drukke bladen waren het die allerlei informatie over beroemdheden publiceerden.

Bloedzuigers noemden hij en zijn vrienden die bladen.

De oude man met grijs haar achter de kassa herkende hem niet. 'Dat is dan 9 dollar 58.' De man neuriede *Moon River* terwijl hij de stapel bladen in een tasje liet glijden en het tasje aan Dayne gaf. 'Mooi weer, vindt u niet?'

'Ja, prachtig.' Dayne overhandigde de man een briefje van tien dollar. 'Meestal is het in juni niet zo zonnig.'

'Een goed voorteken voor de Dodgers.' De man knipoogde. 'Ons plaatselijke honkbalteam heeft al vijf keer op rij gewonnen, moet u weten. Dit jaar gaan ze het helemaal maken.'

'Zou best kunnen.' Dayne grinnikte. Hij genoot ervan dat een verkoper een praatje met hem maakte. Soms waren dit soort momenten de enige normale die hij nog meemaakte. 'Tot ziens.'

De man schudde met zijn vuist. 'Zet 'm op, Dodgers!'

Dayne liep naar buiten, speurde de omgeving af en ontdekte de Volkswagen en het fototoestel dat rechtstreeks op hem gericht was. Met brede, overdreven gebaren trok hij een van de bladen uit het tasje en deed alsof hij ontsteld de voorpagina bekeek. Hij sloeg een hand voor zijn mond en deed vervolgens alsof hij zich verdiepte in een schandaalverhaal.

Even later zag hij een groepje tienermeisjes zijn kant op komen. Ze hadden hem nog niet herkend, maar dat zou niet lang meer duren. Hij liet het blad weer in het tasje glijden, salueerde voor de fotograaf en stapte in zijn SUV. Zo was het wel weer mooi geweest. Hij drukte op het knopje om zijn portieren op slot te doen, keek of zijn ramen goed dichtzaten en reed de rijbaan op die hem bij het afhaalloket van Starbucks bracht.

Tegen de tijd dat hij de snelweg langs de kust opreed, was de espresso op en was hij de fotograaf vergeten. Hij keek niet eens meer of de man nog steeds achter hem zat. Het enige waar hij nu nog aan dacht, was aan het meisje uit Bloomington. Hoe zou hij haar weten te vinden zonder naar Indiana te vliegen? En hoe had hij het eigenlijk in zijn hoofd gehaald tegen Mitch te zeggen dat hij het voor elkaar zou krijgen om haar binnen een week in de studio auditie te laten doen?

Dayne passeerde de gebruikelijke oriëntatiepunten: een motel en een supermarkt. Zijn huis stond er vlak naast, ingeklemd tussen andere woningen van mensen uit de amusementsindustrie. Een regisseur die getrouwd was met een zangeres aan de ene kant, een actrice op leeftijd met een veel jongere echtgenoot aan de andere kant. Aardige lui. Allemaal waren ze aangetrokken door de oceaan, het uitzicht op een eindeloze, rustige watervlakte. Dat serene beeld vertegenwoordigde alles wat ze misten in hun leven.

Dayne nam zijn tasje met bladen mee naar binnen en zette nog een kop koffie voor zichzelf. Zwart, geen suiker. Daarna zette hij een zonnebril op en stapte zijn dakterras op. Hierboven kon geen enkele fotograaf hem zien, omdat rond het dakterras muren waren opgetrokken. Hij ging zitten en kon nog net over de rand de Grote Oceaan zien.

Hij haalde de bladen een voor een uit het tasje. Het waren er vier en op twee ervan stond zijn gezicht of naam op de voorpagina. Dayne bestudeerde eerst het blad waarop stond: *Feestbeest Dayne Matthews, Hollywoods begerenswaardigste vrijgezel.*

'Ben ik dat?' mompelde hij. Hij bladerde door naar het artikel. Op de twee pagina's die het besloeg, stonden nog veel meer foto's en iedere keer was hij in het gezelschap van een andere vrouw. Op één ervan was hij een vrouw aan het kussen. Op een andere leek het alsof hij aanpapte met een serveerster, maar dat was helemaal niet zo. Het was in de bar zo'n herrie geweest dat hij iets dichter naar haar toe was geschoven toen hij zijn bestelling opgaf. Het opschrift onder de foto luidde: *Ook barmeisjes zijn makkelijk in te palmen.*

'Fraai.' Dayne fronste. Wat moest de serveerster er wel niet van denken? Ze deed alleen maar haar werk en toch was nu bij iedere supermarktkassa in heel het land een levensgrote foto van haar te zien.

Hij bladerde verder. Er stonden vast nog meer foto's van hem in; dat was altijd zo. Een paar pagina's verder zag hij een kort artikel in de rubriek *Politielogboek*. Er stond in vrij kleine letters boven *Wordt Dayne Matthews gestalkt door een vrouw? De politie vindt meer aanwijzingen.*

Dayne rolde met zijn ogen. De artikelen in de roddelbladen bevatten vaak een kern van waarheid. De politie had hem afgelopen maand drie keer geïnformeerd over een stalker, iemand die vreemde brieven stuurde naar het politiebureau en daarin dreigde geweld te gebruiken tegen Dayne Matthews.

Tot nog toe was het Dayne niet opgevallen dat hij gestalkt werd. Hij dacht er ook niet langer over na dan de paar minuten dat hij erover praatte met de politie. Maar het sprak voor zich dat de roddelbladen groots uitpakten met het laatste nieuws, hoe weinig het ook voorstelde. Hij las het artikeltje om te kijken of er iets in stond wat op waarheid berustte.

De politie meldt dat ze weer een brief heeft ontvangen van de persoon die dreigbrieven schrijft over Hollywoods hartenbreker Dayne Matthews. Volgens handschriftdeskundigen is de brief deze keer van een vrouw.
Uit betrouwbare bron hebben we vernomen dat het vrij zeker is dat de persoon die de brieven schrijft, een gestoorde fan is, iemand die de bedoeling heeft Matthews kwaad te doen. 'Het kan zijn dat het alleen maar iemand is die aandacht wil trekken, maar dat neemt niet weg dat we niet voorzichtig genoeg kunnen zijn,' aldus onze bron.
Bijzonderheden uit de brieven zijn niet beschikbaar, maar onze verslaggever heeft vernomen dat de brievenschrijfster eist dat ze een dag met Dayne Matthews mag doorbrengen. Stemt hij daarin niet toe, dan zal het zijn dood worden.
De politie houdt ons op de hoogte van het verdere verloop.

Dayne knipperde met zijn ogen en kreeg kippenvel op zijn armen, meer vanwege de zeewind dan van door het artikel opgeroepen angst. Wilde die persoon hem vermoorden als hij niet een dag met hem of haar wilde doorbrengen? Liepen er echt mensen rond die zo gek waren? Dayne las het bericht nog een keer vluchtig door en zette het toen uit zijn hoofd. Dayne en zijn vrienden wisten dat ze alle informatie die afkomstig was van de altijd populaire, vaak geciteerde 'bron', moesten negeren.

De echte waarheid was afkomstig van bestaande personen, niet van verzonnen bronnen.

Hij bladerde verder om te kijken of er nog meer over hem in stond. Dit was voor hem een ritueel, zijn manier om op de hoogte te blijven van de mening die het publiek over hem had. Of de artikelen al dan niet op waarheid berustten, was niet belangrijk. Als er iets over hem werd gepubliceerd, wilde hij daarvan weten. Hij bleef bladeren.

Tien pagina's verderop stond een foto van hem en J-Tee Ramiro, een populaire Cubaanse zangeres met wie hij een maand geleden uit was geweest. Nou ja, ze waren eigenlijk niet echt samen uit geweest. Ze waren bijna een week samen opgetrokken en de paparazzi hadden er geen moment van gemist. De foto was genomen terwijl ze samen een salade aten in een restaurantje in de buurt van Zuma Beach. Het belangrijkste punt in het artikel was dat T-Jee een nieuwe vriend had, en dat ze beter in staat was een tegenslag te boven te komen dan de helft van de jongens van de basketbalploeg *LA Lakers*.

Dayne nam de rest van het blad door. Het bestond voor het merendeel uit foto's. Dat was de reden dat de fotografen hem volgden, dat ze iedere beroemdheid volgden. Hij wist niet wat de roddelbladen de paparazzi betaalden, maar het was in ieder geval genoeg om hen aan het lijntje te houden.

En dat terwijl er soms belachelijke foto's bij waren.

Midden in het blad stonden foto's van de onderkant van de armen van zes actrices. *Wie is kwabbig en wie niet?* luidde de kop over de hele breedte van de pagina. Het waren close-ups van actrices, genomen op het moment dat ze wezen of hun armen hieven op een manier die minder dan perfecte spieren in hun bovenarmen zichtbaar maakte.

Dayne snoof en sloeg de bladzij om. De afgelopen paar

jaar was de werkwijze van de roddelbladen steeds venijniger geworden. Iemand uit zijn vriendenkring, een vooraanstaande actrice die Kelly Parker heette, was er zo door onder druk komen te staan dat ze er bijna aan onderdoor ging. Vroeger ging ze vaak buitenshuis leuke dingen doen zoals winkelen met haar vriendinnen. Tegenwoordig kwam ze nog maar zelden haar huis uit, en de laatste keer dat hij haar had gesproken had ze allesbehalve opgewekt geklonken.

Hij bladerde weer verder en zijn blik viel op iets onderaan een pagina. Het zeewindje deed de pagina's ritselen terwijl Dayne zijn ogen half dichtkneep. Het was een klein artikel met twee foto's erbij, een van Marc David, Daynes vriend en collega-acteur, en de ander van een sjofele man achter tralies.

Onder de foto stond: Hollywood's People *heeft een verslaggever eropuit gestuurd om uit te vinden waarom Marc David onlangs naar Leavenworth is gereden, en raad eens wat we hebben ontdekt?* Dayne ging iets rechterop zitten. Zijn hartslag versnelde en hij voelde het bloed naar zijn gezicht stijgen. Wat was dit? Marc was zijn vriend, maar hij had het nooit over Leavenworth gehad. Dayne las verder.

Marc beweert dat hij is opgevoed door zijn moeder, en dat de verblijfplaats van zijn vader onbekend is. Dat is niet waar, ontdekte Hollywood's People. *Absoluut niet waar. Marcs vader wordt niet vermist. Hij is Joseph L. David, een twee keer veroordeelde crimineel, voor verkrachting en drugsgebruik, die een gevangenisstraf uitzit in Leavenworth. Onze verslaggever volgde Marc naar de gevangenis. Volgens onze bronnen heeft Marc altijd al geweten hoe het met zijn vader zat. Nu kent u het hele verhaal, en wij ook!*

Daynes maag draaide om. Hij smeet het blad op de tafel, haalde zijn mobiel uit zijn zak en belde Marc.

De telefoon ging drie keer over voordat zijn vriend opnam. 'Hallo?'

'Met Dayne, Marc.' Hij stond op, liep naar de muur rond het dakterras en keek naar de golven. 'Hé, ik heb net de laatste *Hollywood's People* gekocht.' Na een korte stilte voegde hij eraan toe: 'Is het waar?'

'Wat erin staat over mijn vader?' Marc klonk vermoeid. 'Ja, dat is waar.'

'Maar je hebt nooit... Ik dacht dat hij werd vermist.'

'Dat heb ik iedereen verteld.' Marc kreunde. 'Het is geen fraai verhaal. Mijn ouders gingen uit elkaar toen ik klein was, en daarna ging mijn vader een paar keer in de fout. Hij raakte verslaafd aan cocaïne en amfetamine, kwam op zwart zaad te zitten en overviel een paar drankwinkels. Mijn moeder probeerde mij in het ongewisse te laten; het was te afschuwelijk, zei ze. Ik zat op de universiteit toen ik bedacht hoe ik contact met hem kon leggen. Hij kreeg hulp. Daarna begon ik beroemd te worden en besloten we het geheim te houden.'

'Hij zit in Leavenworth?'

'Klopt.'

'Man...' Dayne sloot zijn ogen. Hij zei niet dat hij had gelezen dat Marcs vader een verkrachter was. 'Ik vind dit heel vervelend voor je.'

'Het zat er dik in dat dit een keer zou gebeuren. De pers... Haaien zijn het.'

'Hoe is het nu met je vader?'

'Dat is nu juist het mooie: hij is al vijf jaar clean. Sinds hij tot geloof is gekomen en daardoor is veranderd. Over twee jaar komt hij vrij. Mijn moeder en hij zijn zelfs met elkaar in gesprek.'

De puzzelstukjes begonnen in elkaar te passen. Geen wonder dat Marc niet had gewild dat iemand iets van zijn vader afwist. De sensatieblaadjes zouden alle vuiligheid publiceren, maar niet vermelden hoe het nu met de man was, dat alles een keer ten goede had genomen.

En dat was precies wat er was gebeurd.

Dayne wierp een blik op het blad op de tafel; het lag nog open bij die pagina. 'Er zit een foto bij en daarop ziet hij er niet al te best uit.'

'Ja, weet ik. Ze hebben de foto's gevonden die zijn genomen toen hij werd geregistreerd. Ze moeten ermee geknoeid hebben. Hij zat niet achter de tralies toen ze door de politie werden genomen.'

'Mooi is dat. De man is tegenwoordig dus netjes geschoren en gekleed, maar zij drukken deze af.'

'Ja, precies.' Marc zweeg even. 'Ik heb een advocaat gebeld, Dayne. Dit gaat te ver.'

Dayne voelde adrenaline vrijkomen, zoals hij dat ook vroeger op de kostschool had meegemaakt als hij meespeelde in een spannende honkbalwedstrijd. 'Echt waar?'

'Ja.' Marc ademde langzaam uit. 'Mijn vader heeft nooit iemand verkracht. Het roddelblad heeft dat gewoon verzonnen.'

Dayne voelde zijn gezicht weer warm worden. 'Geef ze hun portie, Marc. Zorg dat het pijn doet.'

'Dat is het plan.' Marc klonk gespannen. 'Ik heb mijn vader gesproken. Hij is best aardig. We overleven dit wel.'

'Zeker weten.' Dayne klemde zijn kaken op elkaar. Hij zag hoe een zeemeeuw in het water dook en bovenkwam met een vis. Af en toe deed een beroemdheid een van de bladen met succes een proces aan. Dat gebeurde niet vaak, en de bladen maalden er niet om, omdat ze genoeg geld verdienden om bij tijd en wijle een advocaat in te huren om zich te verweren. Toch voelde het goed.

Marc David nam het op tegen het blad *Hollywood's People*. Dayne rechtte zijn rug en keek of hij ergens op het strand mensen met een fototoestel zag. Dat was niet zo.

'Moet je horen, Marc, je kunt hoe dan ook op mijn steun rekenen.'

'Bedankt, Dayne. Dat betekent veel voor me.' Hij klonk al veel opgewekter toen hij eraan toevoegde: 'Hé, Dayne, ik moet ophangen, maar ik wil nog wel gauw één ding van je weten.' Hij zweeg even. 'Hoor je nog weleens iets van Kelly Parker?'

'Kelly?' Dayne keerde terug naar zijn stoel en legde zijn voeten op de muur van zijn dakterras. 'Ze komt haar huis niet meer uit omdat ze doodsbang is voor de paparazzi.'

'Dat dacht ik al. Wil je tegen haar zeggen dat ze me moet bellen?'

'Dat zal ik zeker doen.'

Toen de verbinding was verbroken, gooide Dayne zijn telefoon op de tafel, trok het blad weer naar zich toe en keek naar de foto. Opeens veranderde het beeld dat hij voor ogen had. In plaats van Marc en zijn vader zag hij een familie. Zijn biologische familie, al wisten ze niet dat hij bestond. Hij zag hen voor zich zoals zij er op die dag in Bloomington hadden uitgezien. Met zijn achten of tienen en een paar kleine kinderen hadden ze over de parkeerplaats van het plaatselijke ziekenhuis gelopen, hetzelfde weekend dat hij het meisje in het theater had gezien. Een van de meisjes die ze bij zich hadden, had in een rolstoel gezeten.

Hij huiverde even, al scheen de zon warm op zijn gezicht. Hij klapte het blad dicht en schoof het van zich af. Wat zouden de paparazzi doen met de mensen die hij die dag op de parkeerplaats had gezien? Wat voor duistere geheimen had de familie Baxter? Om te beginnen hadden John en Elizabeth hem afgestaan voor adoptie en er kennelijk nooit iets over gezegd tegen hun andere kinderen.

En hoe zat het eigenlijk met die rolstoel? Zat het kind in die stoel door een geboorteafwijking of als gevolg van een ongeluk? Hoe dat ook was, de roddelbladen zouden erachter komen en het onder een paginabrede kop publiceren, als ze de kans kregen.

Dayne stond op en vulde zijn longen met de vochtige, zoutige lucht. Hij legde zijn onderarmen op de muur en keek ver uit over de oceaan. Wat zouden de Baxters nu aan het doen zijn? Ze treurden ongetwijfeld nog over het verlies van Elizabeth. De privédetective die zijn agent in de arm had genomen, had die informatie al heel snel boven water gekregen. Elizabeth Baxter was slechts enkele uren nadat hij haar een kort bezoek had gebracht, overleden aan borstkanker.

Een eindje verderop liet een jong stel een heldergeel gestreepte vlieger op en liep er hand in hand achteraan over het strand. Dayne bleef naar hen kijken. Ze hadden er totaal geen moeite mee om hun gezicht open en bloot te laten zien. Wisten ze hoe heerlijk het was om niet in de schijnwerpers te staan? Of wilden zij net zo graag beroemd zijn als vele andere mensen in Los Angeles?

Hij keek omhoog. Gelukkig had hij Elizabeth gevonden voordat ze overleed. In het gesprek dat ze samen hadden gehad, waren zijn indringendste vragen beantwoord: wie zijn biologische moeder was en waarom ze hem had afgestaan.

Elizabeth had van hem gehouden en naar hem verlangd. Ze was één keer naar hem op zoek gegaan en had zich haar hele leven als getrouwde vrouw afgevraagd hoe het met hem was. Op haar sterfbed had ze alleen maar gebeden dat ze hem nog zou vinden, dat ze hem nog een keer zou mogen vasthouden zoals ze hem als pasgeborene in haar armen had gehouden, en dat ze hem nog zou kunnen vertellen dat ze van hem hield.

Daarmee was nog niet alles bekend, maar hij vond het genoeg.

Hij had ervoor gekozen zijn biologische vader en broer

en zussen met rust te laten, en dat was de juiste keus geweest. Dayne leunde tegen het muurtje. Hij had hen maar een paar minuten gezien, terwijl ze van het ziekenhuis naar hun auto liepen. Het leken aardige mensen, die van elkaar hielden en een hechte band met elkaar hadden. Hij zou er trots op zijn geweest als hij had kunnen zeggen dat hij bij dat gezin hoorde.

Maar hij kon niet bij hen aanbellen om te zeggen dat hij het eerste kind van hun ouders was. De paparazzi zouden het moment van achter de bosjes op foto vastleggen voor hun eerstvolgende hoofdartikel. Nee, hij kon in geen geval contact opnemen met de Baxters, hun nooit vertellen wie hij feitelijk was. Ze hadden recht op hun privacy. Dayne kneep zijn ogen tot spleetjes. Hij zag de koppen al voor zich: *Dayne Matthews' geheimgehouden familie bekend*. Dat kon hij niet laten gebeuren.

Ook al zou hij de rest van zijn leven aan hen denken.

Hij pakte zijn mobiele telefoon van de tafel, glipte weer naar binnen en sloot de hordeur. Opeens wist hij hoe hij het meisje uit het theater in Bloomington zou kunnen vinden. Hij toetste het nummer van zijn agent in.

'Matthews, hoe is het?'

'Prima, maar... eh... je moet me een plezier doen.'

'O ja?' De stem van zijn agent klonk scherp, maar Dayne hoorde er ook een lach in. 'Mitch Henry heeft me verteld dat je een actrice nodig hebt.'

'Ja, dat klopt.' Dayne slaagde erin flauwtjes te lachen. 'Daar doelde ik net ook op. Ik moet een actrice zien te vinden in Bloomington.'

'Matthews.' De lach was verdwenen. 'Ik dacht dat we iets hadden afgesproken. Niet Bloomington.'

'Nee, het heeft niets te maken met mijn familie. Het gaat om een meisje, een actrice die ik daar in het theater heb gezien.'

De stilte aan de andere kant was oorverdovend. Toen hoorde hij hoe zijn agent diep inademde. 'Je hebt in het plaatselijke theater een voorstelling gezien toen je in Bloomington was?'

'Ja. Eh, nee.' Dayne liep naar de andere kant van zijn keuken en bleef in de buurt van de gootsteen staan. Daar zag hij door het raam hetzelfde als boven op het dakterras. 'Het meisje vervulde geen rol in de voorstelling; ze was de regisseur.'

'De regisseur?'

'Ja. Ze is precies zoals ze moet zijn. Alles wat voor de rol vereist is, heeft ze in huis.' Dayne merkte dat zijn mond vertrok tot een grijns.

'Hoe weet je dat ze kan acteren?' Zijn agent klonk vermoeid.

'Noem het maar een ingeving.' Dayne pakte een glas uit een keukenkastje en vulde het met water. 'Kom op, man; doe het voor mij. Ze is precies zoals ze moet zijn, neem dat maar van mij aan.'

'Ik heb een vraag.' Er klonk gelatenheid door in de stem van de agent. 'Je bent zeker met haar naar bed geweest?'

'Hoe kom je daarbij?' Dayne stak zijn vrije hand in de lucht. 'Geloof toch niet alles wat je in de kranten leest, man.'

'Zal ik niet doen, maar... Ben je met haar naar bed geweest?'

'Natuurlijk niet.' Dayne haalde zich het meisje voor de geest, hoe ze omringd door kinderen op het podium had gestaan. 'Ik heb haar zelfs nog nooit gesproken.'

'Fantastisch.' Zijn agent zuchtte diep. 'Ik moet de detective dus naar Bloomington sturen om een meisje te zoeken dat geknipt is voor de rol, al weet je niet zeker of ze kan acteren en heb je haar zelfs nog nooit gesproken.'

'Ja, precies.' Dayne merkte dat hij zich ontspande. Zijn agent vond het leuk om een spelletje met hem te spelen, maar uiteindelijk deed hij altijd wat Dayne van hem vroeg. Dat was de reden dat Dayne zo lang bij hem was gebleven.

'Heb je me verder nog iets te vertellen? Een naam? Iets anders?'

Dayne aarzelde niet. Haar naam had al de hele middag op het puntje van zijn tong gelegen. 'Hart heet ze. Katy Hart.'

2

Voor de tweede keer die maandagmiddag reed Katy Hart met haar verkleurde rode, tweedeurs Nissan de parkeerplaats op van de Community Church in Bloomington. Daar repeteerde het Christelijke KinderTheater en er stonden al minstens honderd kinderen met hun ouders in een rij voor de deur.

De eerste keer was een halfuur geleden geweest. Toen was haar de donkere lucht in de verte opgevallen, terwijl ze met de maximumsnelheid door het centrum van de stad reed en tien minuten te vroeg de parkeerplaats opreed, precies zoals ze het gepland had. Pas toen ze bij de kerkdeur stond, besefte ze dat ze de sleutel niet bij zich had.

Dat leidde ertoe dat ze met een sneltreinvaart weer door Bloomington terugreed naar de wijk waar ze bij de familie Flanigan inwoonde. Verwoed doorzocht ze haar slaapkamer tot de sleutel eindelijk opdook, maar nu was ze een kwartier te laat, en als de rij voor de deur van de kerk ook maar ergens op duidde was het dat ze moest opschieten.

De audities voor *Tom Sawyer* zouden om vier uur beginnen.

Katy en haar creatieve team moesten de kinderen binnen drie uur auditie laten doen en in het daaropvolgende uur beslissen wie ze zouden laten terugkomen voor een tweede auditie. Om acht uur was er een vergadering van de kerkenraad, en ze had beloofd dat iedereen van het Christelijke KinderTheater het gebouw dan zou hebben verlaten.

Katy beet op haar lip, pakte haar tas en sprong uit de auto.

Zo lang het CKT geen permanent onderkomen had, zat er niets anders op dan dat ze zich hielden aan de door het kerkbestuur bepaalde tijden. De Community Church was in ieder geval bereid om iedere maandag en donderdag en twee keer in het weekend haar deuren te openen voor het CKT, zodat er acteerlessen gegeven en repetities gehouden konden worden. Een eigen gebouw zou mooi zijn, maar Katy dacht daar verder niet over na. Ze begon sneller te lopen. *Ik ben U dankbaar, God. Echt waar.*

Zodra de kinderen haar zagen, begonnen ze te zwaaien en te lachen. 'Katy... Katy!'

Ze rende naar de zijkant van de kerk en putte zich uit in verontschuldigingen terwijl ze opendeed. Muffe, warme lucht kwam haar tegemoet. Katy fronste en keek op naar het donkere plafond. De koster van de kerk had beloofd de airconditioning aan te laten staan. Zodra er een begin was gemaakt met de registratie, zou ze kijken of hij inderdaad aanstond.

Katy deed snel het licht aan terwijl de ouders die vrijwillig hun medewerking verleenden, zich naar een paar tafeltjes haastten die in de hal waren neergezet. De kinderen kwamen achter hen aan naar binnen.

'Jullie weten hoe het gaat.' Katy zwaaide naar de kinderen ten teken dat ze stil moest zijn. 'Zorg dat er een foto van jezelf bij je aanmeldingsformulier zit en dat je ouders er een handtekening onder hebben gezet. Ga dan in de rij staan en iemand zal je een nummer geven. Iedereen die geen foto bij zich heeft, mag in de rij gaan staan bij...' Katy keek om een groepje kinderen heen om te zien welke ouder achter de polaroidcamera stond, 'mevrouw Jennings. Over vijf minuten zal ik de eerste tien meenemen naar de kerkzaal.'

Het panel zou bestaan uit nog drie mensen: Rhonda Sanders, danslerares en Katy's beste vriendin, en Al en Nancy Helmes, een echtpaar met zoveel passie voor muziek en het helpen van kinderen dat ze de steunpilaren waren van iedereen die bij het CKT betrokken was. Al en Nancy zouden in muzikaal opzicht de leiding hebben en ze zouden ook betrokken zijn bij het afnemen van de audities voor *Tom Sawyer*. Het echtpaar hield verbazingwekkend veel van elkaar en van hun acht kinderen, van wie er drie deel uitmaakten van het CKT.

Af en toe betrapte Katy het paar erop dat ze voor de maaltijd hun hoofd bogen om te bidden, of zelfs in een vertrek vol mensen even oogcontact hadden. Dat riep vragen bij haar op. Zou er ooit iemand in haar leven komen die haar op dezelfde manier zou liefhebben? Iemand voor wie geen moeite te veel was, met wie kon worden samengewerkt en een gezin kon worden gesticht, terwijl ze er als paar steeds gelukkiger uit gingen zien en steeds verliefder op elkaar werden?

Katy hoopte het.

Ze gaf de moeders die achter de tafel zaten waar de kinderen zich konden opgeven, nog een paar aanwijzingen. Toen kreeg ze Cara Helmes in het oog, een van Al en Nancy's dochters.

'Hoi, Katy!' riep Cara even vrolijk als altijd. 'Alweer een auditie!'

'De beste tot nu toe!' Katy gaf het meisje een knuffel. 'Ik zie je zo meteen weer.'

Cara knikte en liep met haar ouders door het middenpad naar de plek op de tweede rij, waar ze het moment afwachtte dat de audities begonnen. Cara was 22 en had het syndroom van Down. Ze mocht alle voorstellingen en audities van het CKT bijwonen en keek daar altijd erg naar uit. Cara was gul met een knuffel of een lach voor de kinderen. Hoe slecht een repetitie ook was verlopen, Cara klapte ervoor alsof het een prijswinnende voorstelling was geweest. Ze liet zich nooit in negatieve zin over iemand uit en de kinderen en vaders en moeders van het CKT hielden van haar. Katy en Rhonda waren het erover eens geworden dat Cara in bepaalde opzichten CKT's beschermengel was.

'Katy, Katy!' werd er enthousiast in koor geroepen.

Dat bracht Katy terug bij wat op dat moment dringend haar aandacht eiste. Ze zag drie meisjes uit groep zes aankomen. Een van hen zei buiten adem: 'Ik ben mijn muziek vergeten!' Er welden tranen op in haar ogen. 'Mijn moeder wil weten of er nog tijd genoeg is om de cd thuis op te halen.'

Katy legde haar hand op de schouder van het meisje. 'Rustig maar, het komt allemaal goed.' Ze glimlachte. 'Daar is nog meer dan voldoende tijd voor.'

Meer kinderen probeerden haar aandacht te trekken, en ze deed haar best om hun vragen een voor een te beantwoorden. Ja, ze hadden een foto nodig om auditie te mogen doen. Nee, ze mochten niet zingen zonder begeleiding. Ja, ze mochten een lied zingen dat ze in de kerk geleerd hadden.

Onder normale omstandigheden zou ze een praatje maken met de kinderen, hun vragen stellen over school en hun familieleden, maar vandaag had ze daar geen tijd voor. Het CKT was een theatergezelschap voor kinderen, maar dat betekende niet dat Katy minder enthousiast en minder resultaatgericht bezig was dan wanneer het volwassenen zouden zijn geweest. *Tom Sawyer* zou best eens hun allerbeste voorstelling kunnen worden, al was het deze zomer de eerste productie van het CKT. Het was benauwd in de kerk, ze was te laat begonnen en er dreigden onweersbuien die heel makkelijk tot stroomuitval zouden kunnen leiden, maar dat betekende niet dat deze auditie minder professioneel zou worden aangepakt dan anders. Met haar tas dicht tegen zich aan gedrukt stevende Katy af op de dubbele deuren die naar de kerkzaal leidden.

'Er zijn nog nooit zo veel kinderen komen opdagen.'

Heath Hudson kwam naast haar staan en gaf haar twee potloden. Heath was een 27-jarige verkoper die buitengewoon goed kon omgaan met een soundboard en bijzonder geïnteresseerd was in de theaterwereld. Onder de bij het CKT betrokken gezinnen deed het praatje de ronde dat hij ook bijzonder geïnteresseerd was in Katy. 'Wat heb je een kleur.'

'O.' Katy bleef opeens staan en keek Heath aan. 'Is dat een compliment?'

'Ehm...' Omdat hij maar een paar centimeter langer was dan zij, kon ze zien dat zijn voorhoofd vochtig was van het zweet. 'Het was niet mijn bedoeling te zeggen dat je kleurt omdat... Nou ja... het staat je natuurlijk prima, maar...'

'Ik plaag je maar een beetje.' Katy smoorde een lach. Ze had alle reden om Heath Hudson aardig te vinden. Ze waren een paar keer samen naar de film geweest en de kinderen giechelden en knipoogden altijd naar hen wanneer ze samen waren, maar Katy raakte er niet van overtuigd dat hij de ware was. Ze pakte de potloden aan en gaf Heath een klopje op zijn schouder. 'Ik weet best hoe je het bedoelde. Omdat het hier zo warm is, hebben we allemaal een kleur.' Ze gebaarde in de richting van het plafond. 'De airconditioning werkt niet.' Ze trok haar neus op en deed een stapje achteruit. 'Misschien kun jij daar voor mij achteraan gaan, Heath?'

'Ja, hoor.' Nadat Heath zijn rug gerecht en zijn keel geschraapt had, voelde hij zich weer zeker van zichzelf. 'Ik ben al weg.'

Ze was halverwege het middenpad dat leidde naar de kerkzaal, toen de andere leden van haar creatieve team haar inhaalden. Nancy Helmes begon haar de laatste nieuwtjes te vertellen. 'Adam Franklin heeft overgegeven in de hal.'

'Wat?' Katy legde haar spullen neer op een stoel op de eerste rij en staarde Nancy aan. 'Je maakt zeker een grapje.'

'Nee.' Nancy liep naar de piano die een eindje verderop

stond en tilde de klep op. 'Zijn vader vertelde dat hij al de hele dag zenuwachtig is. Tussen de middag had hij een hamburger met frietjes gegeten en, nou ja...'

Haar echtgenoot Al trok een vies gezicht. 'Het was niet gering.'

Rhonda klapte een kaarttafel uit en zette hem neer voor de eerste rij stoelen. 'Sarah Jo Stryker is er ook. Volgens haar moeder is het maar net gelukt om hier op tijd te zijn. Ze zijn eerst naar een commerciële auditie in Indianapolis geweest.' Rhonda trok een wenkbrauw op. 'Ze nam me even apart om te vragen of we wel wisten wat we met Sarah Jo in huis hadden.'

'Wat?' Katy liet haar handen langs haar zij vallen. 'Wat bedoelde ze daarmee?'

'Ze zei tegen me dat Sarah Jo een beroemdheid zou worden. Dat we blij mochten zijn dat we over haar kunnen beschikken terwijl ze nog jong en goedkoop is.'

Katy snoof en legde haar blocnote en potloden op de kaarttafel. De meeste betrokkenen waren nuchtere mensen die opgetogen waren dat ze in het CKT een toneelgezelschap hadden gevonden waar het morele peil hoog was en het christelijk geloof de basis was van alles wat ze deden. Samenwerken was het sleutelwoord, en na acht weken repeteren en oefenvoorstellingen voelde iedereen zich bij de première even belangrijk.

Maar sinds het theatergezelschap in Bloomington een jaar geleden was opgezet, gebeurde het af en toe dat iemand het niet helemaal begreep. Zij gingen ervan uit dat het CKT een springplank was naar iets belangrijkers, iets beters. Iets waarvoor je werd betaald. Katy had Sarah Jo en haar moeder nog niet ontmoet, maar uit de telefoongesprekken die ze met de vrouw had gevoerd, had ze al wel opgemaakt dat ze last met haar zou krijgen.

Katy knipperde met haar ogen. 'Heeft ze dat echt gezegd?'

'Jazeker.' Rhonda keek op haar horloge. 'Ik geloof dat ze in de vierde groep zit.'

Hoe kwamen sommige mensen bij dat soort dingen? 'Als ze weer zoiets tegen je zegt, moet je maar tegen mevrouw Stryker zeggen...' Katy pakte haar notitieblok en een potlood en deed alsof ze iets opschreef, 'dat ik er een notitie van heb gemaakt hoe blij we mogen zijn met Sarah Jo.' Na een korte stilte voegde ze eraan toe: 'We gaan trouwens te werk volgens dezelfde regels als altijd. Bij een auditie als deze leiden rekwisieten en ingewikkelde danspasjes de aandacht alleen maar af van de zanger. De kinderen weten dat.'

Het gebouw schudde door een donderslag, en Katy draaide zich om naar het achterste gedeelte van de zaal. Krissie Schick, de CKT locatiecoördinator, stond daar te wachten op een teken. 'Klaar?'

Katy haalde een keer diep adem en knikte naar Nancy, Al en Rhonda. Zij zaten alle drie achter de tafel. Een eindje verderop zat een van de moeders bij de cd-speler met een stopwatch in haar hand. Katy keek weer naar Krissie. 'Stuur ze maar naar binnen.'

Tientallen ouders en kinderen met een nummer op hun blouse gespeld kwamen met veel geroezemoes de kerkzaal binnen, namen onmiddellijk hun plaats in en werden vanzelf weer rustig. Afgesproken was dat iedereen naar de audities mocht kijken, maar dat ze alleen mochten komen en gaan tussen de groepjes van tien in. De eerst groep kinderen die auditie kwam doen voor de rollen, zonderde zich af van de toeschouwers en nam plaats op de voorste rij, waar ook Katy zat.

In de kerkzaal was opnieuw een donderslag te horen. Katy hield haar potlood stevig vast. Het was hierbinnen nog steeds snikheet, en ze wierp even een blik over haar schouder om te kijken of ze Heath zag. De airconditioning werkte nog steeds niet, al had hij die waarschijnlijk al wel gevonden.

Misschien ging het regenen en werd het dan vanzelf wat koeler.

Katy keek naar de verschillende kinderen op de eerste rij. 'Nummer 1?'

Tim Reed stond op, liep naar de moeder bij de cd-speler en gaf haar zijn muziek. Op fluistertoon vertelde hij aan de vrouw welk lied hij zou gaan zingen. Toen ging hij midden op het podium staan, met zijn gezicht naar Katy toe, en glimlachte. 'Hallo, ik ben Tim Reed. Ik ben 16 en ik ga *King of New York* uit de musical *The Newsies* zingen.'

Katy knikte en leunde achterover.

Een aardigere jongen dan Tim Reed had ze nog niet vaak ontmoet. In eerder op de planken gebrachte voorstellingen had hij altijd als eerste de jongere jongens geholpen met hun make-up, als eerste de artiestenfoyer schoongemaakt, en tussen de voorstellingen op zaterdag in was hij nooit te beroerd geweest om zijn gitaar tevoorschijn te halen om met de andere toneelspelers lofliederen te zingen. Hij kreeg thuisonderwijs en was onlangs bij de Scouting opgeklommen tot Eagle. Verder was hij een natuurtalent in zingen en acteren. Tim had Charlie Brown gespeeld in CKT's eerste productie en had sindsdien in elke voorstelling een hoofdrol gekregen.

Katy glimlachte toen de muziek inzette. Dit zou geen moeite kosten.

Het lied weerklonk, en Tim zong de hoge tonen loepzuiver en liet bij de lage tonen merken dat hij de kunst beheerste om te variëren. Iedereen die auditie deed, kreeg een minuut voordat zijn muziek werd uitgezet. Tim eindigde net voordat dat gebeurde, bedankte het panel en keerde terug naar zijn zitplaats.

Katy trok haar notitieblok dichter naar zich toe en schreef: *Tim Reed: Tom Sawyer?*

Hierna verscheen een broodmagere jongen met kort, krullend haar op het toneel die voor het eerst een gooi deed naar een rol in een CKT-productie. Hij had een grote, groene duikbril op en een zwemband rond zijn middel. In zijn hand hield hij een gele badeend. Nadat hij had verteld wat hij ging zingen en op het podium was gaan staan, knikte hij Katy toe.

Zij zoog haar onderlip naar binnen om te voorkomen dat ze begon te lachen. 'Ga je gang.'

'Goed.' Zijn stem klonk nasaal doordat hij zo'n grote duikbril ophad. Hij probeerde zich iets langer te maken. 'Hallo. Ik ben Eric Wade. Ik ben 12 jaar en...'

'Eric?' Katy schudde haar hoofd. De jongen was zo slecht verstaanbaar dat het was alsof hij zich werkelijk onder water bevond. 'Ben je verkouden?'

'Nee.' Zijn schouders zakten enigszins.

'Zet de duikbril dan maar af. We kunnen je niet goed verstaan.'

Eric deed wat hem werd gevraagd en liet de bril op het podium vallen. 'Is dat beter?'

'Ja. Begin maar overnieuw.'

Het was geen verrassing dat Eric het lied *Rubber Duckie* zong. Hij deed dat terwijl hij eerst deed alsof hij met de vrije slag en daarna op zijn rug van het ene naar het andere eind van het podium zwom. Of hij al dan niet zuiver zong was niet te horen. Katy kon er alleen maar naar raden wat de rest van haar creatieve team opschreef.

Zij krabbelde neer *Eric Wade: volgende keer misschien.*

De kinderen bleven opkomen totdat de eerste tien klaar waren. Katy stond op, rekte zich uit en zei zo hard dat iedereen in de kerkzaal haar kon horen: 'We pauzeren twee minuten, daarna zijn de volgende tien aan de beurt.'

In de pauze kwam Heath naar haar toe. 'Goed nieuws en slecht nieuws. Welk nieuws wil je het eerst horen?'

Katy deed haar armen over elkaar en hield haar hoofd scheef. Op de dagen dat ze audities afnamen ging het altijd zo. 'Het goede.'

'Goed. Ik heb het bedieningspaneel van de airconditioning gevonden en het apparaat aangezet.' Heath stak zijn borst naar voren. Zijn adem rook een beetje naar knoflook en uien. 'Omdat ik altijd alles doe wat je van me vraagt.'

'Wauw. Heb ik even geluk.' Katy lachte flauwtjes. 'Het slechte nieuws is?'

'Dat het waarschijnlijk een uur duurt voordat het koeler wordt, en dat het momenteel buiten hagelt.'

'O.' Katy knikte. 'Dat is geen slecht nieuws.' Ze haastte zich over het middenpad. 'We zetten gewoon de deuren open.'

Ze rende de hal in, duwde de dubbele deuren open en meteen sloeg een windvlaag met hagel haar in het gezicht. 'Oeps!' Ze duwde de deuren weer dicht en wervelde in het rond.

De ouders en kinderen in de hal stonden haar allemaal aan te kijken en deden hun best om niet te lachen.

Een van de vaders zei grijnzend: 'Daarom hebben we de deuren dichtgedaan.'

'Ja, dat snap ik.' Katy veegde haar kleren af en schudde de hagel van haar armen.

Tims zusje Mary kwam naar haar toe en trok aan Katy's blouse. 'Je hebt sneeuw op je hoofd.'

'Ja, dank je wel, Mary, dat dacht ik al.' Ze haalde haar vingers door haar haar en stoof de kerkzaal weer in. 'Goed,' zei ze. 'Groep twee, zorg dat je er klaar voor bent.'

Terwijl Katy terugrende door het middenpad, viel haar oog op een van de studentes die met de voorstelling zouden helpen. Ze zat achter in de zaal naast haar vriendje. Hij had zijn arm om haar heen en had alleen oog voor haar, en hun hoofden waren naar elkaar toe gebogen.

Katy nam dit beeld met al haar zintuigen in zich op en hield in. Opeens was de pijn in haar hart weer terug, het gevoel van eenzaamheid dat ze af en toe nog steeds ervoer als een pijnlijke open wond, ook al had ze Chicago al twee jaar geleden verlaten. Ze wierp nog een blik op het stel. Ze lachten, hielden elkaars hand vast en gingen helemaal op in hun eigen wereldje.

Katy treuzelde. Een paar jaar geleden had zij dat kunnen zijn: de studente die samen met haar eerste liefde, haar enige liefde, achter in het auditorium zat, terwijl hun jaargenoten voor in de zaal repeteerden. Ze had destijds gedroomd over trouwen en kinderen krijgen en dat ze voorgoed in Chicago zou blijven wonen. Maar zo was het niet gelopen, en nu verlangde ze zo intens terug naar die tijd dat het haar de adem benam.

Ze richtte haar aandacht weer op het voorste gedeelte van de kerkzaal en liep snel door. Er prikten tranen in haar ogen. Op de vreemdste momenten overviel haar de pijn, zomaar midden in een gebouw vol mensen die van haar hielden en haar bewonderden. Ze zette haar hand als een toeter aan haar mond. 'We gaan door! Groep twee, houd je muziek bij de hand.'

Eén keer diep doorademen, en Katy merkte dat ze zichzelf weer in bedwang had. Wat ze in Chicago had meegemaakt, deed er niet meer toe; ze ging nooit meer terug. Haar ogen waren weer droog en ze dwong zichzelf haar aandacht te richten op het zenuwachtige gefluister, het geritsel van muziekbladen en alle opwinding die overal om haar heen voelbaar was. Dit was de plek waar ze zich thuis voelde, waar ze thuishoorde.

Katy ging aan de tafel zitten en keek naar haar notitieblok. *Meer dan dit heb ik niet nodig, toch, God? Dat hebt U toch tegen me gezegd? Dat ik deel moest gaan uitmaken van een dertigtal gezinnen met ongeveer honderd kinderen die mijn naam roepen? Dat zijn toch de plannen die U met mij hebt?*

Er kwam geen antwoord, ook niet in de stille hoekjes van haar hart.

'Katy, waar zit je met je gedachten?' Rhonda stootte onder

de tafel even Katy's voet aan. 'Geef het teken dat de volgende kinderen mogen opkomen.'

'O, sorry.' Katy keek naar de eerste rij, waar de eerstvolgende tien kinderen zaten te wachten. 'Wil nummer 11 het podium opkomen?'

Het overkwam Katy niet weer dat haar gedachten afdwaalden.

Na de eerste dertig audities kwam er een vrouw naar Katy toe. Ze raakte even haar schouder aan. 'Jij bent toch Katy? De regisseur?'

Katy draaide zich om in haar stoel. 'Ja, hallo.' Ze hadden elkaar alleen nog maar telefonisch gesproken, maar Katy twijfelde er niet aan dat dit de moeder van Sarah Jo was.

Alice Stryker kwam iets dichter bij haar staan en zei op gedempte toon: 'Sarah Jo repeteert al een hele tijd voor de rol van Becky.' Mevrouw Stryker tuitte haar mond en gaf Katy een duwtje tegen haar schouder. 'Ik heb al een Becky Thatcher-jurk voor haar gemaakt.'

'Mevrouw Stryker,' Katy deed haar best om niet in haar stem te laten doorklinken hoe geschokt ze was, 'morgen zijn de tweede auditierondes en daarna zal het team de rollen pas verdelen.'

Haar gezichtsuitdrukking veranderde en ze lachte beleefd. 'Dat weet ik natuurlijk wel, maar ik geef het nu alvast even door, omdat de ouders bij de tweede auditieronde niet mogen toekijken, en ik ervan overtuigd ben dat Sarah Jo de rol kan spelen.'

Mevrouw Stryker was verdwenen voordat Katy op adem kon komen. Nu Sarah Jo's moeder zulke onredelijke verwachtingen had uitgesproken, zou ze veel weerstand in zichzelf moeten overwinnen om dit meisje nog een keer te laten komen.

Katy was nog aan het herkauwen wat de vrouw had gezegd toen Sarah Jo haar benaderde. Katy zag de onzekere manier van lopen van het meisje en haar grote, bange ogen. Voor het eerst kwam ze op de gedachte dat de kans bestond dat Sarah Jo heel anders was dan haar moeder.

'Mevrouw Katy?' Het meisje keek even over haar schouder en liet haar tong over haar onderlip gaan. Haar gezicht stond somber toen ze Katy weer aankeek. 'Ik ben Sarah Jo.' Ze stak haar hand uit. 'Ik weet niet wat mijn moeder heeft gezegd, maar... het spijt me. Ze...' het meisje slikte, zo gespannen was ze, 'ze heeft bepaalde ideeën over mij.'

Katy's hart smolt. 'O, lieverd, dat geeft niets.' Ze pakte Sarah Jo's hand vast. 'Zit er maar niet over in. Tijdens audities is iedereen een beetje van slag.'

'Ja, dat zal wel.' Het scheelde niet veel of Sarah Jo's ogen begonnen te glinsteren. 'Bedankt.'

Katy keek Sarah Jo na toen ze zich weer tussen de andere kinderen mengde. Achter in de zaal zag ze de twee oudste kinderen van de familie Flanigan: Bailey van 15 en Connor van 12. Connor had terecht in alle drie de voorstellingen die ze tot nog toe op de planken hadden gebracht, een rol gekregen. Bailey kende ze eigenlijk niet echt, al woonde ze bij de Flanigans in en had ze het gevoel dat ze deel uitmaakte van hun gezin. Een hele week had ze erover ingezeten of Bailey geschikt zou kunnen zijn voor een bepaalde rol, en of hun ouders Jim en Jenny het pijnlijk zouden vinden als geen van beide kinderen een rol kreeg in de musical.

In de pauze voordat hun kinderen aan de beurt waren, kwam Jenny Flanigan naar de tafel toe en zei tegen Katy: 'Geen voortrekkerij, Katy. Behandel hen net als alle anderen.'

Dat waren precies de woorden waaraan Katy op dat moment behoefte had. 'Bedankt.' Ze kneep even in Jenny's vingers. 'Dat had ik nodig.'

Bailey was het eerst aan de beurt toen ze weer verdergingen met de audities. Het was een vrolijk, zuiver gezongen nummer dat bewees dat Katy zich nergens zorgen over hoefde te maken. Dit meisje van de familie Flanigan was een natuurtalent, een gracieuze schoonheid met een mooie stem. Ze bewoog zich makkelijk op het podium en Katy vermoedde dat ze een geweldige danseres zou zijn. Katy maakte een notitie naast Baileys naam om haar nog een keer te laten komen, misschien voor de rol van Becky Thatcher. Ze kon altijd nog aan Alice Stryker vragen of ze de jurk wilde vermaken.

Sarah Jo kwam hierna en Katy hield haar adem in. *Goed, laten we eens kijken wat ze in huis heeft.* Sarah Jo zong *Dat is mijn wens* uit *De kleine zeemeermin.* Na de eerste regel had Katy al wel begrip voor de vastberadenheid van mevrouw Stryker. Het meisje zag er onopvallend uit met haar dunne, sprieterige bruine haar, maar ze zong met haar hele wezen en liet het lied naar haar vingertoppen vloeien toen ze tijdens het refrein haar handen voor zich uit stak.

Het kwam eenvoudigweg hierop neer dat Sarah Jo Stryker de hele zaal deed oplichten. Ze had een verbazingwekkend mooie, volle stem, die tot op zekere hoogte al zo gerijpt was dat de rillingen over Katy's rug liepen. Rustig en zelfverzekerd bracht ze het lied, zodat iedereen in de zaal haar zag als de zeemeermin Ariël.

Geen wonder dat haar moeder verwachtte dat Sarah Jo beroemd zou worden. Als het meisje een carrière op het podium begeerde, had ze er beslist de stem en de houding voor.

Toen ze uitgezongen was, begon de groep die in de zaal zat enthousiast te klappen. Sarah Jo schonk Katy een zwakke glimlach en haalde even haar schouders op.

Katy's hart ging naar haar uit. Het was duidelijk dat Sarah Jo verwachtte dat ze gestraft zou worden voor het gedrag van haar moeder. Katy beantwoordde de glimlach met een knikje. Ze keek op haar notitieblok en tuitte haar lippen. Ze moest kennelijk een manier zien te vinden om met mevrouw Stryker samen te werken. Ze pakte haar potlood en schreef *Sarah Jo Stryker: terugkomen.*

De volgende was Ashley Zarelli, een aardig meisje van 17 met donker haar, dat een problematisch verleden te boven was gekomen. Ash had de eerste twee maanden van haar leven doorgebracht in een la van een ladekast. Senator Zarelli en zijn vrouw hadden haar in huis genomen, maar na elf maanden had de staat ingegrepen en haar weer bij haar biologische moeder geplaatst. Haar leven kwam snel in een neerwaartse spiraal terecht, maar het duurde nog tot Ash vier jaar was voordat de staat haar voorgoed bij haar biologische moeder vandaan haalde en haar liet terugbrengen naar het echtpaar Zarelli. Sindsdien maakte ze deel uit van deze familie.

Tani Zarelli, Ash's pleegmoeder, had Katy eens verteld dat het leven van haar dochter moeilijk was geweest, maar dat God haar een boodschap had gegeven: eens zou Asley Zijn Woord onderwijzen. Aan deze belofte hielden Tani en haar man zich vast in de tijd dat Ash had geleden onder een laag zelfbeeld en nachtmerries.

Toen Ashley Zarelli opkwam, raakte Katy onder de indruk van Gods trouw. Op het podium stond een tiener die door haar biologische moeder voor dood was achtergelaten, maar nu het licht van Christus uitstraalde. Ash's betrokkenheid bij het theater was een toonbeeld van hoe God Zich aan Zijn beloften hield en wat deze uitwerkten. Bij de laatste CKT-voorstelling, *Charlotte's Web*, had Ashley samen met Tim Reed leiding gegeven aan de momenten dat de toneelspelers samen in de Bijbel lazen en baden.

Ze zong een lied uit *The Sound of Music* en deed dat goed genoeg om nog een keer terug te mogen komen.

Het was al zes uur 's avonds voordat er een einde kwam aan de audities, waaraan 136 kinderen hadden deelgenomen die binnen de leeftijdsgrenzen van het CKT vielen. Zo hadden 8-jarigen voor het eerst auditie gedaan en 18-jarigen een laatste poging gewaagd om een rol in de wacht te slepen.

Zodra de kinderen en hun ouders waren vertrokken, benaderde Heath Hudson Katy. 'Zal ik op je wachten?'

Katy begreep niet waarom hij dat vroeg. 'Hebben we iets afgesproken?'

'Nee, ik dacht alleen maar... eh...' Heaths wangen werden een tintje donkerder. 'Ik had bedacht dat ik in een andere ruimte zou kunnen wachten tot je klaar bent, en dat we dan samen een kopje koffie zouden kunnen gaan drinken.'

'Wat lief van je, Heath.' Katy pakte zijn handen vast. 'Maar het gaat wel een tijdje duren, en als we klaar zijn moet ik nodig naar huis.' Na een korte stilte vroeg ze: 'Dat begrijp je toch wel?'

'Ja, hoor.' Heath kneep even in haar handen en deed een paar stappen achteruit. 'Dan zie ik je vrijdag tijdens de repetitie.'

'Ja.' Katy zwaaide nog even vriendelijk naar hem. 'Tot dan.'

Toen ze terugkwam bij haar creatieve team, was zowel van Rhonda's als van Nancy's gezicht af te lezen dat ze precies dachten te weten wat er was voorgevallen. Katy stak een hand op. 'Stop. Begin er niet eens over.' Omdat ze als single omringd was door gezinnen, was er altijd wel iemand die haar probeerde te koppelen. Maar die avond moesten ze het over meer dingen hebben dan over Heath Hudson.

'Ik zal het je niet moeilijk maken, Katy.' Al gaf zijn vrouw plagerig een por tussen de ribben. 'Wat doen jullie vervelend, meisjes, als jullie onder elkaar zijn. Mag ze Heath niet gedag zeggen zonder dat jullie meteen een huwelijksdatum prikken?'

Ze moesten allemaal lachen, maar het was gauw gedaan met de gekkigheid. Het creatieve team stak de koppen bij elkaar, en een uur later hadden ze besloten dat 43 kinderen mochten terugkomen. Er zouden ongeveer zestig kinderen bij het stuk betrokken zijn, maar het was niet nodig dat iedereen terugkwam om een rol te krijgen. Er kwam alleen nog een auditiedag om de rollen met tekst te verdelen. Een aantal kinderen had het de eerste keer al goed genoeg gedaan om hun een kleine groepsrol te geven.

Katy had pijn in haar maag tegen de tijd dat ze terugreed naar Clear Creek en stopte op de oprit van de familie Flanigan. Maagpijn hoorde erbij, want audities waren het allermoeilijkst. Iedereen wilde graag een rol in een productie hebben, en in een volmaakte wereld kreeg iedereen die ook, maar Katy had voor nog niet de helft van de kinderen die auditie hadden gedaan een rol.

En deze keer voelde ze zich achteraf anders dan anders.

Overal in het huis was het licht uit, en dat was goed. Ze wilde niet worden afgeleid door gesprekken, vanavond niet. Dat had niet alleen te maken met het feit dat zij en haar creatieve team de volgende dag nog vervolgaudities zouden afnemen en de rollen zouden verdelen. Het kwam ook nog door iets anders dat ze vanavond meer maagpijn had dan anders.

Katy lag wakker omdat ze haar best deed uit te vissen wat het was, en telkens kwam ze weer op hetzelfde uit: de herinnering aan de studente en haar vriend achter in de kerkzaal. Zelfs na de drie uur durende audities en nog een bespreking van een uur kon Katy het beeld niet uit haar hoofd zetten.

Hoe langer ze erover nadacht hoe begrijpelijker het werd. Het CKT had haar heel veel gegeven en ze voelde zich op allerlei manieren verbonden met de grootste familie die je je maar kon wensen. Toch viel de onderliggende waarheid niet te ontkennen, en die was dat Katy niemand had die echt bij haar hoorde, geen vriend om een toekomst mee op te bouwen.

Toen ze in slaap viel, was ze ervan overtuigd dat de maagpijn niet alleen veroorzaakt werd doordat ze zich zorgen maakte over de rolverdeling voor *Tom Sawyer.* Het ging om meer dan wat voor rol Bailey Flanigan, Sarah Jo Stryker, Tim Reed of Ashley Zarelli na hun tweede auditie zouden krijgen. Het was iets dat verder niemand kon zien of begrijpen, iets wat zo belangrijk was dat ze bijna haar boeltje pakte en linea recta terugkeerde naar Chicago.

Een diepe en verpletterende eenzaamheid.

3

Ashley Blake-Baxter zat achter haar schildersezel. Ze was bezig de laatste hand te leggen aan een schilderij van de oever van het meer en miste haar moeder, toen ze de voordeur open hoorde gaan.

'We zijn thuis!' Landons stem galmde door het huis, gevolgd door het geluid van kindervoetstappen.

'Mama, we hebben de groenste kikker die we konden vinden gevangen.' Cole was nu zes en ging naar de basisschool. Hij had moddervlekken op zijn wangen en in zijn blonde haar zat slijm uit het meer. 'Ik kreeg hem niet te pakken omdat hij veels te snel was, maar papa is toen stiekem naar hem toe geslopen en', Cole maakt een snelle beweging met zijn hand, 'hebbes!'

Landon kwam de kamer binnen; op de knieën van zijn spijkerbroek zat een dikke laag modder. Hij keek Ashley aan met ogen die glommen en boekdelen spraken, nog voordat hij ook maar een woord had gezegd.

'Weet u,' Cole peuterde aan het groene slijm dat in zijn haar zat, 'papa heeft eigenlijk drie kikkers gevangen. Niemand kan zo goed dieren vangen als papa.'

'Drie?' Ashley trok haar wenkbrauwen op en vroeg plagerig aan Landon: 'Heeft de grote, stoere brandweerman met wie ik ben getrouwd, op een zomerochtend niet slechts één, maar drie kikkers gevangen? Ik ben diep onder de indruk.'

'Ja, ik ook, mama.' Coles ogen waren groot van opwinding. 'Maar de laatste was de groenste.' Hij keek op naar Landon. 'Die had ook heel groene poten, hè?'

Ashley keek Cole aan. 'En waar is die heel groene kikker dan nu?'

'O, we hebben hem weer losgelaten.' Cole knikte ernstig. 'Hij woont in het meer.' Zijn ogen lichtten op. 'Maar de volgende keer kunnen we hem weer vangen, hè, papa?'

'Ja, dat zou kunnen.' Landon liet zich door zijn knieën zakken om op gelijke hoogte te komen met Cole en ging met zijn duim over een van de moddervlekken. 'Hé, wordt het nu geen tijd om te gaan douchen?'

'Ja, goed.' Cole grijnsde naar Ashley, boog zich half voorover en schudde zijn haren uit. 'Geen middageten voordat we het vuil uit ons haar hebben gewassen.' Hij ging weer rechtop staan, zwaaide even naar hen allebei en rende de kamer uit, de gang door naar de badkamer.

Ashley legde haar penseel neer. Ze veegde een haarlok van haar voorhoofd, kwam achter de ezel vandaan en stapte in Landons armen. 'De ochtend was zo te horen een succes.'

'Mmmm.' Hij wreef met zijn neus over haar gezicht. 'Een wandeling langs het meer met mijn lievelingszoon, heel groene kikkers...' Hij kuste haar hartstochtelijk en met een verlangen dat alleen maar sterker was geworden in het jaar dat ze nu getrouwd waren. 'En nu dit.' Hij helde iets achterover en keek in haar ogen. 'Veel beter kan een ochtend niet worden.'

Op de gang hoorden ze het gekletter van de douche.

Ashley trok Landon dichter naar zich toe en kuste hem opnieuw, deze keer langduriger. Toen ze daar even mee ophield om op adem te komen, giechelde ze. 'Weet je waar ik erg van geniet?'

Landon liet zijn handen van boven naar beneden over haar armen glijden en keek haar onderzoekend aan. 'Nou?'

'Als ik Cole jou papa hoor noemen.'

Landons ogen straalden een mengeling van licht en liefde uit. 'Ik geniet er nog meer van dat ik hem mijn zoon mag noemen.'

Ashley legde haar hoofd tegen zijn borst. 'Ik heb je jarenlang op afstand gehouden. Hoe heb ik zo koppig kunnen zijn?'

Hij drukte een kus op haar hoofd. 'Dat doet er niet meer toe. Kijk naar wat we samen hebben.'

Landon had gelijk. Ze moest niet meer denken aan haar escapades in Parijs, aan het feit dat ze zwanger en eenzaam naar huis was gekomen, en het gevoel had gehad dat ze het zwarte schaap van de familie Baxter was. Landon was er altijd voor haar geweest, had geprobeerd haar naar zich toe te lokken, haar te doen geloven dat ze de moeite waard was, al kon ze dat zelf niet geloven. Ze overleefden de jaren dat hij in New York City verbleef en dat zij moest zien om te gaan met haar gevoelens van angst over haar gezondheid. Ze had in die jaren niet kunnen dromen dat het er toch nog van zou komen dat ze samen door het leven zouden gaan.

Maar dat was wel gebeurd.

Hij trok zich terug en bekeek haar schilderij. 'Je hebt het meer nog nooit vanuit die hoek geschilderd. Ik vind het mooi.' Hij hield zijn hoofd een beetje schuin en er klonk tederheid door in zijn stem. 'Het doet me denken aan de laatste picknick met de hele familie Baxter.'

'Voordat mam overleed.' Ashley ging achter de ezel staan en liet haar vingers over de rand van het doek glijden. 'Daar moest ik ook aan denken.'

'Komen er ook mensen op het schilderij?'

'Ja, dat denk ik wel.' Ze keek hem aan. 'Ik wil graag een echtpaar op leeftijd schilderen dat op een bankje uitkijkt over het water. We zullen waarschijnlijk alleen maar hun achterhoofd zien.'

Landon richtte zijn aandacht weer op het schilderij en daarna op Ashley. 'Je ouders?'

Er prikten tranen in Ashleys ogen. 'Mmm-hmm.' Haar blik dwaalde naar het afgebeelde meer. 'De gedachte erachter is dat ik me langer zal kunnen herinneren hoe ze was, als ik haar afbeeld op mijn schilderijen.'

'Ash.' Hij stak zijn armen naar haar uit. 'Kom hier.'

Op de achtergrond verstomde het geluid van de douche, en ze hoorden Cole in de badkamer rommelen.

Ashley sloot haar ogen en gaf zich helemaal over aan Landons omhelzing. 'Ik kan niet geloven dat het al bijna een jaar geleden is.'

'Ik kan nog steeds haar stem horen.'

'Ik ook.' Ashley snufte en keek op naar Landon. 'Als we bij pa op bezoek zijn, heb ik steeds het idee dat zij daar ook is. Dat ze bezig is in de keuken, thee zit te drinken aan de tafel in de eetkamer of in de woonkamer in een tijdschrift zit te lezen. Ik mis haar heel erg.'

Landon reageerde er niet op en daar was Ashley blij om. Hij hoefde niet telkens als ze aangaf dat ze haar moeder miste, te reageren. Het was voldoende dat hij haar vasthield en haar over haar gevoelens liet praten.

'Weet je waar ik aan heb zitten denken?' Ze ging op het krukje achter haar schildersezel zitten, met haar gezicht naar hem toe.

'Vertel.'

'Dat het goed zou zijn als we betrokken raakten bij... Ik weet niet... een of andere activiteit ten dienste van de gemeenschap. Iets ter nagedachtenis aan mam.'

Landon leunde tegen de muur en keek uit het raam. 'Je werk in Sunset Hills was iets dergelijks.'

Daar had hij gelijk in. In Sunset Hills had ze gewerkt met Alzheimerpatiënten, en dat was wel iets waarmee ze haar moeders nagedachtenis hoog zou houden. Maar ze had de baan opgegeven nadat ze was getrouwd, en was niet meer teruggegaan. Omdat de eigenaar van de instelling een nieuwe manager in dienst had genomen, ging ze er nu alleen nog maar af en toe langs om de bewoners met wie ze een speciale band had te bezoeken.

Ashley strekte haar rug. 'Kari heeft me iets verteld over een nieuw theatergezelschap. Het heette, geloof ik, het Christelijke KinderTheater.' Haar zus Kari en zij hadden elkaar getroost na het overlijden van hun moeder en hadden daardoor het afgelopen jaar een veel hechtere band gekregen. Ashley probeerde zich te herinneren wat Kari haar precies had verteld.

'Ja, dat klopt.' Landon kneep zijn ogen halfdicht. 'Is een van de coaches met wie Ryan bevriend is, er niet bij betrokken? Jim Flanigan?'

Ashley knipte met haar vingers. 'Ja, Jim Flanigan. Hij en zijn vrouw hebben kinderen die lid zijn van het theatergezelschap, geloof ik.'

'Vertel 's.' Landon kwam met een glimlach op zijn gezicht dichterbij. 'Wat voor goede daad heeft mijn vrouwtje verzonnen?'

'Ehm...' Ashley voelde hoop in zich opborrelen. Dit was ook weer iets waarom ze Landon erg waardeerde: dat hij haar hielp een reden te vinden om te lachen op de momenten dat ze haar moeder het meest miste. 'Misschien hebben ze hulp nodig bij het maken van decors, je weet wel, schilderstukken als achtergrond, of iets dergelijks.'

'Hmm.' Hij krabde aan zijn kin. 'Ik dacht dat je zei dat je graag wilt dat we er beiden bij betrokken raken.'

'Dat is ook zo.' Ze sprong van de kruk en stak beide handen uit om die van hem vast te pakken. 'Je kunt schilderen, Landon. Je bent een stoere, macho brandweerman, maar dat wil nog niet zeggen dat je niet kunt schilderen.'

'Misschien kan ik wel een huis schilderen.' Hij keek haar sceptisch aan, maar aan de lichtjes in zijn ogen kon ze zien dat hij de mogelijkheid overwoog. 'Maar decors...'

'Ja.' Ze trok aan zijn handen en hield haar hoofd een beetje schuin. 'Mijn moeder hield van het theater. We zouden er samen aan kunnen werken ter nagedachtenis aan haar.'

Landon schonk haar een scheef lachje. 'Ik hoop dat er een heleboel lelijke bruine muren geschilderd moeten worden.'

Ashley liet haar hoofd achteroverhellen terwijl ze lachte om het beeld dat hij bij haar had opgeroepen: zij bezig landschappen te schilderen op decors en haar echtgenoot bruine muren. Toen ze uitgelachen was keek ze hem aan. 'O, Landon, wat is het fijn om weer eens te lachen.'

Ze hoorden hoe Cole de gang door rende naar zijn slaapkamer.

Landon boog zich naar haar toe en kuste haar nog een keer. 'Dat is fijn om te horen.' Hij sloeg zijn armen over elkaar en trok een dwaas gezicht. 'Goed, bel Kari maar om het nummer van de Flanigans te vragen. Zeg dan tegen de mensen van het theater dat zij er twee vrijwilligers bij hebben, als ze die nodig hebben.'

'Yes! Ik ga haar meteen bellen.' Ashley kneep nog even in zijn handen. 'Bedankt voor je begrip. Ik denk dat mijn moeder trots op ons zou zijn als ze zag dat wij een handje toesteken.'

De plagerige blik verdween uit zijn ogen. 'Ja, dat denk ik ook.' Hij aarzelde even en zijn gezichtsuitdrukking veranderde. 'Hé, ik wilde nog iets anders met je bespreken.' Landon pakte haar voorzichtig vast en keek haar onderzoekend aan. 'Weet je nog dat we op huwelijksreis zouden gaan?'

Ashley beet op haar lip en knikte. 'Het leek er nooit helemaal het goede moment voor.'

'Eerst overleed je moeder, daarna moest Cole weer naar school.' Hij liet een korte stilte vallen, waarin zijn ogen iets uitstraalden dat recht uit zijn hart leek te komen. 'Maar het is nu weer zomer, Ash.' Hij trok een envelop uit zijn achterzak en stak haar die toe.

'Wat heeft dit te betekenen?' Ashleys hart sloeg over. Het was al zo lang geleden dat ze hun bruiloft hadden gevierd, dat ze ervan uit was gegaan dat Landon de huwelijksreis die ze nooit gemaakt hadden, was vergeten. Niet dat het belangrijk was. Zolang ze maar met Landon samen was, was iedere dag een feest. Ze maakte de envelop open. Er zaten twee tickets in. Op het stuk papier dat eromheen gewikkeld was, stond: *Gefeliciteerd met de aankoop van twee tickets voor een Caribische cruise.*

Ashley merkte dat de kracht uit haar armen wegvloeide. Ze keek Landon aan. 'Dit is geen grapje?'

'Nee, ze zijn echt.' Hij lachte met heel zijn gezicht. 'In de week van 12 juli, de datum dat we vieren dat we een jaar getrouwd zijn, vertrekken we.'

'Echt waar?'

'Echt waar. Kari en Ryan hebben gezegd dat zij op Cole zullen passen.'

Ashley zag al helemaal voor zich hoe Landon en zij op een cruiseschip door het Caribische gebied met uitgestrekte blauwe luchten en een eindeloze warme zee voeren. Het leek meer een droom dan werkelijkheid. 'Landon, ik weet niet wat me overkomt!' Ze hield zijn hand boven haar hoofd vast en maakte eronder een pirouette. 'Jippie!'

Cole kwam de kamer binnengestormd. Hij had zijn schone haar zo goed mogelijk gekamd. 'Wat is er jippie, mama?' Hij keek eerst Landon en toen haar aan. 'Hebben papa en u nog een kikker gevonden?'

'Nee, dommerd.' Ze moest grinniken om de scheve scheiding in zijn haar. 'Mama en papa gaan op reis! Op een groot schip!'

'Mag ik mee?' Cole sprong een paar keer op en neer. 'Ik ben gek op schepen!'

Ashley glimlachte bij zichzelf. Het enige schip waar Cole ooit op was geweest, was de boot waarmee zijn oom Ryan ging waterskiën. 'Dit schip is ietsje groter, en nee, lieverd, deze keer gaan alleen papa en mama.'

'Jij, Coley,' Landon knipoogde naar hem, 'mag bij tante Kari en oom Ryan logeren. Misschien gaan ze wel een keer met jou op hún boot varen.'

'Ja! Dan kan ik weer *kneeboarden*!' Cole stoof weg. 'Ik moet mijn zwembroek opzoeken als we gaan varen!' riep hij.

Ashley trok Landon weer in haar armen. 'Een cruise, Landon Blake. Wat romantisch!'

'Je kent mij.' Hij knipperde een paar keer achter elkaar met zijn ogen. 'Een op en top romantische man.'

'Ik kan bijna niet wachten.' Ze zei dit op serieuzere toon; het verlangen van een paar minuten geleden klonk er weer in door. 'Ik wou dat we vandaag al gingen.'

'Nee, echt niet.' Grinnikend gaf hij haar een tikje op de neus. 'Vandaag moet je Kari bellen om haar een en ander te vragen over het schilderen van decors voor het Christelijke KinderTheater, weet je nog?'

'Dat is waar ook. Ik dacht dat ik deze zomer vooral mijn moeder zou missen. Nu ziet het ernaar uit dat we het juist de hele zomer zullen vieren dat wij nog leven.'

'Ja.' Landon trok haar mee de kamer uit, in de richting van de geluiden die Cole maakte bij het zoeken in zijn klerenkast. 'Dat gaan we doen, want dat is precies wat jouw moeder zou hebben gewild.'

4

De informatie over Katy Hart was beter dan Dayne had gehoopt. Ze had aan de universiteit van Illinois theaterwetenschap gestudeerd, met als hoofdvak film. Drie keer had ze op de universiteit de hoofdrol gespeeld in een toneelstuk en buiten Chicago had ze een paar keer opgetreden in voorstellingen van plaatselijke theatergezelschappen.

Maar het werd nog mooier.

Vers van de universiteit had Katy een belangrijke rol in een trailer voor een televisieserie over een problematisch gezin in de wacht gesleept. Zij speelde de oudste dochter van het gezin en al haar tegenspelers waren onbekende acteurs, maar van hen allemaal werd gezegd dat ze veel talent hadden. Geruchten koppelden haar aan haar tegenspeler, op wie ze in de tv-serie verliefd zou worden.

Ondanks goede recensies voor de proefopname werd de serie afgeblazen, voordat de eerste aflevering werd opgenomen. Daarna trad Katy op in twee reclamespots, voordat ze van het radarscherm van de amusementsindustrie verdween en betrokken raakte bij het Christelijke KinderTheater in Chicago. Een paar jaar later verhuisde ze naar Bloomington, Indiana.

Het kon Dayne niet schelen om wat voor redenen ze de filmindustrie vaarwel had gezegd. Het enige wat er toe deed, was dat ze geschikt was. Heel geschikt.

De privédetective had verbazend goed zijn werk gedaan. Het rapport kwam woensdagmiddag binnen, slechts twee dagen nadat Daynes agent hem in de arm had genomen.

Het bevatte meer bijzonderheden dan Dayne moest weten, maar het mooiste was nog dat er een videoband van Katy's proefopname voor de televisieserie bij zat. Dayne ging op zijn dakterras zitten om het hele rapport door te lezen en liep daarna met de videoband naar zijn geluiddichte ruimte om deze te bekijken.

Het was eigenlijk een thuisbioscoop, doordat de ruimte zwart geschilderd was en er twee rijen zwartleren stoelen waren neergezet. In deze ruimte bekeek Dayne meestal de eerste montage van zijn speelfilms. Hij bestudeerde deze versie grondig om zichzelf ervan te overtuigen dat hij nog steeds vorderingen maakte als acteur.

Nu stopte hij de videoband in zijn videorecorder, ging op de rand van een van de stoelen zitten, pakte de afstandsbediening en startte de video. De titelrol spoelde hij door tot aan de eerste scène in de keuken van een huis. De volgende opname was buiten: een meisje liep door het hoge gras in de richting van een boom en naast de boom stond een jongen te wachten.

Dayne drukte op *play*.

Het leed geen twijfel dat het meisje Katy was. Ze was precies zoals hij zich haar herinnerde. Ze droeg een strak zittend, blauw truitje en een spijkerbroek, haar lange, blonde haar hing steil op haar rug. Ze moest in die scène van streek zijn over iets en het huis uit glippen, bij haar familie vandaan, om haar vriendje te ontmoeten.

De details deden er niet toe. Belangrijk was de manier waarop Katy Hart het scherm deed oplichten. Haar prachtige blauwe ogen leken de helft van haar gezicht in beslag te nemen. Toen ze bij de jongen aankwam, omhelsden de twee elkaar. Dayne bestudeerde hem eventjes; de jongen kwam hem bekend voor. Opeens wist hij het weer: hij speelde nu mee in een soapserie, en hij was naar Manhattan verhuisd nadat hij in Hollywood een paar jaar flink de bloemetjes buiten had gezet.

Dayne richtte zijn aandacht weer op Katy. Haar personage luisterde aandachtig naar de jongeman en opeens moest zij lachen om wat hij zei. Wat dat precies was, kon Dayne niet verstaan. Hij drukte op de volumeknop en luisterde. Katy's gelach vulde de ruimte. Dayne had de hele dag nog niet zo'n oprecht, mooi geluid gehoord. Dat kwam niet alleen doordat Katy zo innemend en zo knap was en het doek kon domineren. De reden was dat hij in haar gelach en in haar ogen precies datgene zag wat hij, wist hij, zou aantreffen als hij haar te pakken zou weten te krijgen.

Hij zag er onschuld in, de soort onschuld die in zijn wereld totaal onbekend was.

Katy Hart was niet iemand die haar best deed om op een Hollywoodster te lijken. Je kreeg wat je zag. Waarvoor zou ze eigenlijk een beginnende filmcarrière hebben opgeven om als regisseur te gaan werken bij een kindertheater? Die laatste vraag bleef Dayne zo dwarszitten, dat hij per se het antwoord wilde weten. Hij drukte op de pauzeknop en liep terug naar de keuken, waar hij Katy's dossier had neergelegd.

Daarin moest staan waarom Katy was gestopt met speelfilms maken. Maar hij kon zich alleen maar herinneren dat hij iets had gelezen over een tv-serie, die was geflopt nog voordat hij zelfs maar was begonnen. Daarna had ze meegewerkt aan reclamespots en was uiteindelijk gaan werken voor het kindertheater.

Dayne nam de vellen papier door, totdat hij vond wat hij zocht. Bovenaan de pagina stond *Mislukte Pogingen om speelfilms te maken.* Onder deze kop stond een lijst audities in zowel Chicago als Los Angeles. Vier op een rij, zonder dat ze ooit terug mocht komen. Dayne fronste. Hollywoodregisseurs wisten niet wat ze misten, maar wie kon dat iets schelen? Hij zou zijn voordeel doen met wat zij over het hoofd hadden gezien.

Als de informatie klopte, had Katy graag een kans gehad in de amusementsindustrie, maar was het er nooit van gekomen. Bedachtzaam tikte hij op het vel papier. Als ze zo graag een kans had willen hebben, waarom had ze er dan na vier audities de brui aan gegeven? Ze had al een proefopname gemaakt. Heel wat actrices moesten jarenlang ploeteren zonder dat ze die kans ooit kregen.

Dayne las de rest van de informatie door, maar de vraag bleef onbeantwoord. Hoe sterk was Katy's verlangen geweest om een kans te krijgen, als ze er zo snel van had afgezien? En zou ze nu echt nog wel zin hebben om auditie te doen, als ze daar de gelegenheid voor kreeg?

Daar kon hij maar op één manier achter komen.

Hij haalde zijn mobiele telefoon uit zijn zak en toetste het nummer in van Mitch Henry, de casting director die alles had stilgezet voor hem.

Mitch nam op nadat de telefoon twee keer was overgegaan. 'Ik ben aan het koken, Dayne. Wat heb je op je lever? Ben je bereid in zee te gaan met een van de best betaalde actrices?'

Zo was Mitch altijd, gejaagd en zakelijk. Niemand deed zo veel dingen tegelijk als hij. Dayne vermoedde dat hij waarschijnlijk al bezig was een lijst van geschikte acteurs en actrices op te stellen én een draaiprogramma in elkaar te zetten terwijl hij nog aan het koken was.

Dayne schraapte zijn keel. 'Ik heb haar gevonden.'

'Wat zeg je me nou? Wie heb je gevonden?'

'Het meisje, Mitch. Ik heb het met je over haar gehad.' Dayne griste een appel van zijn fruitschaal. Zijn huishoudster zorgde goed voor hem; er was altijd vers fruit in huis, voor het geval dat hij tijd had om het op te eten.

'Heb je het nu over dat wilde idee van jou?' Op de achtergrond klonk het gekletter van pannen. 'Ik moet teveel spaghettisaus hebben gemaakt. De pan die ik er altijd voor gebruik, stroomt over. Hoe dom kun je zijn.' Weer was er aan de andere kant van de lijn een hele reeks harde geluiden te horen. 'Zo, dat is beter. Sorry. Ga je gang. Wat heb je gevonden?'

'Niet wat... wie. Ik heb het meisje waarover ik het met je heb gehad, gevonden. Echt de persoon die we moeten hebben, weet je nog? Dat meisje uit een andere staat?'

Het bleef even stil aan de andere kant. 'Wat wil je nu eigenlijk van me, Dayne? Er komen zo dadelijk drie mensen bij me eten.'

Dayne nam een hap van zijn appel. 'Ik wil dat jij haar belt om haar te vertellen dat ze hiernaartoe mag komen voor een auditie.'

'Bel jij haar maar. Het is jouw vriendin.'

'Wacht eens even, dat heb ik nooit gezegd.' Tegen zijn aanrecht geleund keek Dayne door het raam uit over de oceaan. Er kwam mist opzetten, laag golvend boven de grauw witte branding.

'Maak dat de kat wijs. Natuurlijk is ze je vriendin.'

'Nee, echt niet. Ik heb haar zelfs nog nooit gesproken.' Dayne zweeg een moment. 'Noem mijn naam ook maar niet. Bel haar gewoon op om te zorgen dat ze hierheen komt. Haar moeten we hebben; neem dat nu maar van me aan.'

Mitch zuchtte. 'We hebben geen tijd voor spelletjes, Matthews. Je weet wanneer we moeten beginnen met de opnames. Dat is al over...'

'Ja, weet ik, weet ik.' Dayne grinnikte. 'Vier maanden. Daarom kun je haar ook maar beter vanavond nog bellen.'

Mitch maakte een paar geluiden van ergernis en er kletterden weer een paar pannen tegen elkaar aan. 'Goed. Ik zal het spelletje meespelen, Dayne, maar als het haar niet lukt om maandag hier te zijn, zul je een van de actrices moeten uitkiezen die al auditie hebben gedaan. Als het niet om jou ging, zouden ze niet bereid geweest zijn een week te wachten. De dames kunnen niet genoeg van je krijgen, man. Misschien is het toch beter dat jij het meisje belt.'

'Nee.' Dayne nam nog een hap van zijn appel. 'Het verzoek moet van jou komen.' Hij keerde de oceaan zijn rug toe en keek de woonkamer in van zijn strandhuis. Hij wist eigenlijk niet of Katy Hart hem een jaar geleden in haar theater had gezien, maar het aanbod moest aanvaardbaar klinken. Als hij haar opbelde om haar te vragen naar Los Angeles te vliegen om daar auditie te doen, zou ze daar misschien haar twijfels over hebben. Maar als het telefoontje afkomstig was van de casting director... 'Bel haar nu maar, Mitch.'

'Goed. Ik zal het meteen doen nadat ik heb neergelegd. Momentje... Ja, ik heb papier bij de hand. Wat is het nummer?'

De privédetective had alle nummers op een rijtje gezet die met Katy Hart in verband gebracht zouden kunnen worden. Bovenaan stond de recentste informatie en alles eronder ging drie jaar terug, voor het geval ze gemakkelijker bereikbaar was via een oud nummer. Dayne dreunde de beschikbare informatie op over haar huis, haar kantoor en haar mobiele telefoon.

'Dat weet je allemaal van haar en toch ken je haar niet? Maak dat de kat wijs, Dayne. Wat houd je voor me achter?'

'Niets.' Dayne lachte. Wat zou ze ervan vinden als ze wist dat de informatie over haar privéleven zo makkelijk te achterhalen was? Dayne vermoedde dat ze daar niet blij mee zou zijn, maar dat was niet zijn probleem; dat was haar probleem. Hij was alleen maar blij dat hij haar had kunnen vinden. 'Ik heb informatie over haar ingewonnen. Dat was niet moeilijk.'

'Ook goed.' Mitch gromde iets en begon te schelden in de telefoon. 'Mijn saus brandt aan, Matthews. Ik moet je hangen.'

Het gesprek werd beëindigd. Dayne maakte zich geen zorgen. Mitch zou haar bellen. Hij kon klagen en gefrustreerd raken zo veel als hij wilde, maar *Dream on* was Daynes speelfilm. Hij maakte uiteindelijk uit wie de vrouwelijke hoofdrol kreeg. Hij at de rest van de appel op en wilde net terugkeren naar de geluiddichte ruimte om de rest van Katy's video te bekijken toen de telefoon ging.

Dayne pakte de telefoon en nam op zonder te kijken wie er belde. Hij hield de telefoon tegen zijn oor. 'Dat is snel.'

'Wat is snel?' Het was een bekende vrouwenstem, niet Mitch Henry.

'Sorry.' Dayne liep zijn woonkamer in en liet zich neerploffen in een luxueus gestoffeerde leunstoel. 'Met wie spreek ik?' Hij pakte een afstandsbediening en drukt op een knop om de open haard aan te laten springen.

'Met Kelly.' Ze praatte zacht en klonk angstig. 'Het gaat niet zo goed met me.'

'Kelly. Wat is er aan de hand?' Dayne ging rechtop zitten. De laatste paar keer dat hij Kelly Parker had gesproken, hadden hun gesprekken steeds hetzelfde verloop gehad. Het kwam telkens hierop neer dat ze op was van de zenuwen en niet naar buiten durfde vanwege de paparazzi. Nu hoorde hij iets in haar stem waaruit hij opmaakte dat het allemaal nog erger was geworden.

'Ik heb je nodig, Dayne. Kun je naar me toe komen?'

'Natuurlijk. Waar ben je?'

'Bij Ruby's. In een zijstraat van Hollywood Boulevard.'

'In de nachtclub? Waar vind ik je daar? In het privévertrek aan de achterkant?'

'Ja. Ze zijn voor mij vroeg opengegaan.' Aan de andere kant van de lijn werd een paar keer gesnikt. 'Kom gauw, Dayne. Ik heb je nodig.'

'Ik kom eraan.' Hij hing op, pakte zijn autosleutels en stopte zijn mobiele telefoon weer in zijn zak. Als Kelly hem nodig had, ging hij. Zonder vragen te stellen.

Kelly Parker was een van de populairste hoofdrolspeelsters in Hollywood. Vier jaar geleden hadden Dayne en zij de hoofdrollen gespeeld in een speelfilm en tijdens de opnames waren de twee vaak met elkaar opgetrokken. Sindsdien waren ze twee keer met elkaar uit geweest, maar doordat ze ieder op andere tijden aan het werk waren, werd het niet echt iets tussen hen. De afgelopen zes maanden was ze opgetrokken met een andere hoofdrolspeler, maar ze was met Dayne bevriend gebleven.

Hij merkte dat zijn hartslag versnelde. Ongeveer een jaar geleden had hij ergens gelezen dat Kelly verwikkeld was geraakt in een drugszaak. Destijds was hij ervan uitgegaan dat het alleen maar praatjes waren, de soort bijzonderheden die de roddelbladen nodig hadden om te kunnen blijven bestaan. Maar nu... In haar stem had iets doorgeklonken dat op hem was overgekomen als wanhoop.

De zon begon net onder te gaan toen Dayne harder dan was toegestaan in zuidelijke richting over de kustweg naar Santa Monica Boulevard reed. Hij was in gedachten zo met Kelly bezig, dat hij vergat te kijken of hij fotografen achter zich aan had.

Toen hij bij Ruby's aankwam, sprong hij uit zijn auto, gaf de sleutels aan een parkeerwacht en knikte in de richting van de nachtclub. 'Ik ben waarschijnlijk zo weer terug.'

De parkeerwacht toonde zich een en al bereidwilligheid. 'We zullen uw auto niet te ver weg zetten, meneer Matthews.'

'Bedankt.' Hij duwde de jongeman onopvallend een bankbiljet in de handen en ging naar binnen. Hij had toestemming van de manager nodig om het privévertrek achter in de club binnen te gaan, waar nog een bar was die niet zo veel anders was dan die in de lobby. De drankkast was schaars verlicht, rond hoge tafels met marmeren blad stonden met leer beklede barkrukken en midden in de ruimte was een dansvloer. Verder werd er alleen voor de gasten in dat privévertrek een dj ingehuurd. Je kon er alleen maar op verzoek vroeg in de avond iets te eten krijgen.

Dayne benaderde de manager. 'Ik heb een afspraak met Kelly Parker.'

'Ik ben op de hoogte, meneer Matthews.' De man in smoking stak een sleutel in de deur en maakte hem voor Dayne open. 'Ze is alleen.' Hij boog. 'Plezierige avond.'

Dayne liep de kamer in en keek om zich heen. Hij was hier rond etenstijd nog nooit geweest, alleen maar in de late uurtjes dat de nachtclubs open waren. Zijn ogen dwaalden door het achterste gedeelte van het vertrek en toen zag hij haar in haar eentje zitten in een afgezonderd hoekje met twee hoge banken en een tafel.

Ze huilde.

'Kelly,' fluisterde hij, terwijl hij op een drafje de afstand tussen hem en haar tafel overbrugde. Zonder op een reactie van haar kant te wachten schoof hij naast haar op de bank en sloeg zijn arm om haar heen. 'Wat is er, lieverd?'

Ze keek hem aan en had iets over zich wat anders was dan anders. Zo anders dat hij haar bijna niet herkende. Verdwenen waren de zelfbewuste blik, de lach met kuiltjes in haar wangen die maakte dat ze voor iedere speelfilm miljoenen dollars betaald had gekregen. Haar gezicht was nu betraand en haar mascara trok strepen over haar wangen. 'Dayne...'

Hij trok haar naar zich toe en wiegde haar zachtjes heen en weer terwijl hij haar een hele tijd vasthield. 'Het is wel goed, schat. Het is wel goed.'

Ze huilde een paar minuten op zijn schouder, voordat ze haar hoofd optilde en probeerde uit te maken wat ze in zijn ogen zag. 'Ik kan het niet. Ik kan het niet verdragen.'

Dayne knikte. 'Vertel het me maar, Kelly.'

Ze haalde een tissue uit haar handtas en snoot haar neus. 'Neem niet kwalijk.'

'Geeft niks. Wat is er gebeurd?'

'Ik zat...' Ze haalde drie keer achter elkaar snel adem om rustiger te worden. 'Ik zat te eten met een vriendin, een van de visagisten die ik tijdens de opnames van mijn laatste speelfilm ontmoet heb.' Ze wees naar de grote eetzaal aan de andere kant van de deur. 'Het was vroeg. Ik ging ervan uit dat ik niet herkend zou worden.' Ze gebaarde naar haar witte T-shirt en minirokje van spijkerstof. 'Ik val toch niet echt op als ik zo gekleed ga.'

Dayne hield zijn mening voor zich. Het verkeer stopte nog voor Kelly Parker als ze een aardappelzak aanhad. 'En wat gebeurde er toen?'

'We... we zaten te eten toen iemand naar onze tafel toekwam en mijn vriendin een exemplaar van de *Special Event* overhandigde.'

Dayne kreeg opeens pijn in zijn buik. Er waren veel tijdschriften met de laatste nieuwtjes over Hollywood, maar *Special Event* stond er vooral om bekend dat ze de feiten aandikten en ze soms gewoonweg verzonnen. 'Heb je het blad bij je?' Hij stak zijn hand uit. 'Geef nou maar, Kelly. Laat mij eens kijken wat erin staat.'

Ze liet haar hoofd hangen, maar even later haalde ze het blad toch tevoorschijn en gaf het aan hem.

'Hoe kunnen ze dit publiceren, Dayne?' fluisterde ze met een verwrongen gezicht. 'Denken ze dat wij geen echte mensen zijn? Dat we niets voelen?'

Dayne bladerde naar de pagina's waarop foto's van Kelly waren gerangschikt. Op één ervan was ze in gezelschap van de hoofdrolspeler met wie ze haar laatste film had gemaakt, Ari Aspen. Hij was tot voor kort haar vriend geweest. Op een andere foto zat ze in een restaurant met de visagiste met wie ze bevriend was geraakt. Boven de foto's stond in grote letters: *Heeft Kelly Parker Ari Aspen verlaten voor een vrouw?*

Dayne liet het blad op de tafel vallen. 'Dit is belachelijk.' Hij snoof van verontwaardiging en verstevigde zijn greep op het roddelblad. 'Dit is van de gekke, Kelly. Niemand die jou kent zal dat geloven.'

'Maar daar gaat het nu juist om.' De tranen waren verdwenen, haar handen trilden. 'De meeste mensen kennen mij niet, Dayne, maar zij zijn nu juist degenen die het zullen lezen.'

Gemengde gevoelens namen bezit van hem. Boosheid omdat het blad het lef had gehad om een dergelijk verhaal te publiceren, en verdriet omdat dit zijn vriendin pijn deed en hij machteloos stond. 'Ehm, Kelly...' Hij legde zijn handen over de hare om het trillen te bedwingen. 'Ik vind het heel erg. Weet je wat ze over mij zeggen?'

Ze slaagde erin een glimlachje tevoorschijn te toveren, al waren haar ogen dik van het huilen. 'Dat jij een vermomde vrouw bent van een andere planeet?'

'Je zit er niet ver naast.' Hij kneep even in haar vingers. 'Ze beweren dat ik gestalkt word door een gestoorde vrouw. Ze wil een dag met mij samen zijn. Als ik dat niet wil, wordt dat mijn dood.' Hij stak beide handen voor zich uit en trok een raar gezicht. 'Snap je wat ik bedoel? Het slaat helemaal nergens op.'

Kelly's gezichtsuitdrukking veranderde; er was nu angst in haar ogen te lezen. 'Maar stel nu dat het waar is?'

'Het is niet waar.' Hij bedekte haar handen weer. 'Ik weet wanneer de paparazzi achter me aan zitten. Zou ik het dan niet weten als een of andere ontspoorde fan me volgt? Echt wel.' Na een korte stilte voegde hij eraan toe: 'Zie je nou wel? Het is allemaal onzin.'

'Wat zijn dit voor mensen?' Ze leunde achterover, haar hoofd tegen de hoge rugleuning van de bank. 'Ze schrijven je de hemel in, totdat je zo... zo beroemd bent geworden dat je niet eens meer buiten durft te komen. Dan breken ze je af.'

'Ja.' Dayne moest denken aan het gesprek dat hij eerder die week met Marc David had gehad. 'Stukje voor stukje.'

'Ik kan het niet uitstaan.' Kelly haalde haar neus op en ging rechterop zitten. 'Wil je me naar huis brengen?'

'Staat je auto niet hier?'

'Nee.' Ze pakte haar tas en stopte het tijdschrift erin. 'Mijn vriendin heeft me hier gebracht. Het is makkelijker om in de auto van iemand anders van huis te gaan.' Ze knikte in de richting van het tijdschrift in haar tas. 'Dat wil zeggen, voordat dat algemeen bekend werd.'

Dayne nam haar bij de hand en trok haar mee. Voordat ze het openbare gedeelte van het restaurant binnengingen, bleef hij even staan en keek haar aan. 'Kop op, Kelly.' Met zijn duim veegde hij de mascaravlekken van haar gezicht. 'Ze hoeven niet te zien dat je hebt gehuild.'

Ze duwde haar kapsel in model en streek de kreukels in haar T-shirt glad. 'Dat houd ik mezelf ook steeds voor.' Ze hield even Daynes blik vast. 'Soms weet ik eigenlijk niet of het de moeite waard is.'

'Wat niet de moeite waard is?' Er begonnen bij Dayne alarmbellen te rinkelen. 'Het acteren?'

'Nee.' De angst in Kelly's ogen was zo hevig dat hij die niet over het hoofd kon zien. 'Het leven.'

'Hé.' Hij trok haar in zijn armen en wreef met zijn hand over haar rug. 'Zo moet je niet praten. Je maakt me bang.'

'Dat spijt me,' mompelde ze tegen zijn borst. Ze deed een stapje achteruit. 'Ik weet niet hoe ik eraan moet ontsnappen.'

Dayne stak een hand in haar tas, pakte het tijdschrift en scheurde de pagina's waarop foto's van haar stonden eruit. Hij verfrommelde ze en liep naar de dichtstbijzijnde afvalbak om de papierprop weg te gooien. Daarna scheurde hij alle andere pagina's uit het tijdschrift, een stuk of vijf tegelijk, maakte er één grote bal van en liet ook die steeds in de afvalbak vallen.

Kelly, die niet met hem mee was gelopen, moest er een beetje om giechelen.

Uiteindelijk was alleen het omslag er nog van over. Dayne hield het omhoog, grijnsde nadrukkelijk naar haar en scheurde de glimmende buitenkant in wel twintig stukjes. Die liet hij langzaam vanuit zijn handen in de afvalbak vallen. Daarna keerde hij terug naar Kelly.

'Dat is de manier om eraan te ontsnappen.' Hij ging dichter bij haar staan en pakte haar bij de schouders. 'Lees ze niet, Kelly. Ze hangen van verzinsels aan elkaar en de mensen die ze lezen, leven in een fantasiewereld. Je zult die mensen nooit leren kennen, en zij zullen jou ook nooit leren kennen. Laat ze maar denken. Wat kan het je schelen?'

Er verscheen een wanhopige blik in Kelly's ogen en ze greep zijn onderarmen vast. 'Ik wil er ook graag zo over denken, echt waar.' Ze knikte er nadrukkelijk bij. 'Je hebt gelijk. Ik moet ze niet in huis halen.' Ze trok haar neus op. 'Is dat de manier waarop jij ermee omgaat?'

'Nee.' Grinnikend liep hij weer met haar mee naar de deur. 'Ik lees elk woord omdat ik erom moet lachen. Tegen de tijd dat ik zo'n roddelblad heb uitgelezen, heb ik pijn in mijn zij.'

'Wauw.' Ze haakte bij hem in en zei op luchtiger toon dan daarvoor: 'Dat is de reden dat jij mijn held bent, Dayne. Eerlijk waar.'

Een vertrouwd gevoel van begeerte schoot door Daynes lichaam nu Kelly zo dicht naast hem liep. Hij verstrengelde zijn vingers met die van haar en deed de deur voor haar open. Voordat hij nog een stap verzette liet hij zijn ogen door het restaurant gaan. Het was bijna leeg; er zaten vanavond maar weinig mensen te eten. Een paar stelletjes, verder niet. In ieder geval geen fotografen.

Hij wendde zich tot Kelly. 'Kom mee. De kust is veilig.'

Samen liepen ze snel door de club naar buiten, naar de parkeerwacht. Binnen een paar minuten waren ze in zijn SUV op weg naar haar huis in Hollywood Hills. Dayne hield het gesprek onderweg luchtig en vroeg zich ondertussen af of ze hem zou vragen mee naar binnen te gaan. Ze hadden samen onvergetelijke momenten gehad, maar ze hadden niet kunnen bedenken hoe dat zou kunnen uitgroeien tot een relatie.

Toen ze voor haar huisdeur stonden, liet hij de raampjes van de auto zakken en zette de motor uit.

Met een bedeesde glimlach rond haar mond draaide ze zich naar hem om. 'Bedankt. Ik voel me beter.'

'Mooi.' Hij pakte haar handen, en daarbij streken zijn vingers licht over haar blote knieën. Krekels sjirpten op de achtergrond en een licht briesje deed de bladeren van de bomen langs haar oprit ruisen. 'Wat ik zeggen wou... Het is even geleden dat wij elkaar gezien hebben.'

'Ik dacht precies hetzelfde.' Ze wierp een blik op haar voordeur en keek hem weer aan. 'Heb jij momenteel een vriendin?'

'Nee.' Hij dacht aan de maand samen met zijn laatste tegenspeelster, en aan Sarah Whitley die daarvoor zijn tegenspeelster was geweest. Hij zag hen geen van beiden meer. De afgelopen maand was hij niet meer met iemand samen geweest. Hij haalde zijn schouders op. 'Ik probeer het simpel te houden.'

'Maar Sarah Whitley is toch je vriendin?'

'Welnee, ze is de vriendin van een producer. Iemand die alles serieuzer neemt dan ik.' Hij leunde naar achteren, tegen het portier, en grinnikte. 'Ik denk dat ze me te onbezonnen vond.'

Kelly hield haar hoofd schuin en keek diepzinnig. 'Jij bent niet onbezonnen, Dayne.' Ze kneep even in zijn vingers. 'Dat is allemaal maar komedie. Jij wacht gewoon op de ware Jacoba.'

'Je meent het.' Zijn gegrinnik hielp om het moment luchtig te houden, maar op datzelfde moment zag hij Katy Hart voor zich. Katy met haar lange, blonde haar, onschuldige ogen en toewijding aan het kindertheater. Hij kuchte en probeerde het beeld kwijt te raken. 'Hoe weet je dat zo zeker?'

'Ik ken jou, weet je nog?' De sfeer tussen hen veranderde; ze voelden zich weer tot elkaar aangetrokken, net als eerder op de avond. Ze bracht zijn vingers naar haar lippen en drukte er een kus op. 'Ga je mee naar binnen?' Er was een zweempje schaamte in haar ogen te zien, maar niet genoeg om te verdoezelen dat ze hem begeerde. 'Ik kan wel wat gezelschap gebruiken.'

'Weet je het zeker?' Dayne merkte dat zijn lichaam reageerde op haar aanbod. Hij had gehoopt dat het zo zou lopen, maar hij zou er niet op aangedrongen hebben.

'Ja, ik weet het zeker.' Ze boog zich dichter naar hem toe en kuste hem op zijn mond. De kus liet er geen twijfel over bestaan wat haar bedoeling was. 'Ik heb je nodig, Dayne. Ga alsjeblieft mee naar binnen.'

'Goed.' Hij kuste haar, al licht in zijn hoofd bij de gedachte hoe bevredigend hun samenzijn zou zijn. Hij wilde geen relatie aangaan, niet met Kelly Parker. Zij hadden die mogelijkheid samen al onderzocht. Maar ze vonden het allebei heerlijk om zo nu en dan samen de nacht door te brengen. Hij slikte en ging verzitten.

Zij zat nog maar een paar centimeter bij hem vandaan en ademde snel, moeizaam. 'Ik ga het eerst naar binnen. Voor het geval we in de gaten worden gehouden.' Ze drukte haar lippen weer op die van hem. 'Kun je een rondje rijden, verderop in de straat parkeren en dan hiernaartoe lopen?'

'Ja, goed.' Hij was bereid alles te doen waardoor ze de paparazzi uit haar hoofd zette. Vanavond zouden ze met zijn tweetjes de nacht doorbrengen en van elkaar genieten. Hij legde zijn handen rond haar gezicht en kuste haar met een overgave die hij niet meer gevoeld had sinds de laatste keer dat ze samen waren geweest. 'Ga nu maar gauw naar binnen.'

'Doe ik,' giechelde ze. 'Tot dadelijk.' Ze schoof dichter naar hem toe en legde haar gezicht tegen zijn gezicht. 'Het zal leuk zijn om op te halen hoe fijn we het de vorige keren hebben gehad.' Daar zat Dayne ook net aan te denken. Hij kuste haar opnieuw en de hartstocht tussen hen nam toe. Hij stond op het punt haar te vertellen dat ze nu maar beter naar binnen konden gaan, voordat iemand zag hoe ze de liefde bedreven in de SUV. Toen pas hoorde hij een serie klikken. Krekels misschien? Ja, het waren vast krekels.

'Laten we naar binnen gaan,' fluisterde hij in haar oor. 'Ik heb je gemist.' Zijn lippen trokken een spoor van kussen in haar hals. 'We hebben hier te lang mee gewacht.'

Op dat moment hoorde hij weer geklik, maar het was te zacht, te ver weg om hem ertoe te brengen zich terug te trekken.

Maar zij moest het ook gehoord hebben, want ze ging rechtop zitten. 'Wat was dat?' Ze liet haar tong over haar onderlip gaan en tuurde met half dichtgeknepen ogen naar de schaduwen rond zijn SUV. 'Hoorde jij ook iets?'

'Maak je niet zo druk, Kelly.' Hij trok haar weer naar zich toe en begon haar weer te kussen. 'Het waren de krekels maar.'

Maar nog terwijl hij haar probeerde gerust te stellen, nog terwijl hij zich voor haar langs boog, het portier aan haar kant openduwde en tegen haar zei dat ze snel naar binnen moest gaan, zodat ze tot in de vroege uurtjes de schade zouden kunnen inhalen, hoorde hij het geluid weer. Een reeks snel opeenvolgende klikken. Deze keer kon hij zichzelf er niet van overtuigen dat het de krekels waren, of meer van dat soort voor de hand liggende dingen.

Het was het geluid van een fototoestel.

5

Het was benauwd in de oude, gele Honda Civic die recht tegenover Ruby's stond geparkeerd, maar dat gaf niet.

De raampjes stonden al op een kiertje en daar moest ze het mee doen. Als ze ze verder liet zakken, zou hij haar zien, haar horen, misschien zelfs haar hart horen slaan, en dat mocht absoluut niet gebeuren.

Dan zou het hele plan mislukken.

Het kostte haar toch al moeite genoeg om hem in het oog te houden. Hij verbleef de laatste tijd urenlang in de studio en bracht veel te veel tijd door in zijn strandhuis in Malibu. Hij kon wat haar betreft beter nachtclubs bezoeken. Dan kon ze zich optutten en een manier vinden om binnen te komen. Soms zat ze er urenlang aan de bar en dronk met kleine slokjes haar glas rode wijn leeg.

Ze bleef dan met belangstelling de gesprekken volgen en verloor hem geen moment uit het oog. Ze keek dan natuurlijk weleens de andere kant op, want anders liep het te veel in de gaten. Maar ook wanneer ze met haar rug naar hem toe zat kon ze hem zien, was ze zich van zijn aanwezigheid bewust. Als hij zich een meter of vijf bij haar vandaan bevond en omringd was door vrouwen, kon ze nog zijn adem op haar gezicht voelen. De adem van de man met wie ze was getrouwd.

Dayne Matthews.

'Moet je hier wel blijven staan wachten?' Anna tikte haar op de schouder en keek haar aan. 'Als hij jouw man is, komt hij zo dadelijk naar buiten, naar je toe, en dan kunnen jullie samen naar huis gaan.'

'Ja, hij is mijn man!' Chloe siste haar zuster de woorden toe. 'Hij is mijn man en ik blijf hier zitten zolang als ik wil.'

Anna lachte. Het was een langgerekt, kakelend gelach. De lach van een heks. 'Hé, daar heb je hem. Je prins op het witte paard.' Ze wees. 'Kijk maar.'

Chloe draaide zich snel om en wierp een blik uit het raam. Anna had gelijk. Dayne verliet met die prostituee aan zijn arm, die van geen kanten deugende Kelly Parker, de nachtclub. Ze balde haar vuisten en sloeg ermee op het stuurwiel. Met de snelheid van een reeks kogels uit een mitrailleur kwamen er verwensingen uit haar mond om het beeld dat ze op dit moment van hen kreeg. Twee van Hollywoods grootste en beroemdste filmsterren verlieten stiekem de nachtclub en vertrouwden erop dat ze op dat moment door niemand in de gaten werden gehouden.

'Stomme lui,' schold Chloe. 'Natuurlijk houden we jullie in de gaten.'

'Ja, dat is zo.' Anna moest weer lachen. 'Maar ik geloof niet dat hij jouw man is. Echt niet.'

Chloe draaide zich met een ruk om naar haar zus en keek haar boos aan. 'Hij is mijn man. Dat heb ik je al vaker verteld.'

'Waar houd je hem dan verborgen? Waarom heb ik jullie nog nooit samen gezien?' Ze kneep even in Chloe's arm. 'Omdat je liegt, Chloe. Omdat je liegt en omdat je gek bent.'

Omdat Chloe last had van een droge mond, ging ze met haar tong over haar onderlip. 'Waar ik hem verborgen houd?' Ergens vanbinnen begon het gebonk, een luid, krachtig, voortdurend gebonk waarmee ze vertrouwd was geraakt. Zodra dat begon, wilde ze het liefst...

'Daar gaat het verliefde stel!' Anna's gelach klonk nog akeliger dan daarnet. 'Je bent rijp voor het gekkenhuis, zus. Heeft iemand je dat ooit al verteld? Stapelgek ben je.'

Chloe draaide zich weer om en zag Dayne en Kelly Parker om de hoek verdwijnen. 'Ik weet waar hij naartoe gaat. Ik kan er eerder zijn dan hij.' Ze startte en drukte het gaspedaal in. Dat deed ze diverse keren, maar de Civic kwam niet in beweging.

'Wijn,' zei ze. 'Anna, geef me een glas wijn.'

'Pas als je me vertelt waar je hem verborgen houdt. Waar woont die man van je? Ja, moet je horen,' ze veegde een pluisje van haar schouder, 'jij en ik zijn altijd samen, Chloe. En ik heb nog niet meegemaakt dat jouw man ook maar één dag met jou doorbrengt.'

'Dan heb je gewoon niet goed genoeg gekeken.' Chloe keek haar zuster aan en sloeg haar opeens hard op haar wang. 'Ik... ik houd hem verborgen in het handschoenenvak.'

Anna's ogen spuwden nu vuur. 'Hij zit niet in jouw handschoenenvak. Hij is bij Kelly Parker.' Ze boog zich naar Chloe toe en lachte spottend. 'Breng één dag samen met hem door en ik geloof je.'

Chloe hield een moment haar adem in. De haat en de woede die ze twintig jaar lang had opgekropt, waren met elkaar versmolten tot een dodelijk gif. Deze keer gaf ze Anna een klap op haar andere wang, harder dan ze haar ooit eerder had geslagen. 'Ik zal een dag met hem doorbrengen; dat zul je zien. Dayne Matthews is mijn man. Ik zal het je bewijzen.'

Chloe voelde in haar zak om te zien of het mes er nog in zat dat ze steeds bij zich hield. Voor het geval ze Dayne moest verdedigen of hem moest dwingen bij haar in de auto te stappen. Met het mes stevig in haar hand keek ze haar zuster fel aan. 'Jij hoeft me niet te vertellen wat ik moet...'

Er werd stevig op de ruit getikt. Chloe verstarde. *Niets aan de hand, doe alsof er niets aan de hand is.* Ze ging zo verzitten dat haar gezicht naar het raampje aan de bestuurderskant was gericht. Buiten stond een boos kijkende politieagent.

Ze zou het raampje omlaag moeten draaien; met minder zou hij geen genoegen nemen. En dat gaf verder ook niet, want Dayne was nu toch al ver genoeg bij haar vandaan. Hij zou haar hartslag niet horen, zelfs niet nu haar slapen er zo hard van bonkten dat het geluid door de Honda echode.

Glimlach, zei ze tegen zichzelf. *Je moet glimlachen*. Ze voelde hoe de hoeken van haar mond omhooggingen terwijl ze het raam helemaal naar beneden draaide. 'O, hallo, agent. Kan ik u ergens mee van dienst zijn?'

Fronsend bukte hij zich en keek naar de stoel naast haar en naar de achterbank. 'We hebben meldingen binnengekregen dat u tegen iemand aan het schreeuwen was.' Hij richtte zich weer op en trok een notitieboekje uit zijn zak. 'Verkeerde u soms in moeilijkheden, mevrouw?'

'Helemaal niet, agent. Ik zit hier maar gewoon met mijn zus te babbelen.'

De man deed een stap achteruit en trok zijn wenkbrauwen een stukje op. 'Goed.' Hij keek nog een keer in haar auto. 'Mag ik uw rijbewijs zien, mevrouw? Ik moet een proces-verbaal opmaken.'

'Mijn rijbewijs?' Ze kreeg weer last van een droge mond. Ook dat nog. Ondertussen ging Dayne er met Kelly Parker vandoor. Dat mocht niet gebeuren. Wat zou er gebeuren als ze weer een stel werden? Dan zou het weken kunnen duren voordat hij zijn verstand terugkreeg en terugkwam bij haar thuis. Ze wierp een blik in de richting van de zijstraat, waaruit Dayne en Kelly tevoorschijn zouden komen als het hun bedoeling was naar zijn huis te gaan.

'Kunt u een beetje opschieten, mevrouw?' De agent hield zijn pen gereed boven het notitieboekje. 'Ik heb uw rijbewijs nodig.'

'O.' Ze merkte dat ze rustiger werd. 'Neem me niet kwalijk. Ik zat aan mijn zuster te denken.' Chloe pakte haar merktas van de stoel naast haar en begon erin te rommelen. Even later keek ze met een zo verleidelijk mogelijke glimlach op naar de agent. 'Ik heb hem in mijn andere tas laten zitten, maar dat dacht u natuurlijk al.' Ze hield haar hoofd scheef om zo schuldbewust mogelijk over te komen. 'Het spijt me erg, agent. Wilt u achter me aan rijden, zodat ik het u thuis kan laten zien?' Ze gebaarde naar het einde van de straat. 'Ik woon maar een paar kilometer verderop, boven in de heuvels.'

De agent aarzelde even. 'Uw naam alstublieft?'

'Margie, Margie Madden.'

'Ehm, volgens de melding verkeerde u in moeilijkheden en schreeuwde u naar iemand.'

Chloe lachte luchtig, stak een arm uit het raam en gaf de agent een klopje op de arm. 'Hebt u de indruk dat ik van streek ben, agent? Ik zat gewoon met mijn zus te babbelen, zoals ik daarnet al zei.'

'Waar is ze dan?'

Chloe's hart begon harder te kloppen, sneller ook. Waarom vroeg hij dat? Ze zat toch hier naast haar? Een snelle blik op de stoel naast haar gaf haar het antwoord. Misschien was ze al weggegaan. Misschien was ze eigenlijk op zoek naar haar en niet naar Dayne Matthews. Ze keek weer glimlachend op naar de politieagent. 'Ze is aan het winkelen. Daarom sta ik hier nu, alleen maar om op haar te wachten.'

De agent kneep zijn ogen tot spleetjes en kwam iets dichterbij. Hij bukte zich weer en staarde naar haar wang. 'Heeft iemand u onlangs pijn gedaan, mevrouw?'

'Nee, agent.' Ze trok haar T-shirt glad en zette haar tas terug op de stoel naast haar. Haar hartslag was nu rustig en langzaam. 'Ik heb daarnet toch al gezegd dat er niets aan de hand is.'

'Hoelang is het geleden dat u uw gezicht hebt bekeken?' De man kwam nog dichterbij om beter zicht te hebben op haar wangen. 'Als ik het zo bekijk, heeft iemand u een behoorlijk harde klap gegeven.'

Chloe voelde dat ze verbleekte. Had iemand haar geslagen? Was het Anna geweest, of Dayne? Misschien was het

Kelly Parker wel geweest. Ze slikte moeizaam. 'Dat komt vast van de warmte, agent.'

Het duurde even, maar toen knikte de agent dan toch. Hij leek niet helemaal overtuigd, maar hij stopte het notitieboekje weg. 'In orde.' Hij keek naar het einde van de straat, alsof hij verwachtte dat hij haar zus zou zien terugkeren naar de Civic. Hij bekeek Chloe nog een keer. 'Als alles in orde is, zal ik geen proces-verbaal opmaken. Laat het ons weten als u hulp nodig hebt. En als u het zo warm hebt, zou ik de raampjes verder maar openlaten. Het is vandaag dik dertig graden.'

'Ja, prima, agent.' Ze knikte naar hem. 'Dank u wel, agent.' Ze keek hem na en voelde hoe haar lichaam reageerde bij iedere stap die hij bij haar vandaan liep. Haar hartslag versnelde en bonkte weer even luid als daarnet.

Ze moest maken dat ze wegkwam. Ze moest Dayne zien te vinden voordat hij iets doms deed. De pers zou er lucht van krijgen en Anna zou er niet over ophouden.

Ze werd door iemand uitgelachen en ze draaide zich om naar de stoel naast haar. Anna was er weer. 'Zie je nou wel? Je bent gewoon een stapelgekke leugenaar. Dayne is ervandoor met Kelly Parker. Je hebt de man niet eens ontmoet.'

'Houd op!' schreeuwde Chloe. Ze haalde uit om haar zus nog een keer te slaan, maar haar hand kwam alleen maar in aanraking met lucht en het dashboard. Terwijl ze met haar pijnlijke vingertoppen over haar spijkerbroek wreef, richtte ze haar blik weer op Anna. 'Moet je zien wat je me gedwongen hebt te doen, lelijke...'

Haar zus was verdwenen.

De hele auto begon te schudden van haar hartslag, en Chloe hield haar adem in om er een eind aan te maken. Ze was alleen en ze moest nu nodig wegrijden om Dayne te gaan zoeken. Ze trapte het gaspedaal weer in, maar de auto bleef staan waar hij stond. Op dat moment ving ze pas een glimp van zichzelf op in de achteruitkijkspiegel.

De politieagent had gelijk gehad. Op haar wangen zag ze een duidelijk patroon van felrode plekken. Iemand moest haar nog geen halfuur geleden hebben geslagen. Ze keek omlaag en realiseerde zich waarom de auto niet in beweging kwam.

Hij stond nog steeds in de parkeerstand.

Ze zette hem in de eerste versnelling, keek nog een keer in de achteruitkijkspiegel en voegde in om naar Daynes huis te rijden. Daar moest ze zijn. Misschien kon hij haar vertellen wat er met haar gezicht was gebeurd; wie het lef gehad kon hebben om haar niet één maar zelfs twee keer een klap in haar gezicht te geven.

6

Het etentje was Jenny Flanigans idee.

Haar man Jim en zij regelden alles met betrekking tot de decors voor *Tom Sawyer*, de eerstvolgende productie van het CKT, en zij waren tot gisteren de enige leden van de decorwerkgroep geweest. Toen had ze een telefoontje gekregen van haar vriendin Kari Taylor, en die had tegen haar gezegd dat haar kunstzinnige zus Ashley wilde helpen bij het schilderen van decors.

Jenny was in de wolken geweest. Ze had contact opgenomen met Ashley en het klikte meteen tussen hen beiden.

'Mijn man wil ook een handje helpen.' Ashley zei dit met een zweempje humor in haar stem. 'Ik moest van hem tegen jou zeggen dat hij muren bruin kan schilderen.' Zachter, alsof wat ze nu ging zeggen uiterst geheim was, voegde ze eraan toe: 'Landon is brandweerman. Hij beschildert geen triplexplaten; hij haalt ze neer.'

'Ik snap het.' Jenny lachte. 'Mijn man is honkbalcoach. Zelfde verhaal, maar dat geeft niet. We zullen hun wel laten zien wat ze moeten doen.' Ze dacht even na. 'Zeg, waarom komen Landon en jij morgenavond niet hier barbecuen? Dan kunnen we elkaar een beetje beter leren kennen en jullie vertellen wat er allemaal komt kijken bij het maken van decors.'

Ashley overlegde met haar man en belde later die middag terug dat ze graag ingingen op de uitnodiging. Over een kwartier zouden zij, Landon en hun zoon Cole hier zijn.

Er kwam countrymuziek uit de computer in de studeerkamer terwijl Jenny peper en zout strooide op een aantal rauwe hamburgers. Daarna legde ze plakjes kaas op een bord, waar je ze zo vanaf kon pakken, precies zoals Jim het graag had. De sla was fijngesneden en afgedekt, de watermeloen in schijven gesneden en in de koelkast gezet. Terwijl ze haar handen waste, keek ze uit het raam. Alle zes de kinderen waren buiten tikkertje aan het spelen in het zwembad; er werd heel wat afgelachen en -gespetterd. Het was een uitgelezen dag voor een barbecue: negenentwintig graden en niets dan zonneschijn.

Jenny deed een paar passen in de richting van de gang en de trap naar boven. 'Jim, het wordt tijd om de barbecue aan te steken.'

'Ik kom zo.' Zijn stem vulde het huis met warmte en hartelijkheid.

Glimlachend liep Jenny terug naar de keuken. De barbecue zou een welkome afleiding zijn van de hoogoplopende emoties waarmee het gezin Flanigan te maken had gekregen sinds er auditie was gedaan voor de musical. Maandagavond was iedereen in een jubelstemming geweest, omdat zowel Connor als Bailey bericht had gekregen dat ze terug mochten komen op de twee auditiedag. Na de tweede, kleinere auditieronde op dinsdag, werd 's avonds op de website van het CKT de lijst van personen gepubliceerd die een rol hadden gekregen in de musical. Daarvan was het gevolg geweest dat er tegengestelde emoties gingen spelen.

Connor was blij. Hij had de rol van Joe Harper gekregen, Tom Sawyers vriend. Het was een belangrijke rol met veel tekst en solopartijen in drie liedjes. Maar Baileys rol was een stuk kleiner. Zij was iemand uit het dorp, een niet nader omschreven persoon uit een groep op de achtergrond, in scènes als picknicks voor het hele dorp en een paar zangnummers waarbij ook gedanst werd.

Tim Reed was Tom Sawyer, Sarah Jo Stryker Becky Thatcher en Ashley Zarelli had de rol van tante Polly gekregen.

Jenny pakte de ketchup en de mosterd uit de koelkast en zette de potjes in een blauw met wit plastic mandje. Het had haar veel verdriet gedaan toen ze zag hoe Bailey die dag de lijst met personen die een rol hadden gekregen, had doorgenomen. Ze had op de bureaustoel achter de computer gezeten en Connor had over haar schouder meegekeken toen ze de muis naar de juiste pagina dirigeerde.

'Heb je de pagina nou nog niet gevonden?!' Connor had op en neer gewipt, met zijn ogen wijd open. 'Schiet nou toch op, Bailey. Het moet erop staan.'

'Ik doe mijn best.' Haar ogen hadden de lijst even later niet één maar twee keer van boven naar beneden doorgenomen. Zonder in tranen uit te barsten of zich ook maar te beklagen had ze de bureaustoel langzaam achteruitgeduwd, was opgestaan en had Connor een knuffel gegeven. 'Gefeliciteerd, joh. Je verdient het.'

Daarna was ze de trap op gesjokt, langzaam, tree voor tree.

Jenny had haar laten gaan. Na een minuut of vijf had ze Jim en de andere kinderen bijeengeroepen in de woonkamer om te vieren dat Connor een rol had gekregen. Connor had uiteindelijk de telefoon gepakt en gezegd: 'Ik moet Tim bellen.'

Jenny wist nog precies wat er daarna allemaal was gebeurd. Ze had de vier jongste jongens teruggestuurd naar de achtertuin, waar ze aan het voetballen waren geweest. Zij liep zelf de trap op, Bailey achterna. Bijna geruisloos liep ze over de overloop naar Baileys kamer en bad ondertussen dat ze de juiste woorden zou weten te vinden.

Ze klopte een paar keer op de deur van haar dochters slaapkamer. 'Bailey?'

'Ja?' Haar stem klonk gesmoord. 'Kom binnen.'

Dat deed Jenny en ze vond een plekje op de rand van Baileys bed, waar ze vaak laat op de avond nog met elkaar praatten, soms tot in de vroege uurtjes. Bailey zei niets; ze staarde voor zich uit en er gleden tranen van haar wangen op haar kussen.

'Ik vind het ook jammer, schat.' Jenny veegde een pluk haar van het voorhoofd van haar dochter.

'Waarom hebben ze me terug laten komen? Dat is wat ik niet snap.' Ze duwde zichzelf omhoog en keek Jenny onderzoekend aan. 'Ik heb beter gedanst dan alle anderen die er waren, mam, echt waar.' Ze rolde met haar ogen. 'Neem nou die mevrouw Stryker! Zij stuurde haar dochter het podium op in die... die gele jurk. Het leek bijna wel dat ze die speciaal voor deze musical had gemaakt.' Ze lachte even, maar zonder enige humor. 'Ik dacht dat Katy niet van opdringerige mensen hield.'

Jenny's gezicht vertrok even. 'Lieverd, het is niet Sarah Jo's fout dat haar moeder zo ambitieus is. Je verwacht toch niet dat Katy dat afreageert op een kind.'

'Nee, maar...' Er schoten weer tranen in Baileys ogen. 'Ik zong evengoed als Sarah Jo.' Ze ging rechtop zitten, kruiste haar benen en keek Jenny aan. 'En ik weet dat ik beter kan dansen.' Ze liet haar hoofd voorover op haar knieën zakken. 'Ik wilde het zo verschrikkelijk graag, mam.'

'Weet ik.' De woorden die Jenny nu uitsprak, had ze met zorg gekozen. 'Herinner jij je nog het speciaal voor jou uitgekozen Bijbelvers? Jeremia 29 vers 11?'

Bailey hief haar hoofd een stukje op en haalde haar neus op. 'Natuurlijk.'

'En je gelooft toch ook dat het waar is wat daar staat?' Jenny haalde haar hand nog een keer over het voorhoofd van haar dochter. 'Dat het plan dat God met jou heeft, vaststaat?'

'Jawel.' Bailey veegde haar ogen droog. 'Maar soms is dat moeilijk.' Ze fronste haar wenkbrauwen en keek Jenny indringend aan. 'Waarom kan het niet zo zijn dat Zijn plan met mij was dat ik de tegenspeelster van Tim Reed werd? Krijg ik ooit nog wel weer zo'n kans?'

Jenny bleef voorbereidingen treffen om hun gasten te ontvangen. Ze liep naar de garage waarin nog een koelkast stond. Ze haalde er de drie zakken met broodjes voor de hamburgers uit en keerde terug naar de keuken.

Het had haar niet verbaasd dat Baileys frustratie uiteindelijk voornamelijk te maken had met Tim Reed. In het drama dat Baileys leven was, bracht ze de helft van haar tijd door met klasgenoten van de Clear Creek High School en de andere helft met kinderen die voornamelijk thuisonderwijs kregen en betrokken waren bij het CKT.

Omdat Bailey deel uitmaakte van het cheerleadersteam op haar school, had ze het afgelopen schooljaar niet kunnen meespelen in de eerste twee voorstellingen van het CKT. *Tom Sawyer* was de enige productie waaraan ze nog kon meedoen, ook al betekende dat dat ze niet met de cheerleaders mee kon op zomerkamp.

Jenny sneed de broodjes open en legde ze op een schaal. Maar goed dat die dag nu achter hen lag. Het ging inmiddels weer beter met Bailey; ze praatte opgewonden met haar CKT-vrienden over haar aandeel in de voorstelling, hoe klein haar rol ook was. Haar schoolvrienden vonden het juist frustrerend dat ze meespeelde in de musical. Heather, Sami and Spencer hadden alle drie luid en duidelijk hun mening over het CKT gegeven.

'Het is voor artistiekerige kinderen,' had Heather tegen haar gezegd. 'Zo ben jij niet, Bailey. Breng je tijd met ons door.'

En dan was daar ook nog Tanner Williams, quarterback van de honkbalploeg van eerstejaars, die al een hele tijd Baileys vriendje was. Meestal twijfelde hij er niet aan dat hij een plekje in Baileys leven had, maar als ze meespeelde in een voorstelling, zoals ze twee keer eerder had gedaan, zag hij haar veel minder vaak. Als hij nu langskwam, bladerde hij het recentste CKT-programma door en stelde vragen over Tim Reed.

Jenny moest er heimelijk om grinniken.

Toen Jim en Jenny vier jaar geleden drie jongens uit Haiti hadden geadopteerd, had Jenny zich soms afgevraagd of ze daarmee niet teveel hooi op hun vork hadden genomen. Maar het was meermalen voorgekomen dat haar moeder op bezoek was gekomen en haar apart had genomen. 'Maak je geen zorgen over al die jongetjes. Bailey is bijna een tiener.' Ze had even geknikt in de richting van dat deel van het huis waar Bailey op dat moment toevallig was. 'Je zult meer met dat meisje te stellen hebben dan met alle jongens samen.'

Haar moeder had gelijk gehad.

De kwestie was niet dat Bailey problemen veroorzaakte, behalve dan dat het haar moeite kostte om ervoor te zorgen dat haar kamer opgeruimd en haar huiswerk op tijd af was. Ze was een schat van een meid met een aanstekelijke lach en meer vriendinnen dan ze kon tellen. Tijdrovend was dat ze urenlang alle ontwikkelingen die zich op een dag voordeden, analyseerde en vervolgens worstelde met de uitkomst daarvan.

Er werd aangebeld. Jenny wreef de kruimels van haar handen en ging opendoen. Toen ze even door het raam van de woonkamer naar buiten keek zag ze Cody Coleman, een jongen van zestien die verderop in de straat woonde, op de stoep staan.

Ze deed de deur wijd open en zei glimlachend: 'Hallo, Cody. Kom binnen.'

'Bedankt.' Cody omhelsde haar even en gebaarde in de richting van keuken. 'Mag ik een boterham pakken?'

Jenny lachte en liep voor hem uit naar de koelkast. 'Hoe komt het toch, Cody, dat je altijd honger hebt? Over een uurtje gaan we allemaal eten.'

Cody grijnsde naar haar terwijl hij een zakje vleeswaren en een brood pakte. 'Mooi. Dat is ongeveer het moment dat ik weer trek krijg.'

Op dat moment kwam Jim de keuken binnen, stak zijn

vuisten in de lucht en haalde een keer diep adem. 'Ik ben gek op de zomer.' Hij knipoogde naar Cody en liep door de keuken naar waar Jenny stond. Hij gaf haar een vluchtige zoen op haar mond. 'Heb ik je dat al eens verteld?'

'Elk jaar in de maand juni.' Lachend gaf ze hem een plagerig duwtje, zodat er voldoende tussenruimte ontstond om hem het blad met rauw vlees aan te reiken. 'Cody eet vast een voorafje.'

'Daar doe je goed aan, jongen!' Jim wees naar hem en zei op de toon die hij altijd aansloeg wanneer hij aan het coachen was. 'Jij moet zes keer per dag eten als je van de zomer spieren wilt kweken.'

Omdat Cody zijn mond te vol had om antwoord te geven, stak hij zijn boterham in de lucht. Hij pakte het bord met kaas en liep achter Jim aan de achterdeur uit naar de barbecue.

Jenny keek hen een moment na. Blijdschap vervulde haar hart toen ze zag hoe haar man samen met Cody Coleman bezig was. Vorig jaar was Cody opgetrokken met verkeerde vrienden en bijna van school gestuurd omdat hij sterke drank had meegenomen naar de campus. Jim en zij hadden er twijfels over gehad of ze hem ooit weer zouden zien.

Ongeveer een maand geleden was Jim met Cody gaan lunchen en sindsdien kwam Cody af en toe langs om mee te eten, een praatje te maken of een duik te nemen in het zwembad. Hij ging vanaf die tijd ook met hen mee naar de kerk en begon vragen te stellen over de Bijbel. Zo nu en dan zinspeelde hij erop dat hij bij hen zou willen komen wonen, net als in die drie weken aan het eind van zijn eerste studiejaar dat hij bij hen op de bank had geslapen.

Jenny had er niets op tegen. Jim en zij stonden absoluut open voor de mogelijkheid, op voorwaarde dat Cody's moeder ermee instemde. Ze was alleenstaand en had twee banen, een in een stripteaseclub. Ze had Cody in de loop der jaren uitgemaakt voor alles wat mooi en lelijk was en had hem laten kennismaken met de wereld van de sterke drank toen hij nog maar veertien jaar oud was.

'Ik kan de lekkerste gin en tonic van heel Bloomington klaarmaken,' had Cody hen een paar jaar geleden verteld, de eerste keer dat hij naar hen toegekomen was en zich had voorgesteld.

Jenny en Jim hadden overwogen contact op te nemen met Bureau Jeugdzorg, maar ze stonden in tweestrijd. De vrouw was duidelijk geen goede moeder, maar Cody had niemand anders. Nadat ze de situatie nauwlettend in de gaten hadden gehouden, besloten ze niet in te grijpen.

Dat Cody zich de laatste tijd weer bij hen thuis vertoonde, gaf slechts één probleem.

Bailey had hem opgemerkt.

Jenny ging vlak bij de gootsteen staan, zodat ze kon zien hoe haar dochter reageerde op Cody's aankomst. En ja hoor, Bailey klom uit het zwembad, streek haar haar uit haar gezicht en pakte een handdoek. Ze wist dat ze haar spel niet goed speelde als ze in de buurt van jongens te veel interesse toonde. Nadat ze eerst nog een paar minuten met haar broers had gesproken, keerde ze zich om en liep over het terras naar Jim toe.

Met een lach op hun gezicht praatten de twee met elkaar, maar al snel betrok Bailey Cody bij het gesprek. Omdat het keukenraam openstond kon Jenny hun stemmen horen, maar ze kon niet verstaan wat er precies werd gezegd. Wat Bailey ook vertelde, ze boog zich erbij naar voren en trok een raar gezicht; toen raakte ze even Cody's elleboog aan, gooide haar hoofd achterover en begon hard te lachen. Cody lachte met haar mee en zei iets terug, maar daarna richtte hij zijn aandacht weer op Jim. Als er echt iets was af te lezen uit lichaamstaal, dan was Cody niet in Bailey geïnteresseerd. Op dat moment niet in ieder geval.

Jenny bad vaak dat dat zo zou blijven.

Cody was een knappe jongen die een jaar ouder was dan Bailey. Bailey en hij zouden samen een aantrekkelijk stel zijn, maar Cody was alcoholist. Het was voorgekomen dat hij maandenlang dag in dag uit dronk, totdat hij buiten bewustzijn raakte. De rillingen liepen over Jenny's rug bij de gedachte dat hij geïnteresseerd zou kunnen zijn in Bailey.

Er werd weer aangebeld.

'Kom eraan!' Jenny liep snel de hal in en deed open. Op de veranda stonden een mooie jonge vrouw van achter in de twintig, een stevige man met donker haar en een vlasblond jongetje. 'Hallo!' Jenny hield de deur open en deed een stap achteruit. 'Jullie moeten de Blakes zijn. Kom binnen!'

De vrouw stak haar hand uit. 'Ik ben Ashley.' Ze legde haar hand op de schouder van de man. 'Dit is mijn man Landon,' haar blik ging naar het kind, 'en dat onze zoon Cole.'

Jenny ging op haar hurken zitten. 'Ik ben mevrouw Flanigan. Dag, Cole, fijn dat je er bent.'

Hij schudde haar de hand en keek haar recht aan. 'Dag, mevrouw Flanigan.'

Ze liepen naar de keuken en Ashley zei: 'Wat een mooi huis hebben jullie, Jenny.'

'Dank je wel.' Jenny voelde zich nog altijd een beetje verlegen met de grootte van hun huis. Het besloeg ruim 640 m² en had zes slaapkamers, en er was ook nog een appartement boven de garage. Ze haalde even haar schouders op en schonk Ashley een scheef lachje. 'Daar heeft God voor gezorgd, en nu is het onze taak om er tot eer van Hem gebruik van te maken.'

'Het is in ieder geval heel mooi.' Haar ogen schitterden terwijl ze de tegels en kersenhouten details van de keuken in zich opnam. 'Misschien kun je me straks een rondleiding geven?'

'Ja, goed.' Jenny keek de drie om beurten aan. 'Kan ik iets voor jullie inschenken? Water of iets anders?'

Cole wipte een paar keer op en neer. 'Ja, ijswater alstublieft.'

Ashley rolde met haar ogen. 'Hij vraagt opeens overal om ijswater.' Op een fluistertoon voegde ze eraan toe: 'Geeft hem vast het gevoel dat hij een grote jongen is.'

'Goed, dan krijg jij ijswater.' Jenny haalde een keramische kan uit een keukenkastje en begon deze te vullen. Ze keek over haar schouder naar Ashley en Landon. 'We hebben vanavond ook een van de jongens uit Jims honkbalploeg op bezoek. Cody heet hij. Je zou hem onze zesde zoon kunnen noemen, denk ik.'

'En Katy Hart woont hier toch ook?' Ashley pakte een glas water aan en leunde tegen het keukeneiland.

'Ja, zij heeft het appartement.' Het gaf Jenny een vreemd gevoel dat Katy's naam nu werd genoemd. Katy was sinds de audities veel vaker van huis. En wanneer ze thuis was, was ze minder spraakzaam dan anders. Maar misschien verbeeldde Jenny zich dat alleen maar. Ze was, eerlijk gezegd, een beetje boos op Katy geweest, direct nadat de rolverdeling op de site van het CKT was bekendgemaakt. Bailey had al veel geïnvesteerd in het theatergezelschap. De rol van Becky Thatcher zou precies goed voor haar zijn geweest.

Maar die gedachten waren de volgende ochtend verdwenen. De rollen voor een voorstelling verdelen was vast geen gemakkelijke taak, en Katy nam haar beslissingen nooit zomaar. Daar kwam nog bij dat ze zelf tegen Katy had gezegd dat ze niemand moest voortrekken. Ze kon niet boos blijven op Katy over de rol die Bailey was toebedeeld. Wat ze die avond in haar slaapkamer tegen Bailey had gezegd, was waar. Als God had gewild dat zij de rol van Becky Thatcher kreeg, zou ze die hebben gekregen.

Er werd in de keuken over van alles en nog wat verder gepraat. Ashley was aardig en zag het helemaal zitten om deel uit te maken van de decorwerkgroep. Ze kende het stel nog maar vijf minuten, maar één ding was al heel duidelijk: Ashley en Landon waren dol op elkaar.

Nadat Cole zijn water had opgedronken, voegde hij zich bij de andere kinderen in de achtertuin, die zich bij het zwembad stonden af te drogen. Ashley vertelde dat Cole heel goed kon zwemmen, maar dat ze toch buiten wilde blijven zolang hij in de buurt van het zwembad was.

Op dat moment herinnerde Jenny zich dat de jongste dochter van de zus van Kari en Ashley een paar jaar geleden bijna was verdronken. Ze nam Ashley en Landon mee naar de overdekte patio. Ze liep naar een van de zijmuren en draaide een sleutel om. Een elektrisch te bedienen zeil schoof over het zwembad heen. 'Omdat alle kinderen nu buiten zijn, kunnen we het water maar beter afgedekt houden.'

'Ja.' Ashley hield Landons hand vast toen ze achter Jenny aanliepen naar Jim en Cody bij de barbecue. 'Je kunt nooit te voorzichtig zijn.'

Jenny stelde de familie Blake aan iedereen voor en ze onderdrukte een glimlach toen ze zag hoe Cody op Ashley reageerde. Terwijl Jim met Landon praatte en ondertussen de hamburgers gaar liet worden, kon Cody zijn blik niet van Ashley afhouden. De kinderen trokken een korte broek en een T-shirt aan en bleven in de buurt van de barbecue.

Cole paste zich goed aan aan hun vier jongste zoons en Bailey begon met Ashley een gesprek over de muziek in *Tom Sawyer*. Iedereen wilde net binnen aan tafel gaan toen de telefoon ging.

'Ik ga wel.' Jenny haastte zich terug naar de keuken en nam op. 'Met Jenny Flanigan.'

'O, hallo.' Het was een mannenstem en de verbinding was niet geweldig. 'Met Mitch Henry. Ik ben casting director in Los Angeles.'

Jenny hield de telefoon een eindje bij zich vandaan en bestudeerde het telefoonnummer op het display. Een van de kinderen van het CKT haalde waarschijnlijk een streek uit. Ze drukte de telefoon weer tegen haar oor. 'Neem me niet kwalijk. Kunt u het nog een keer zeggen?'

'Ja.' Het geruis werd erger. 'Woont Katy Hart op dit adres?'

'Ja.' Jenny drukte de telefoon steviger tegen haar oor om de man aan de andere kant van de lijn zo goed mogelijk te kunnen verstaan. Ze liep naar het ingebouwde bureau, trok een notitieblok naar zich toe en pakte een pen. 'Kan ik iets aan haar doorgeven?'

'Ja, graag. Zegt u maar tegen haar dat Mitch Henry heeft gebeld.' De verbinding viel telkens even weg. Het kostte Jenny veel moeite om te begrijpen wat de man haar vertelde. 'Ik ben casting director... Los Angeles. Vraag haar alstublieft of ze me wil bellen.' Hij noemde zo snel een telefoonnummer, dat Jenny hem moest vragen het te herhalen. Ze beloofde dat ze de boodschap door zou geven.

Halverwege de maaltijd kwam Katy binnen via de zij-ingang. Ze stak haar hoofd om het hoekje van de deur van de eetkamer en zwaaide. 'Hallo, iedereen.'

Jenny veegde met haar servet haar mond af. 'Kom even binnen, Katy. Ik wil je graag voorstellen aan de nieuwe leden van de decorwerkgroep.'

'Ik heb gehoord dat u een echte kunstenaar bent.' Katy stapte de kamer in en bleef bij het hoofdeinde van de tafel staan, met haar ogen op Ashley gericht.

Niet Ashley, maar Landon reageerde hierop. 'Dat heb je goed gehoord.'

'Mama kan heel goed schilderen,' zei Cole, en daarbij knikte hij zo enthousiast dat de erwtjes van zijn vork op zijn bord vielen.

'Dat is dan mooi.' Katy lachte naar Cole. Ze deed een stap achteruit. 'Ik moet het draaiboek nog verder uitwerken. Daarom...' Ze zwaaide weer. 'Goede voortzetting van de maaltijd.'

Ze was halverwege de trap naar haar appartement aan de

zijkant van het huis toen Jenny zich het telefoontje herinnerde. 'Wacht! Er heeft iemand voor je gebeld.' Ze excuseerde zich, stond op van de tafel en liep naar het bureau in de keuken.

'Iemand van het CKT?' Katy kwam terug.

'Nee.' Het duurde even voordat Jenny het briefje had gevonden waarop ze een notitie had gemaakt. Ze stak het Katy toe en keek haar nieuwsgierig aan. 'Iemand uit Los Angeles. Hij zei dat hij casting director was.'

Katy trok een lelijk gezicht. 'O, fantastisch. Waarschijnlijk Sarah Jo Strykers agent.'

Ze lachten allebei even voordat ze weer ieder een andere kant op gingen, Katy naar haar appartement waar ze de rest van de avond bleef, en Jenny naar de tafel en de mensen die eromheen zaten. Cody vroeg aan Ashley of ze weleens een schilderij had verkocht, en Landon begon meteen enthousiast te vertellen hoeveel ze er inderdaad al had verkocht.

Het werd een gezellige avond; het gesprek stokte geen moment en ze deden het ABC-spel dat de familie Flanigan het liefst speelde. Ze hadden het over het overlijden van Ashleys moeder en over de afnemende gezondheid van Jenny's moeder.

'Ze verblijft in een serviceflat, maar het gaat bergafwaarts met haar,' zei Jenny met een hapering in haar stem. 'We moeten misschien iets met meer zorg voor haar zien te vinden, misschien een plekje in een zorgcentrum.'

'Als het zover komt, moet je me dat even later weten.' Ashley klonk vriendelijk, begripvol. 'Ik heb in zorgcentrum Sunset Hills gewerkt. Als de tijd daar is, is dat een goede keus.'

Ze hadden het erover hoe verdrietig het is als je je ouders oud en ziek ziet worden. Daarna ging het gesprek over de gang van zaken bij de Flanigans thuis en het drukke leven dat ze allemaal leidden. Ten slotte bespraken ze de theaterproductie die op stapel stond.

Tegen de tijd dat de Blakes vertrokken, waren ze het er allemaal over eens dat er voor *Tom Sawyer* een groot decor nodig was, een landschap dat op de toeschouwers de sfeer zou overbrengen van het kleine plaatsje in Missouri, waar de gebeurtenissen zich afspeelden. Ze zouden ook gebouwen nodig hebben, een huis voor tante Polly, en een schutting voor de beroemde *whitewashing* scène.

'Laat mij die schutting maar maken,' zei Landon, en ze begonnen allemaal te lachen.

Pas toen Jenny voorbereidingen trof om naar bed te gaan, moest ze weer aan Katy denken. Tot het moment dat Katy zich die avond even had laten zien, had Jenny zichzelf er bijna van overtuigd dat ze het zich had ingebeeld dat Katy de laatste tijd zo gespannen overkwam.

Maar het voelde niet goed toen ze vanavond met elkaar in gesprek waren, en ook niet toen Jenny het vreemde bericht van de casting director in Los Angeles aan haar doorgaf. Terwijl ze haar tanden poetste, besefte Jenny dat ze gelijk had gehad. Er hing tussen hen beiden echt een gespannen sfeertje. Ze wist zeker dat het niet kwam door iets wat Katy deed; ze was aardig genoeg geweest. Nee, het kwam door iets wat Katy niét meer deed sinds de audities achter de rug waren.

Katy maakte niet één keer meer oogcontact, met Jenny niet en ook met Bailey niet.

7

De dag waarop er voor het eerst werd gerepeteerd voor een CKT-voorstelling, verliep altijd heel chaotisch. Die vrijdagavond was de opwinding niet van de lucht toen de kinderen in de kerkzaal van de Community Church in Bloomington van hot naar her liepen om elkaar luidruchtig te feliciteren en vragen te stellen over kostuums en solonummers.

Katy was blij met de afleiding.

Er hing bij de Flanigans thuis een gespannen sfeertje sinds zij de rolverdeling op de website had gezet, en ze begreep wel wat daarvan de reden was. Bailey had aan het kortste eind getrokken, dat viel niet te ontkennen. Ze was geknipt voor de rol van Becky Thatcher, op één ding na.

Niemand bij het CKT kon zingen als Sarah Jo Stryker.

Katy had niets liever gewild dan Sarah Jo een minder belangrijke rol toebedelen, bijvoorbeeld die van een dorpsbewoner. Niet omdat het meisje iets verkeerds had gedaan; Sarah Jo bleek op de tweede auditiedag eigenlijk nog beleefder en getalenteerder te zijn dan op de eerste. Maar Katy had het ergerlijk gevonden dat de moeder van het meisje had geweten dat haar dochter de hoofdrol zou krijgen, en dat ze nota bene zelfs al een Becky Thatcher-jurk voor Sarah Jo had gemaakt.

Vóór de tweede auditiedag had Katy zichzelf ervan overtuigd dat Sarah Jo helemaal niet zo goed was geweest; dat niemand anders dan Bailey Flanigan de rol van Becky zou kunnen spelen. Bailey had het ook verdiend; ze had geduld getoond, en veel inzet bij alle minder belangrijke rollen die ze had gespeeld.

Daar kwam nog bij dat Sarah Jo geen christen was. Dat had haar moeder luid en duidelijk tegen Katy gezegd toen ze haar dochter op de tweede auditiedag kwam brengen.

'Wij geloven niet in God.' Alice Stryker zette haar handtas op de tafel waarachter Katy zat. 'Dat zeg ik maar vast openlijk, voordat het een probleem wordt.'

Katy deed wat in die situatie van haar werd verwacht. Ze verzekerde de vrouw dat je geen christen hoefde te zijn om binnen het CKT mee te mogen doen, en dat was waar. Dat nam niet weg dat je voor een hoofdrol toch veel beter een meisje als Bailey Flanigan kon uitkiezen, een tiener die God liefhad en de jongere kinderen van het CKT over Hem kon vertellen? Daarom was Tim Reed ook een uitstekende keus voor de mannelijke hoofdrol.

Nadat Bailey op de tweede auditiedag een solonummer van Becky Thatcher had gezongen, wist Katy al precies wie welke rol zou krijgen. Maar alles wat Katy had bedacht, vloog uit het raam op het moment dat Sarah Jo Stryker op haar beurt dat nummer zong. Het meisje had een gouden stem, daar kon geen twijfel over bestaan. En al betekende dit dat Alice Stryker zou denken dat zij de dienst uitmaakte, Katy had geen keus. Sarah Jo moest Becky Thatcher zijn.

Maar ze bleef twijfelen of het wel de juiste beslissing was geweest. Erger nog was dat ze merkte dat er een gespannen sfeer was ontstaan tussen de Flanigans en haarzelf, alsof ze het haar kwalijk namen dat Bailey geen belangrijke rol had gekregen.

Katy legde de scripts netjes op een stapel op de tafel in de hal en gebaarde dat haar creatieve team, dat bestond uit Al en Nancy Helmes en Rhonda, naar haar toe moest komen. Wat de Flanigans ook dachten, het mocht vandaag niet haar gedachten in beslag nemen. Ze haalde de dertig niet als ze voor iedere voorstelling zo gestrest was over haar beslissingen over de rolverdeling.

Het was nu bovendien meer dan ooit nodig dat ze haar eigen plan trok bij haar pogingen zestig kinderen in bedwang te houden en ondertussen aanwijzingen te noteren voor het openingsnummer van de voorstelling. En dan moest ze ook nog scripts uitdelen en de solonummers toewijzen aan de verschillende hoofdrolspelers.

Nadat ze een minuut of tien met de anderen had overlegd, ging ze op een van de stoelen staan. Omdat Katy slechts 1 meter 65 was en gekleed ging in spijkerbroek en trui, viel ze niet op te midden van de kinderen. Als ze wilde dat ze haar goed hoorden, ging ze op een stoel staan en klapte een paar keer in haar handen ten teken dat ze stil moesten zijn. Tijdens CKT-repetities werd er niet gefloten en ook niet geschreeuwd. Katy klapte altijd op dezelfde manier en als de kinderen dat hoorden, draaiden ze zich instinctief naar haar om en dempten hun stemmen. Als Katy ophield met klappen, klapten de kinderen op hun beurt ook een paar keer in datzelfde ritme en daarna werd er niet meer gepraat en waren alle ogen op Katy gericht.

'Iedereen gefeliciteerd die een rol heeft gekregen in *Tom Sawyer*.' Haar handpalmen waren vochtig; ze veegde ze af aan haar spijkerbroek. Ze keek naar de groepjes kinderen die verspreid door de zaal stonden en maakte oogcontact met Tim Reed en Ashley Zarelli die naast elkaar aan één kant van de zaal stonden. 'Hoofdrollen krijg je niet zomaar bij het CKT.' Ze richtte haar aandacht op Sarah Jo Stryker. 'Ik verwacht van jullie dat jullie je tekst binnen een week uit het hoofd kennen, en dat je bij iedere repetitie je uiterste best zult doen.'

Nancy Helmes gebaarde naar Katy en Katy knikte. 'Ga zitten. Mevrouw Helmes heeft jullie ook nog iets te vertellen.'

'Ja.' Nancy had een krachtige stem die tot in de verste hoeken van de kerkzaal te horen was. De kinderen gingen zitten. 'Al en ik hebben gehoord dat sommige van jullie niet blij zijn met jullie rol, of dat jullie vrienden op jullie neerkijken omdat jullie de rol van iemand uit het dorp hebben gekregen.' Ze stak een vinger op. 'We hebben maar één soort toneelspelers, jongens en meisjes. Eén soort. En het publiek bestaat uit één Toeschouwer.' Ze liet een korte stilte vallen. 'Er zijn geen kleine rollen. Als jullie niet allemaal jullie uiterste best doen, zal het geen voorstelling ter ere van Jezus worden, wanneer we over acht weken het podium op gaan.'

Katy knikte instemmend. 'Mevrouw Helmes heeft gelijk.' Ze keek Bailey even aan en ving een zweem van een glimlach op. Met een warm gevoel vanbinnen vervolgde Katy: 'Ik zal jullie nu vertellen wat de bedoeling is. Als ik je naam oplees, ga je met meneer en mevrouw Helmes mee naar de muziekkamer aan het eind van de gang. Daar zullen jullie de solonummers uit het eerste bedrijf instuderen.' Ze knipoogde naar Nancy. 'Het zou me niet verbazen als mevrouw Helmes een doos kaneelbroodjes heeft meegenomen voor in de pauze.'

Ze las zeven namen op en een voor een maakten ze zich los uit de groepjes om achter Al en Nancy aan te gaan. Cara Helmes sloot achteraan aan, lachend van oor tot oor bij de gedachte dat zij waarschijnlijk de eerste was die zou horen hoe de liedjes klonken. Het viel Katy opnieuw op dat Tim Reed en Ashley Zarelli met elkaar bevriend leken te zijn, gezien de manier waarop ze samen wegliepen, fluisterend en hun hoofden dicht bij elkaar. Katy keek naar Bailey en zag dat zij het tweetal nakeek. Katy deed haar uiterste best om haar gedachten niet te laten afdwalen. Zij was niet verantwoordelijk voor Baileys sociale leven.

Toen de solisten verdwenen waren, zei Katy: 'Als ik je naam niet heb genoemd, wil ik dat je in de rij gaat staan, de kleinste vooraan, de grootste achteraan.' Ze liet haar blik over de groepjes resterende kinderen dwalen. 'Klaar... af!'

Katy keek van haar plekje boven op de stoel toe toen de kinderen alle kanten op renden. Iemand liep met het kleinste CKT-kind helemaal naar het andere eind van het podium en zette het daar neer. Het duurde even voordat alle kinderen hadden bedacht waar zij moesten staan, en Katy kromp even ineen toen ze op een gegeven moment een van de grote jongens in botsing zag komen met een vrij kleine jongen.

Ze wendde zich tot de Rhonda. 'Weet je zeker dat je deze groep wilt leren dansen?'

'Ja.' Rhonda glimlachte vermoeid. 'Maar ik denk niet dat we om acht uur al weg zullen zijn.'

'Nee, ik ook niet.'

Vier minuten later stonden de kinderen min of meer in een nette rij. Katy liep naar het kleinste kind toe en gaf het goedkeurend een tikje op zijn hoofd. 'Kijk nu allemaal naar wie er voor je staat.' Katy wachtte totdat de kinderen haar opdracht uitvoerden. 'Kijk nu wie er achter je staat en onthoud zijn of haar gezicht.' De kinderen gehoorzaamden. 'Morgenochtend moeten jullie ook in de rij gaan staan en dan wil ik dat jullie binnen vijftien seconden op dezelfde plek staan als nu. Begrepen?'

Een paar kinderen antwoordden niet al te enthousiast: 'Begrepen.'

Katy gaf een klap op haar knie en lachte. 'Nee.' Ze keek om naar Rhonda. 'Zo kunnen ze toch niet reageren?'

'Nee, niet bij het CKT.' Rhonda kwam glimlachend een paar stapjes dichterbij. 'Laten we nog een poging wagen.' Katy keek de kinderen in de rij om beurten aan. 'Morgen in precies vijftien seconden, goed, jongens?'

Deze keer schreeuwde de rij kinderen: 'Ja, Katy!'

'Dat is beter.' Katy probeerde hen streng aan te kijken, maar ze merkte dat haar ogen lachten. 'Nu wil ik vier rechte rijen van twaalf tot dertien kinderen, het grootste kind achteraan. Klaar... af!'

De kinderen kwamen nu veel sneller in beweging en gingen recht op hun doel af. Binnen de kortste keren hadden ze vier rijen gevormd.

'Beter.' Katy keek Rhonda weer aan. 'Ik denk nu dat we misschien zelfs wel te vroeg klaar zijn.'

Een paar oudere kinderen giechelden en Katy grijnsde naar hen. Ze vroeg of Rhonda achter de piano wilde plaatsnemen om het openingsnummer te spelen. Ze kon niet zo goed spelen als Al of Nancy, maar ze was in staat een melodie te spelen waarmee de kinderen aan de slag konden.

'Dan zal ik jullie nu vertellen wat er verder gaat gebeuren,' zei Katy vrolijk. Nu kwam het gedeelte waar ze zo van hield: een verhaal tot leven laten komen. 'Dit lied is het openingsnummer en het gaat over de aankomst van de *Big Missouri*, een boot die maar af en toe de stad Hannibal aandoet. Iedereen in het dorp is blij dat de grote boot eraan komt, omdat hij voor sommige mensen post meebrengt, vrienden en familieleden voor anderen, en soms een gezin dat in het gebied komt wonen. Dat gebeurt in dit verhaal. De familie Thatcher verhuist naar Hannibal en komt daar aan op de *Big Missouri*.'

Een van de kleine kinderen stak zijn hand op. 'Katy, waarom namen ze geen verhuiswagen?'

'Goede vraag.' Katy wierp de gniffelende grote kinderen een waarschuwende blik toe. Toen gingen haar ogen weer naar het jongetje. 'Omdat je in die tijd nog geen verhuiswagens had. Er waren in die tijd ook nog geen echt goede wegen. Niet zoals ze vandaag zijn.' Ze haalde een keer diep adem. 'Waar het nu om gaat is dat de inwoners van Hannibal, in Missouri, heel, heel erg opgewonden zijn.'

Ze rende een eindje en voerde een zijwaartse *bell kick* uit. Dat hield in dat ze één been zijwaarts de lucht in liet schieten, en dat ze met de hiel van de voet aan haar andere been even de hiel van het been in de lucht aanraakte. 'Zo opgewonden zijn ze.'

Rhonda zat inmiddels achter de piano. 'De muziek heeft daarom een hoog, maar regelmatig tempo. Luister maar.' Ze speelde de eerste noten van het lied.

'En Rhonda en ik willen dat je met je armen zwengelt. Ik zal het voordoen.' Katy deed denken aan een jogger die op batterijen liep, toen ze haar rechtervuist naar voren liet zwaaien, even inhield en daarna hetzelfde deed met haar linkervuist. Ze herhaalde die bewegingen een paar keer. 'Dat moet je doen met je armen en daarbij stampend met je voeten naar voren komen, naar de rand van het podium. Daarna wil ik dat iedereen linksom draait, een scherpe bocht maakt en zich achter bij de groep aansluit, waarmee eerder de rij werd gevormd.' Ze stokte midden in een beweging. 'Begrepen?'

Luid en duidelijk riepen ze allemaal tegelijk: 'Ja, Katy.'

'Goed, laten we dan maar eens kijken hoe dat eruitziet.'

Rhonda speelde op de piano en de eerste rij kinderen kwam in beweging. Ze kwamen naar voren zonder dat zich een probleem voordeed, draaiden linksom en liepen naar hun plek achter in de rij. Van de oudste en de langste kinderen in de laatste rij draaiden er drie de verkeerde kant op, zodat ze tegen de persoon naast zich opbotsten.

De muziek hield op.

Zes kinderen hielden hun hoofd vast en de anderen leken nerveus. Een meisje stak haar hand op en zei: 'Katy, hebben we voor deze dans een briefje nodig met daarop de naam en het adres van degene die gewaarschuwd moet worden in geval van nood?'

Katy sloeg haar armen over elkaar en knikte. 'Ja, ik denk dat we dat moeten overwegen.'

Toen de kinderen die zich bezeerd hadden weer op verhaal waren gekomen, gaf Katy iedereen opdracht weer in de rij te gaan staan. 'Goed, laten we ons nu tot doel stellen dat het maar bij twee personen misgaat.' Ze keek Rhonda even aan. 'Klaar... af!'

Deze keer ging het helemaal goed. De ene na de andere rij kinderen kwam stampend op het ritme naar voren, draaide linksom en keerde terug naar het achterste gedeelte van de rij. Dat deden ze allemaal tegelijk en bijna allemaal op de maat van de muziek.

'Yes!' Katy stak haar handen in de lucht. 'Dat doen we nog een keer!'

Nog voordat de pauze aanbrak, hadden ze de meeste danspassen bij het lied ingestudeerd. Katy had het idee dat haar hart meedanste. Wanneer ze een voorstelling vorm kon gaan geven, liet God haar altijd een glimp zien van wat er komen ging. Deze keer kreeg ze van die glimp koude rillingen.

Ze onttrok zich aan alle opwinding door even naar haar auto te lopen om een flesje water te halen. Op de terugweg naar de kerkzaal bleef ze even staan. Ze was de hele dag al van plan geweest die man in Californië te bellen, maar ze had een afspraak gehad met Rhonda om danspasjes bij het eerste nummer te bedenken en daar waren ze zo in opgegaan, dat ze het helemaal was vergeten.

Ze keek op horloge; het was zeven uur. Dat betekende dat het in Los Angeles pas vier uur in de middag was, nog vroeg genoeg om te bellen. Ze ging door de voordeur de kerk binnen, zocht een rustig plekje in de vestibule en haalde het berichtje uit haar portemonnee, waar ze het de vorige avond in had gedaan.

Mitch Henry, stond er op het blaadje. *Casting director.*

Ze ging er nog steeds van uit dat het iets te maken moest hebben met Sarah Jo Stryker. Ze kende verder niemand die connecties zou kunnen hebben met een casting director in Hollywood.

Omdat de pauze nog vijf minuten zou duren, haalde Katy haar mobiel uit haar tas en toetste het nummer in.

Er werd bijna direct opgenomen. Een mannenstem zei op gejaagde, bitse toon: 'Mitch Henry.'

Katy werd er onaangenaam door verrast. 'Ehm... hallo, met Katy Hart spreekt u. U had mij gebeld?'

'Katy Hart! Ik hoopte al dat u zou bellen.' Hij klonk opeens een stuk vriendelijker.

'Ja, maar...', ze keek weer op haar horloge, 'ik heb maar een paar minuten.'

'O.' De man schraapte zijn keel. 'Ik ben de casting director van de aangekondigde romantische komedie *Dream on*. Misschien hebt u er al wel van gehoord.'

Katy had er nog helemaal niets over gehoord. 'Ehm...'

'Wat ik maar wil zeggen is, dat wij graag willen dat u het vliegtuig neemt naar Los Angeles om auditie te doen voor de vrouwelijke hoofdrol in de film.'

Ze begon te lachen, maar niet zo hard dat Mitch Henry het kon horen. 'Ik weet zeker dat iemand zich heeft vergist, meneer. Ik ben geen actrice, niet meer.'

'Wij, nou ja... wij denken van wel.' Er werd met papier geritseld. 'We kunnen het zo regelen dat u zaterdagmiddag hiernaartoe vliegt. Dan brengen we u onder in een hotel, waar u een dag de tijd krijgt om te acclimatiseren. Maandag wordt u dan door een auto afgehaald die u naar de studio brengt. De auditie is 's ochtends om negen uur. Later die middag kunt u dan naar huis terugvliegen.'

Katy's hoofd tolde. Het klonk alsof het de man ernst was, maar dat kon toch niet waar zijn? 'Weet u zeker dat u de goede Katy Hart aan de lijn hebt?'

'Heel zeker.' Hij grinnikte. 'De rolverdeling voor deze film zal er waarschijnlijk heel anders uit gaan zien als u komt, mevrouw Hart.'

Ze kneep in haar slapen. 'Hoe bent u dat allemaal over mij te weten gekomen?'

'Ehm... Ik weet eerlijk gezegd verder niets over u. Ik mag u alleen maar vertellen dat we beslissingen over deze film uitstellen, totdat we uw reactie hebben vernomen.'

Het hele gesprek sloeg nergens op. Als de bijzonderheden niet zo gedetailleerd waren geweest, zou ze er bijna zeker van zijn geweest dat een van de CKT-kinderen een grap met haar liet uithalen. Maar de man klonk daarvoor te serieus. Katy werd bestormd door vragen. Hoe hadden ze van haar gehoord en hoe hadden ze geweten waar ze haar moesten vinden? En wie in Hollywood had überhaupt van haar bestaan geweten?

'Wat mag ik tegen de producer zeggen, mevrouw Hart? Kunnen we de vlucht heen en terug voor u boeken? Ik neem aan dat u wilt vertrekken vanuit Indianapolis?'

Katy kreeg een licht gevoel in haar hoofd. Ze greep de telefoon steviger vast. 'Kan ik... Kan ik u over een paar uur terugbellen om u te laten weten wat ik heb besloten? Dit komt op een ongelegen moment.'

'Natuurlijk.' Hij bleef monter, hartelijk reageren. 'U heeft het nummer van mijn mobiele telefoon. Ik wacht uw beslissing af, hoe deze ook uitvalt, goed?'

'Ja. Dank u, meneer...' Ze bedacht opeens iets. 'Wie produceert de film?'

'DreamFilms.'

DreamFilms? Dat was een grote studio, waar tientallen bioscoopfilms waren gemaakt die kassuccessen waren geworden. Nu leek dit gesprek nog surrealistischer dan daarnet. Ze slikte moeizaam. Haar knieën knikten. 'Prima. Ik bel u over een paar uur.'

Ze hing op en probeerde in beweging te komen, maar de vestibule draaide om haar heen. Ze leunde tegen de muur. Het was allemaal niet te begrijpen. Toen ze haar evenwicht had hervonden, keerde ze terug naar de kerkzaal. Zodra ze de repetitie weer in gang had gezet, betwijfelde ze opnieuw of het telefoontje echt voor haar bestemd was geweest.

Ze werkte de repetitie af en beantwoordde alle vragen van de kinderen. Toen die allemaal naar huis gegaan waren en ook Al en Nancy de kerk hadden verlaten, wendde ze zich tot Rhonda Sanders. 'Ik moet je iets vertellen, maar je gelooft het vast niet.'

'Wat dan?' Rhonda was single, 28 en degene binnen heel de CKT-organisatie met wie ze het best kon opschieten. Ze hadden al heel gauw vriendschap met elkaar gesloten toen Katy naar Bloomington was verhuisd, en de twee praatten vaak met elkaar over wat ze meemaakten, en hoe het leven niet altijd aan hun verwachtingen voldeed.

Rhonda was net als Katy opgegroeid in een christelijk gezin. Zij geloofde ook dat God iemand voor haar had bestemd, een man met een sterk geloof die haar leiding kon geven op haar levensweg achter Christus aan. Dat had allemaal moeten gebeuren omstreeks de tijd dat ze 25 werd, als het plan tenminste klopte. Kort daarna zouden er ook kinderen komen.

Ze waren intussen allebei achter in de twintig en vroegen zich af of het leven aan hen voorbij was gegaan.

Rhonda trok een stoel naar zich toe en keek Katy onderzoekend aan. 'Wat geloof ik vast niet? Heb je de prins op het witte paard ontmoet?'

'Nee.' Katy haalde haar mobiele telefoon uit haar tas en hield hem omhoog. 'Ik heb gisteravond een bijzonder vreemd bericht doorgekregen. Ik moest een casting director in Los Angeles bellen.' Ze trok een schouder op. 'Ik dacht natuurlijk dat het iets te maken moest hebben met Sarah Jo Stryker.'

'Natuurlijk.'

Katy merkte dat haar ogen groot werden. 'Maar het ging niet over haar. Moet je horen.' Ze beet op haar onderlip en staarde naar haar telefoon. Toen keek ze Rhonda weer aan. 'Ik heb die man gebeld en hij zei tegen mij...' Omdat ze een nerveus lachje moest verbijten, kostte het haar moeite om de zin af te maken. Ze ademde langzaam in door haar neus.

'Hij zei tegen me dat DreamFilms Studio wil dat ik naar Los Angeles vlieg om daar maandagmorgen auditie te doen.' Ze hield even haar adem in. 'Auditie voor de hoofdrol in een al aangekondigde komedie die *Dream on* heet. Ik heb tegen hem gezegd dat ik er een paar uur over moest nadenken, en dat ik hem nog terug zou bellen.'

'Wat zeg je daar?' Rhonda sprong overeind. Ze stak haar handen uit naar Katy en slaakte een kreet. 'Dit is geen grap?'

'Nee!' Van alle mensen die ze kende in Bloomington, wist alleen Rhonda iets van haar kortdurende filmcarrière, en hoe vurig ze er destijds naar had verlangd dat ze een kans zou krijgen. Er waren destijds natuurlijk ook dingen voorgevallen die Katy nooit aan iemand had verteld, ook aan Rhonda niet.

'Bel die man terug en zeg tegen hem dat je het doet!' Rhonda maakte een rondedansje. 'Ik kan het niet geloven, Katy! Dat soort dingen overkomt geen inwoner van Bloomington, Indiana.' Ze hield even in. 'Hé, waar wacht je nog op?'

'Stel dat het niet waar is?' Katy liep een paar passen heen en weer. 'Ik heb om de een of andere reden het idee dat dit een geintje is. Je weet wel, iets dat bij elkaar is verzonnen door de familie Reed of de familie Zarelli.'

De opgewonden uitdrukking op Rhonda's gezicht verdween. 'O. Daar had ik niet aan gedacht.'

'Goed, laten we zeggen dat het geen geintje is.' Katy ging op de rand van het tafel zitten. 'Laten we zeggen dat een casting director die voor DreamFilms werkt, een en ander over mij te weten is gekomen en echt wil dat ik naar Los Angeles vlieg om auditie te doen.' Ze moest giechelen bij die gedachte. 'Dan zit deze Mitch Henry, wie dat ook mag zijn, nu te wachten tot ik hem terugbel. Zeg jij nu maar wat ik tegen hem moet zeggen.'

'Als hij echt is wie hij zegt dat hij is?' Rhonda slaakte weer een kreet. 'Wie houd je hier nu voor de gek? Jij stapt als de wiedeweerga op dat vliegtuig, Katy Lynn Hart, en doet auditie zoals je nog nooit auditie hebt gedaan!'

Katy was op de grond gesprongen en liep weer heen en weer. Opeens bleef ze staan en gooide haar handen in de lucht. 'En *Tom Sawyer* dan?'

'Hij is een verzonnen personage. Hij kan geen auditie doen voor de rol.'

Katy lachte. 'Je weet best wat ik bedoel. Ik moet hier in Bloomington aanwezig zijn.'

'Die man wil dat je van zaterdag tot en met maandag beschikbaar bent. De eerstvolgende CKT- repetitie is pas dinsdag.' Rhonda bracht één hand omhoog en liet de andere zakken, alsof ze de mogelijkheid woog. 'Dat lijkt me geen probleem.'

'Goed.' Katy plofte neer op een stoel. Ze liet haar adem ontsnappen en keek naar de mobiele telefoon in haar hand. 'Ik ga het doen.' Ze keek op naar Rhonda. 'Als het een geintje is, zal ik het hun voor de week om is betaald zetten.'

'Bel nu maar terug, Katy.' Rhonda liet zich op de grond vallen en kruiste haar benen. 'Ik plof bijna van nieuwsgierigheid.'

Katy drukte op een aantal toetsen, hield de telefoon tegen haar oor en wachtte.

'Met Mitch Henry. Spreek ik met mevrouw Hart?'

'Ja.' Katy sloot haar ogen. 'Ik heb erover nagedacht, meneer, en ik wil graag komen. Wat moet ik nu verder doen?'

'Geweldig. Ik denk niet dat u er spijt van zult krijgen. Wij doen dit niet vaak met iemand die... die zo onbekend is als u en...'

Katy onderbrak hem. 'Dat is precies wat ik ook dacht. Weet u wel zeker dat ze willen dat ík auditie doe voor de rol?' Ze deed haar ogen open en keek Rhonda aan. 'Hebben ze gevraagd om Katy Hart uit Bloomington?'

Mitch Henry lachte. 'Jazeker. Kunt u zaterdag tegen de middag op het vliegtuig stappen?'

'Ja, dat denk ik wel.' Katy knikte naar Rhonda en zei geluidloos: 'Het is echt waar.' Haar hart sloeg op hol. Wat moest ze aantrekken? Wat voor rol was het eigenlijk? En hoe bestond het dat DreamFilms haar had gevonden?

Mitch Henry vertelde ondertussen dat hij iemand het een en ander zou laten regelen. 'Ik bel u straks thuis om het reisschema aan u door te geven.'

Katy bedacht dat de Flanigans dan weer een berichtje van meneer Henry zouden moet doorgeven. Als ze echt naar LA vloog om auditie te doen voor een rol in een speelfilm, mocht behalve Rhonda niemand ervan weten. Anders zouden alle kinderen van het CKT erachter komen, en wanneer ze dan thuiskwam zonder dat ze de rol had gekregen, bleven ze haar er natuurlijk over aan het hoofd zeuren. Nee, het beste was om de reis in het geheim te maken. Op die manier had ze niet zo veel uit te leggen als ze nooit meer iets van de casting director hoorde.

'Ik heb liever dat u mij op dit mobiele nummer terugbelt. Wanneer kan ik dat telefoontje verwachten?'

'Morgen na enen.'

'Goed.' Ze zat weer te trillen. 'Dank u wel, meneer Henry. Ik begrijp er nog steeds niets van, maar ik zal komen. Als dit geen geintje is, zal ik er zijn.'

Mitch Henry moest weer lachen. 'Dit is geen geintje, mevrouw Hart. Wees daar maar van verzekerd.'

Katy beëindigde het telefoongesprek en staarde Rhonda aan. 'Het is geen grap.' Haar stem klonk vlak, geschokt. Toen sprong ze overeind en begon joelend rondjes te rennen. 'Ik stap echt zaterdag op het vliegtuig naar LA!'

Rhonda stak haar armen uit en omhelsde Katy stevig. 'Je wordt vast beroemd, Katy. Dat weet ik gewoon. Ik heb altijd al gedacht dat je te veel talent hebt om in Bloomington te blijven. Weet je wat? We gaan samen naar de lunchroom en nemen daar een latte macchiato om het te vieren!'

'Goed.' Ze deed een stap achteruit en keek Rhonda aan. 'Maar laten we eerst iets anders doen.'

'Wat dan?' Rhonda lachte van oor tot oor.

Katy pakte Rhonda's handen vast. 'Laten we samen bidden.'

Katy hief heel haar hart op naar de hemel, dankte God voor de vreemde, onverwachte kans en vroeg om Zijn wijsheid, leiding en bescherming voor de reis. Daarna sprak ze het gebed uit dat haar ouders al over haar hadden uitgesproken toen ze nog een klein meisje was. Dat gebed leek vooral rijk aan betekenis in het licht van de wending die de gebeurtenissen hadden genomen.

'God, mijn toekomst ligt voor U open. Maak mij duidelijk welke weg ik moet gaan. Open ramen, sluit deuren, opdat niet mijn wil, God, maar Uw wil geschiedde. Amen.'

8

Ashley was gestopt met werken in zorgcentrum Sunset Hills. Toch ging ze er nog ongeveer een keer per maand langs om er vrienden en bekenden te bezoeken. Het was nu zaterdagochtend, en Landon en Cole waren bezig de achtertuin op te ruimen en onkruid te wieden rond de schommel. Ashley had een paar boodschappen gedaan en ging onderweg naar huis langs bij Sunset Hills.

Jenny Flanigan had gebeld en haar gevraagd of ze wilde nagaan of er plaats was. Haar moeder had vorige week vrijdag te horen gekregen dat ze dementie had, en haar behandelend arts vond dat ze beter nu kon verhuizen naar een zorgcentrum, dan dat ze daarmee wachtten totdat ze er slechter aan toe was.

De zon scheen door de bomen in de voortuin. Sunset Hills was eigenlijk een omgebouwd herenhuis, dat niet opviel tussen de andere huizen in de buurt. Ashley stopte om naar de rozen onder het voorraam te kijken. Er waren zo veel herinneringen verbonden aan dit zorgcentrum. Ze ademde de zwoele zomerlucht in en glimlachte. God had Sunset Hills en zijn bejaarde bewoners gebruikt om haar opnieuw te leren lief te hebben. Heel haar leven was veranderd door alles wat ze hier geleerd had.

Ze liep de stoeptreden op en belde aan.

Even later deed Roberta open. Zij was een knappe, jonge Mexicaanse vrouw met een zangerig Spaans accent, die gezin en geloof hoog in het vaandel had staan. Zij was de precies de juiste persoon geweest om Ashley te vervangen toen ze een jaar geleden afscheid nam. 'Ashley! *Como estás*?' Ze liet Ashley binnen.

'*Bien*.' Ashley omhelsde de vrouw en keek haar lachend aan. 'Zie je nou wel? Ik ben het Spaans dat je me hebt geleerd niet vergeten.'

Roberta lachte. '*Sí, muy bien*. Kom verder, Ashley. Het gaat goed hier in Sunset Hills.' Ze dempte haar stem tot een fluistertoon. 'De oudjes missen je. Ze praten over je alsof je nog steeds hier werkt.'

Ashley glimlachte. 'Ze praten ook over 1975 alsof dat vandaag is.'

Roberta hield haar hoofd een beetje scheef. 'Ja, dat is zo.' Ze liep voor Ashley uit naar de recreatiezaal en gebaarde naar de rij verstelbare stoelen. 'Het ochtenddutje is bijna achter de rug.'

Ashley keek naar de gezichten in de stoelen. Edith zat in de stoel het verst bij haar vandaan. Lieve, aardige Edith. De voormalige schoonheidskoningin was bang geweest voor haar eigen spiegelbeeld, totdat Ashley de spiegels in haar badkamer had laten verwijderen. Ashley keek Roberta aan. 'Hoe gaat het met haar?'

'Wat zal ik zeggen...' Roberta liep naar Edith toe en gaf haar een klapje op haar hand. Edith snurkte in reactie daarop en Roberta fluisterde: 'Haar arts zegt dat het niet lang meer zal duren. Ze is in het laatste stadium van hartfalen.'

'Ja, dat weet ik nog.' Ashley draaide zich om en zag Helen in de stoel naast Edith zitten. 'En Helen? Is die nog steeds in alle staten als de eieren niet warm zijn?'

'Zij praat nog steeds over haar dochter Sue.' Roberta's ogen lachten. 'Ze gaan nog steeds vaak bij elkaar op bezoek en af en toe gebeurt weer dat wonderbaarlijke, dat ook gebeurde toen jij nog hier werkte. Helen herinnert zich haar, en haar dochter en zij brengen samen een dag door die ontstolen is aan het verleden.'

Ashley knikte en negeerde de brok in haar keel. 'Daar ben ik blij om. Ze houdt heel veel van Sue.'

'*Sí, mucho.*' Roberta keek naar de vrouw die helemaal aan de andere kant in een verstelbare stoel zat te slapen. 'Betty is kortgeleden hier komen wonen en Frank... Je herinnert je Frank nog?'

'Ja. Hij nam de plaats in van Laura Jo toen die overleed.'

'Ehm...,' Roberta keek even omlaag, 'Frank is vorige week overleden. Volgens de artsen aan een beroerte.' Ze keek even de gang in. 'Het was een heel aardige man. Grote familie. Ze waren voortdurend hier.' Haar ogen werden vochtig. 'Ik mis hem.'

Ashley sloeg een arm om Roberta's schouders en drukte haar een moment tegen zich aan. Dat was het moeilijkste wanneer je met bejaarde mensen werkte. Zij herinnerde zich Irvel nog, de vrouw in Sunset Hills met wie ze zich nauw verbonden had gevoeld. Irvel had haar geleerd dat de liefde tussen man en vrouw tijd, ziekte en zelfs de dood overstijgt.

'De vriendschappen die hier ontstaan, zijn vaak maar van korte duur, Roberta.' Ashley deed een stap opzij om haar handtas op een tafeltje te zetten. 'Maar het zijn hechte, interessante vriendschappen en dat maakt veel goed.' Ze keek de gang in. 'Gaat het goed met Bert?'

'Die poetst nog steeds zijn zadel op.' Roberta liep voor haar uit naar de keuken. 'Een man moet een zadel hebben om op te poetsen, zegt hij iedere dag tegen mij.'

Ashley grinnikte. De oude zadelmaker had geen woord kunnen uitbrengen totdat ze een zadel voor hem meebrachten. Doordat hij in zijn kamer een zadel had, een doel, was alles anders geworden. Ashley was blij te horen dat het zo goed met hem ging.

Uiteindelijk vertelde ze waarvoor ze nu eigenlijk gekomen was. Ze vertelde een en ander over Jenny Flanigans moeder en vroeg of er plekken open waren.

‘Er is een kamer beschikbaar.’ Roberta vulde een ketel met water en zette de ketel op het fornuis. ‘Frank is onverwacht overleden. Er kan een aanvraag worden ingediend om de opengevallen plaats in te nemen.’

‘Zeg maar tegen de eigenaresse dat ik er precies de juiste persoon voor heb. Ze heet Lindsay Bueller en haar familie woont hier.’ Ashley begon de vaatwasser uit te ruimen. ‘Haar familie heeft gebeden voor een plek in dit zorgcentrum.’

Ze hoorden Helen roepen.

Roberta droogde haar handen af. ‘Ik ben zo terug. Helen heeft tegenwoordig hulp nodig om uit de stoel te komen.’

Ashley knikte. Ze haalde drie theekopjes uit de vaatwasser en zette ze op een rijtje op het aanrecht. Daarna trok ze de doos met theezakjes dichter naar zich toe en koos pepermuntthee voor hen allebei uit. Irvel had pepermuntthee heerlijk gevonden, en al was ze al meer dan een jaar geleden overleden, de bewoners van Sunset Hills zetten haar traditie voort om bij de lunch een warme kop thee te nemen.

Roberta kwam weer in zicht; ze bracht Helen naar haar plek aan de tafel in de eetkamer. Helen wierp Ashley een argwanende blik toe en wees naar haar. ‘Is zij gecontroleerd?’ Voordat Roberta ja kon zeggen, vervolgde Helen: ‘Het is hier niet meer wat het is geweest, hoor.’ Helen hield zich aan Roberta’s arm vast toen ze zich in haar stoel liet zakken. ‘Niemand wordt nog gecontroleerd.’

Ashley glimlachte. Sommige dingen veranderden niet. Het water kookte. Ze zette thee en bracht Helen en ook Roberta een kopje. Vóór het rustuurtje om was, kwamen ook Bert en Edith bij hen zitten. Ze praatten op een onsamenhangende, maar geestige manier met elkaar. Ashley begon het juist daardoor weer jammer te vinden dat ze hier niet meer werkte.

Toen ze klaar waren met theedrinken en lunchen nam Ashley afscheid. Ze vond het heerlijk om bij haar vrienden in Sunset Hills te zijn, maar ze vond het nog fijner om met

Landon en Cole samen te zijn. Ze was halverwege de weg naar huis toen ze besloot bij haar ouderlijk huis langs te gaan om te kijken hoe het met haar vader was.

Hij was de laatste tijd stiller dan normaal. Dat kwam waarschijnlijk doordat hij er net als alle andere familieleden aan dacht dat het bijna een jaar geleden was dat hun moeder was overleden.

Ze reed de oprit op en zag Kari's auto staan. Van de vijf volwassen kinderen van het gezin Baxter woonden alleen Kari, hun oudste zus Brooke en zij in Bloomington. Luke woonde met zijn vrouw en baby in New York, en Erin, de jongste dochter van de familie Baxter, woonde met haar man en vier geadopteerde dochters in Texas.

Fysieke afstand was niet belangrijk. De Baxters waren in het jaar na het overlijden van hun moeder een hechtere clan geworden dan het geval was geweest in de tijd dat ze opgroeiden.

Eenmaal binnen trof Ashley Kari en hun vader aan in de woonkamer. Bij haar vader op schoot zat Kari's jongste, de zeven maanden oude Ryan junior, en naast hem op de bank zat Jessie, Kari's dochter van drie, de baby over zijn hoofd te aaien.

'Ik wou dat ik mijn fototoestel bij me had.' Ashley zette haar tas neer, liep naar haar vader toe en gaf hem een kus op zijn wang. 'Of mijn schildersezel.'

'Dag, schat.' Haar vader glimlachte, en die glimlach bereikte zijn ogen, wat al een hele tijd niet meer was voorgekomen. De baby kirde. Haar vader kromde zijn vinger en haalde deze onder de kin van de baby door. 'Kleine Ryan is een tevreden baby.'

Kari pakte een flesje melk uit de luiertas die bij haar in de buurt stond, en gaf het aan haar vader. 'Als hij dit niet krijgt, is hij niet lang tevreden meer.' Ze draaide zich half om om Ashley te omhelzen. 'Ik heb pap daarnet uitgenodigd voor het avondeten. Hebben Landon, Cole en jij ook zin om te komen?'

'Dat zou ik graag doen, maar we moeten vanavond aan de slag met de decors.'

'Decors?' Haar vader keek op. 'Theaterdecors?'

Kari gaf in haar plaats antwoord. 'Ja, decors voor *Tom Sawyer*, de aangekondigde nieuwe musical van het CKT.' Ze ging naast Jessie zitten en trok het meisje bij zich op schoot. 'Dan heb je de Flanigans vast al ontmoet.'

'Ja. Aardige mensen, fijn gezin.' Ashley glimlachte naar haar vader. 'Ze doen me denken aan hoe wij lang geleden waren.'

De uitdrukking op haar vaders gezicht verzachtte. 'Dan wil ik hen ook graag een keer ontmoeten.' Met één opgetrokken wenkbrauw keek hij Ashley aan. 'Hoe ben je betrokken geraakt bij het maken van theaterdecors?' Hij grinnikte. 'Vertel me nu niet dat het Landons idee was.'

'Nou...' Ashley klonk peinzend. 'Ik bedacht dat mama ook zoiets zou hebben gedaan, de plaatselijke toneelvereniging helpen.'

'Ja.' Haar vader hield de fles voor de neus van de kleine Ryan. 'Vooral een christelijk kindertheater. Ze hield van toneelvoorstellingen.'

Ashley ging tegenover de anderen zitten. 'Landon en ik kunnen het samen doen, en het is iets wat mij helpt mams dood te verwerken. Het geeft me om de een of andere reden het idee dat zij nog steeds deel uitmaakt van ons leven.'

Het bleef een moment stil.

Omdat Jessie zich in allerlei bochten begon te wringen, zette Kari haar op de grond. 'Mag ik een boek pakken, mama?'

'Ja, schatje, maar dan wel meteen terugkomen.' Kari zag hoe haar dochter wegrende. Toen wendde ze zich tot Ashley. 'Jessie is mam al bijna vergeten.' Er gleed een bedroefde uitdrukking over haar gezicht. 'Toen ik haar gisteren een foto van mam liet zien, stak ze haar handjes ernaar uit en vroeg ze wie dat was.'

Hun vader sloot zijn ogen een paar seconden en haalde een keer diep adem voordat hij ze weer opendeed. 'Ze weet in ieder geval nog wel waar oma's prentenboeken liggen.'

Kari stond op en wierp Ashley een trieste blik toe. Het was haar aan te zien dat ze er spijt van had dat ze dit onderwerp had aangesneden waar haar vader bij zat. 'Toch kan ik maar beter even gaan kijken of ze niet de hele boekenkast overhoop trekt.'

Toen Kari de kamer had verlaten, liep Ashley naar haar vader toe en knielde neer aan zijn voeten. Ze streelde de kleine Ryan over het hoofd. 'Ik herinner me de tijd nog dat Cole zo klein was.'

'Ik ook.' Haar vader haalde zijn neus op en er viel een traan op zijn wang. 'Je moeder hield van Cole alsof het haar eigen zoon was.'

'Weet ik.' Ashley liet een verdrietig lachje horen. 'Toen ik terugkwam uit Parijs, eenzaam en zwanger, dacht ik altijd dat ze meer van Cole hield dan van mij.'

'Dat is nooit het geval geweest.' Haar vader legde een hand op haar schouder. 'Ze begreep jou, Ashley. Ze...' Hij haperde, bijna alsof hij iets wilde zeggen maar eigenlijk niet goed wist of hij dat wel moest zeggen. 'Nou ja, ze heeft je altijd goed begrepen. Jij had een bijzonder plekje in haar hart.'

'Ik had het idee dat je eigenlijk iets anders wilde zeggen, pap.'

'Nee, nee.' Zijn reactie kwam deze keer snel. 'Ik wil alleen maar dat je er nooit aan twijfelt dat je moeder van je hield.'

Kari en Jessie waren nog in de kamer met de boekenkast. Ashley hoorde Jessie op vrolijke, zangerige toon praten over oranje poesjes en gestreepte staarten.

Ashley keek haar vader nog even onderzoekend aan. Wat hij ook had willen zeggen, het was hem nu ontglipt. Ze keek naar de baby en toen weer op naar haar vader. 'Ik mis haar ontzettend, pap.'

Hij knikte; zijn kin begon te trillen. Hij haalde de rug van zijn hand eerst langs zijn ene en toen langs zijn andere oog. 'Soms...' Hij viel stil omdat hij zijn stem niet meer onder controle had. Het grootste gedeelte van zijn gezicht ging schuil achter zijn hand. Toen hij weer sprak was hij nauwelijks te verstaan. 'Soms mis ik haar zo ontzettend dat ik bijna niet meer kan ademhalen.'

Ashley stond op, boog zich over haar vader heen en omhelsde hem. Meer hoefde er niet gezegd, niet gedaan te worden. Kari en Jessie kwamen de kamer weer binnen, en Ashley wierp Kari een blik toe waaruit ze kon opmaken dat haar vader verdriet had, maar dat het wel goed kwam met hem.

Ashley zei hen gedag en reed naar huis, naar Landon en Cole. Onderweg liet ze haar tranen de vrije loop. Ze huilde omdat ze het bijna niet had kunnen verdragen dat haar sterke vader, de onoverwinnelijke dokter Baxter, zo gebroken was dat hij bijna geen woord kon uitbrengen. Ze huilde omdat haar moeder niet in de zaal naar *Tom Sawyer* zou zitten te kijken, in het besef dat haar ooit zo opstandige dochter de decors had geschilderd. Ze huilde omdat de kleine Jessie zich haar niet meer herinnerde. Maar ze huilde nog het meest omdat ze wist dat het waar was, wat ze met een blik aan Kari had duidelijk gemaakt. Het zou met hen allemaal weer goed komen.

En dat was misschien wel het allerverdrietigst.

9

Dayne was alleen thuis in zijn huis in Malibu. Hij probeerde een oude film met Barbara Streisand in de hoofdrol op zich in te laten werken toen zijn telefoon ging. Mitch Henry had beloofd te bellen zodra hij nieuws had. Daarom griste Dayne de telefoon van de tafel en nam op.

'Dayne, met Mitch. Ze komt.'

'Echt waar?' Dayne schoot overeind. 'Je meent het.' Hij liep naar de deur die uitkwam op de patio achter, keek even naar de oceaan en keerde terug naar de bank. Ondertussen lichtte Mitch hem volledig in. 'Hé, wacht eens even.' Dayne verstarde. 'Je hebt toch niet mijn naam genoemd, hè?'

'Niet één keer.'

'Weet je het zeker? Niet één keer?'

'Dayne, ze had zelfs nog nooit van de film gehoord.' Hij lachte even. 'Sla jezelf nu maar niet zo hoog aan. Ze heeft waarschijnlijk ook nog nooit van jou gehoord.'

'Au.' Dayne zette zijn voeten weer in beweging; hij liep weer van de bank naar de deur naar de patio. 'Je weet dus zeker dat ze komt?'

'Ja, maar, Matthews, weet je zeker dat je mij het juiste meisje hebt laten bellen?' Mitch was er zo te horen zelf niet helemaal van overtuigd. 'Ik heb haar stroop om de mond gesmeerd, precies zoals je had gezegd, maar ze lijkt op geen enkele andere actrice die ik ooit heb gesproken. Ze stelde steeds dezelfde vraag.'

'Wat?' Dayne voelde zich springlevend van opwinding. Katy Hart kwam naar Hollywood om auditie te doen. Was dat niet geweldig? Hij richtte zijn aandacht weer op het telefoongesprek. 'Wat vroeg ze dan steeds?'

'Of het geen vergissing, geen grap was.' Hij lachte, maar het klonk eerder sarcastisch dan vrolijk. 'Echt een meisje met zelfvertrouwen, Matthews. Doet het vast fantastisch voor de camera.'

Dayne negeerde die laatste opmerking. Het kon hem niet schelen wat Mitch Henry dacht. Katy was geknipt voor de rol; dat zouden ze allemaal snel genoeg doorkrijgen. 'Ze komt zaterdag?'

'Zaterdag, ja. We brengen haar onder in het Sheraton en regelen dat ze maandagochtend door een auto wordt afgehaald om haar naar de studio te brengen. Haar auditie is om negen uur, goed? Ben je nu blij, Matthews?'

'Ja.' Hij grinnikte, maar deed dat zachtjes, zodat Mitch het niet zou horen. 'Ik heb een videoband met een proefopname van haar gezien, Mitch. Zij is de persoon die we moeten hebben.'

'De onschuld zelve?'

'Zo onschuldig als een baby.'

Mitch ademde diep in. 'Ik heb mijn werk gedaan. Zo zie je maar weer dat ik echt alles doe om jou blij te maken.'

'Je vergeet iets.'

'Wat dan?' Mitch was zo te horen moe en vond het gesprek niet boeiend meer.

'Je vergeet dat ik dit doe om jóú blij te maken.' Dayne keerde terug naar de bank en ging zitten. 'Neem nu maar van mij aan, Mitch, dat je haar fantastisch zult vinden.'

'Ik zou het fantastisch vinden als ik voor alle rollen in de film acteurs had gevonden. Dat zou ik fantastisch vinden.'

Even later kwam er een einde aan het gesprek en legde Dayne de telefoon weer op de salontafel. Wauw. Ze waren alles over Katy Harts achtergrond te weten gekomen, hadden uitgeplozen waar ze woonde, en haar zover gekregen dat ze erin toestemde auditie te doen. Makkelijker had het toch niet kunnen zijn!

Over drie dagen zou Katy Hart, een meisje dat hij niet had kunnen vergeten sinds zijn korte, heimelijke bezoek aan een plaatselijk theater, voor hem staan en auditie doen voor een hoofdrol in een grote speelfilm, met hem als tegenspeler.

Dayne sloot even zijn ogen. Hij moest haar beschermen tegen de paparazzi, en dat kon maar één ding betekenen: ze mocht niet alleen met hem gezien worden. Dat een meisje naar de studio van DreamFilms kwam om auditie te doen was niet voldoende om hun aandacht te trekken. Maar als een onbekende regisseur van een kindertheater in Bloomington, Indiana naar Hollywood kwam op verzoek van Dayne Matthews?

Dat zou voor op alle roddelbladen komen te staan.

Nee, hij mocht niet samen met haar gezien worden, en dat was prima. Hij was niet in haar geïnteresseerd, niet echt. Hij wilde alleen maar de kans krijgen om samen met haar in een film te schitteren. Omdat ze een ruwe diamant was met veel talent en deze nog niet door het leven in Hollywood aan glans had ingeboet. Samen met haar acteren zou zijn tijd op de toneelschool doen herleven, toen acteren nog iets was dat recht uit zijn hart kwam en het hem volledig in beslag nam.

Hij wist al dat hij haar voor de camera fantastisch zou vinden, met haar frisse uiterlijk en de onschuld in haar ogen. Er was alleen een klein probleem. Hij was niet helemaal eerlijk geweest tegen Mitch Henry. Hij wist wel heel veel van Katy Hart, maar niet alles. Wat ontbrak was wat er in Chicago was gebeurd, toen Katy opeens ophield met auditie doen en een andere carrière nastreefde.

Afhankelijk van haar beweegredenen en van wat er met haar was gebeurd in Chicago, bestond de mogelijkheid dat Katy Hart haar kans in de filmindustrie helemaal niet was misgelopen. Misschien had ze die industrie opzettelijk de rug toegekeerd. Dayne deed zijn ogen open, leunde achterover op de bank en staarde naar het gewelfde plafond. Maar dat kon toch niet waar zijn? Alle andere meisjes die hij in de filmindustrie had ontmoet, waren uit geweest op een kans om beroemd te worden, zodat hun gezicht en naam bij iedereen bekend zou zijn. Daar ging het toch om? Maar dat was nu juist het enige waarover Dayne zich de rest van de avond en de hele volgende dag zorgen maakte, terwijl hij de uren totdat Katy kwam aftelde.

Katy Hart was niet net als alle andere meisjes.

☙

Katy verkleedde zich drie keer voordat ze met de lift naar beneden ging, waar haar begeleider haar in de lobby zou opwachten.

De rol hield in dat ze een van de twee hoofdrolspelers was in een romantische komedie over een dorpsmeisje, dat droomt van een succesvol leven als auteur van een eersteklas tijdschrift in New York City. Katy had een hele koffer volgepakt met mogelijkheden, zodat haar keuze niet beperkt zou zijn. Nadat ze die ochtend al om zes uur had gedoucht, staarde ze naar haar keuzemogelijkheden.

Tijdens de colleges over films had ze geleerd dat een personage zich op een manier moest kleden die het best bij de rol paste. Daarom had ze eerst gedacht aan een spijkerbroek en een T-shirt met een laag uitgesneden, ronde hals. Maar toen ze die had aangetrokken, herinnerde ze zich dat Mitch Henry haar had verteld dat de hoofdrolspeelster het grootste gedeelte van de film in Manhatten zou zijn. Omdat dat betekende dat ze er heel anders uit moest zien, trok ze een zwarte broek en een kort jasje aan. Maar tegen de tijd dat ze het jasje had dichtgeknoopt, had ze het idee dat ze te stijfjes en te sjiek gekleed was. Het was bovendien veel te warm voor de laatste week van juni in Los Angeles.

Uiteindelijk koos ze voor de gulden middenweg: een kakibroek en een gele katoenen blouse waarin ze zich prettig voelde. Niet dat dat belangrijk was. Dat ze naar Los Angeles was gevlogen om auditie te doen was naar haar idee zo vreemd, dat Katy nog steeds verwachtte dat iemand haar hotelkamer zou binnenkomen om haar te vertellen dat het een grap was.

En als dat niet gebeurde, had DreamFilms ongetwijfeld nog enkele ervaren actrices in de startblokken staan. Zij moest vast dienen als een soort vreemde eend in de bijt, waarmee de anderen vergeleken konden worden. Het kon ook zo zijn dat ze was gebeld omdat ze werkelijk in een dorp woonde. Misschien wilden ze de actrices die boven aan hun keuzelijst stonden, laten zien hoe een dorpsmeisje eruitzag. Ja, zou dat niet de reden zijn dat ze haar hadden laten komen?

Katy wist het niet, maar er moest een reden voor zijn, en welke reden dat was zou aan het licht komen tijdens het gesprek dat voorafging aan de auditie. Ze nam plaats in de lobby en wachtte totdat een man in een zwarte broek en een zwarte coltrui haar benaderde. 'Mevrouw Hart?'

'Ja.'

'Ik ben Greg, het manusje van alles bij DreamFilms.' Glimlachend schudde hij haar de hand. 'Mij is gevraagd u naar de studio te brengen.'

'Het is dus geen grap?' Katy liep in de pas met Greg mee naar een zilverkleurige SUV die vlak voor de ingang van het hotel geparkeerd stond.

'Nee, het is geen grap.' Greg hield het portier voor haar open, liep om de auto heen en kroop achter het stuur. 'Als je het mij vraagt, is dit een grotere kans dan ik ooit eerder heb meegemaakt.'

Onderweg naar de studio praatten ze over ditjes en datjes, en Katy had de hele tijd het gevoel dat ze toneelspeelde. In haar eigen leven werd ze niet naar een belangrijke filmstudio gereden, zodat ze auditie kon doen voor een hoofdrol in een aangekondigde film. Ze had er wel ooit van gedroomd dat ze een dergelijk leven zou leiden, lang geleden toen ze nog in Chicago woonde.

Maar toen ze die wereld achter zich liet, had ze zichzelf voorgehouden dat dat verleden tijd was. God had haar daar weggehaald, en God zou ervoor moeten zorgen dat ze er weer deel van ging uitmaken als het de bedoeling was dat ze ooit weer in een film zou optreden. En dat was nu precies wat er was gebeurd. God had een deur geopend en zij was bereid er voorzichtig door naar binnen te lopen.

Al had ze het gevoel dat ze bij iedere stap die ze zette, komedie speelde.

De chauffeur nam Katy mee naar een werkkamer, waar ze Mitch Henry ontmoette.

'Heb je de film opgezocht op internet?' Mitch zat op een hoek van zijn bureau en nam haar van top tot teen op. 'Ik neem aan dat je dat hebt gedaan.'

'Nee, meneer.' Het was wel Katy's bedoeling geweest, maar ze had alleen bij de Flanigans thuis toegang tot internet en het voelde nog steeds niet goed als ze bij Jenny en Bailey in de buurt was. Daarom had ze al haar tijd besteed aan het uitzoeken van de juiste kleren en aan telefoongesprekken met Rhonda over hoe het mogelijk was dat deze auditie haar in de schoot was geworpen. Ze schoof heen en weer op haar stoel. 'Ik weet niet meer dan u mij verteld hebt.'

'O.' Hij trok een bureaula open, haalde er een paar aan elkaar geniete pagina's van het script uit en gaf ze aan haar. 'Je zult hier een gedeelte van moeten voorlezen. Ik zal je een paar minuten geven om vertrouwd te raken met de scène, en daarna moet je naar de kamer verderop in de gang lopen, waar de man die de andere hoofdrol speelt, en ik op je zullen zitten te wachten.'

'De man die de andere hoofdrol speelt?' Katy had geen flauw idee wie dat was.

'Ja.' Meneer Henry liet een korte stilte vallen. 'Dayne Matthews. Hij is maanden geleden al gevraagd voor die rol. Hij zal ook in de kamer zijn, maar hij zit daar alleen maar achter een bureau. Bij deze auditie draait het alleen om jou, schat.' Hij liet weer een korte stilte vallen en nam haar ondertussen opnieuw op. 'Nog vragen?'

'Nee, meneer.' Katy had er wel honderd, maar het duizelde haar zo dat ze ze geen van alle onder woorden kon brengen.

'Goed, dan ga ik nu naar Dayne verderop in de gang. Over een paar minuten zien we je daar.' Mitch Henry verliet de kamer en sloot de deur achter zich.

Katy merkte dat ze stond trillen, en ze ademde uit. Dayne Matthews? Was hij de andere hoofdrolspeler? Meneer Henry had waarschijnlijk van haar verwacht dat ze opgewonden raakte, zelfs diep onder de indruk zou zijn van deze filmster. Maar het enige waaraan zij kon denken was die vreemde avond, een jaar geleden, toen het CKT voor de laatste keer *Charlie Brown* opvoerde.

Tegen het einde van de voorstelling was een man van een jaar of 35 in zijn eentje het theater binnengekomen en had plaatsgenomen op de achterste rij. Katy had voortdurend aandachtig naar de voorstelling gekeken en had het daarna meteen weer druk gehad met de organisatie van het feestje na afloop. Maar ze had de man wel gezien.

En na de voorstelling was Rhonda naar haar toegekomen, ademloos van opwinding. 'Dayne Matthews was er, Katy! Het is toch niet te geloven dat hij hier in ons eigen kleine theater was?!'

Katy had er aanvankelijk aan getwijfeld omdat het niet logisch was. Wat zou Dayne Matthews te zoeken hebben bij een voorstelling van het Christelijke KinderTheater? En dan nog wel in Bloomington?

Maar hoe meer mensen ze die avond sprak hoe meer ze ervan overtuigd raakte: Dayne was werkelijk naar het theater gekomen om een deel van de voorstelling te zien. Maar niemand had er een verklaring voor gegeven dat hij was komen opdagen, en hij was vertrokken voordat iemand hem kon aanspreken. Voordat die avond het afsluitende feest begon had Katy voor Dayne gebeden. Ze had God gevraagd of Hij ervoor wilde zorgen dat Dayne een keer terugkwam, als er een bepaalde reden was geweest voor zijn komst.

Nu Dayne en Mitch Henry verderop in de gang op haar wachtten, moest ze wel geloven dat er een verband bestond tussen de gebeurtenissen. Had Dayne aan haar moeten terugdenken en opdracht gegeven haar te bellen om auditie te doen? Nee, dat sloeg nergens op. Hij had haar maar een paar minuten gezien en in die tijd had zij op het podium staan praten met de ouders. Hoe zou dat hem op het idee gebracht kunnen hebben dat zij kon acteren?

Katy voelde zich overweldigd door de vragen die haar bestormden. Hoe moest ze auditie doen voor een rol als tegenspeelster van Dayne Matthews, zonder ook maar te begrijpen hoe het was gekomen dat zij nu hier was? Haar gedachten dwarrelden alle kanten op, het script in haar handen bewoog zo heftig dat ze de tekst niet kon lezen.

Er waren al vijf minuten omgevlogen en Katy was ten einde raad, totdat ze bedacht dat ze nu nog maar één ding kon doen. Ze sloot haar ogen, ademde uit en hief haar gezicht op. *God, vul mij met Uw Geest, Uw kracht. Ik hoef niet alle antwoorden te weten; ik heb alleen U nodig.*

MIJN VREDE GEEF IK JOU, DOCHTER. NOOIT ZAL IK JE AFVALLEN, NOOIT ZAL IK JE VERLATEN.

De dwingende gedachte kwam op uit de diepste diepten van haar hart en verspreidde tot in haar vingertoppen warmte en vrede. Het waren Bijbelteksten die ze als klein meisje uit haar hoofd had geleerd, lang geleden toen ze te bang was om voor in de klas een spreekbeurt te houden.

En nu kwamen ze weer bij haar op om haar rust te geven op het moment dat ze erom vroeg. Katy nam even de tijd om rustig adem te halen. Waarom had ze niet eerder om hulp gevraagd? Ze deed haar ogen open en keek naar het script. Haar handen trilden niet meer en ze begon de tekst voor haar personage te lezen.

Het ging om een scène, waarin de hoofdrolspeelster haar vader uitlegt waarom ze naar New York City wil verhuizen. Het was een twee minuten durende monoloog, waarin het personage aan de ene kant zichzelf en haar besluit om te vertrekken verdedigt, en er aan de andere kant niet over ophoudt hoe ontzagwekkend en opwindend het leven buiten haar geboortedorp zal zijn. Het was geen wonder dat dat gedeelte uitgekozen was om voor de camera voor te lezen. Er kwamen zo veel emoties in aan bod dat een casting director alle informatie zou krijgen die hij nodig had.

Ze las de tekst nog drie keer door. Ze zouden van haar verwachten dat ze de tekst oplas van het papier, maar ze kende het grootste gedeelte ervan al uit haar hoofd. Ze stond op, streek de vouwen uit haar broek en liep met het script in haar hand geklemd in de richting van de kamer waar de twee mannen zaten te wachten.

Telkens wanneer ze inademde, herinnerde ze zichzelf aan de kalmerende woorden van haar hemelse Vader: NOOIT ZAL IK JE AFVALLEN, NOOIT ZAL IK JE VERLATEN.

Dat was goed. Zonder Gods hulp zou ze er niet eens in slagen de eerste zin voor te lezen. Ze zou van pure angst flauwvallen en roerloos op de grond blijven liggen.

10

Toen Katy aankwam bij de deur aan het eind van de gang, overwoog ze om te keren en te doen alsof ze helemaal nooit uitgenodigd was om auditie te komen doen. In plaats daarvan haalde ze een keer diep adem en klopte aan.

'Binnen.' Het was de stem van Mitch Henry.

Katy rechtte haar rug. *Zelfverzekerd. Wees zelfverzekerd. Je hebt niets te verliezen. Zij hebben je gevraagd hierheen te komen.* Ze deed de deur open, stapte naar binnen en glimlachte beleefd, eerst naar meneer Henry en toen naar Dayne Matthews. 'Hallo. Ik ben Katy Hart.'

'Hallo, Katy. Heb je voldoende tijd gekregen om het script te bestuderen?'

'Ja, meneer.' Katy deed haar best om haar aandacht uitsluitend op de casting director te richten, maar ze zag alleen maar Dayne Matthews. Wat betekende die uitdrukking op zijn gezicht, die ondoorgrondelijke blik in zijn ogen? En wat probeerde Mitch Henry haar te vertellen? Het had met het script te maken. *Concentreer je, Katy.* Ze schraapte haar keel en hield de aan elkaar geniete pagina's voor zich. 'Goed, ik ben er klaar voor.'

Mitch Henry grinnikte en leunde achterover in zijn stoel. 'Wil je niet eerst even gaan zitten, Katy? Je bent per slot van rekening helemaal hiernaartoe gevlogen.' Hij en Dayne zaten achter een tafel en hij gebaarde naar een lege stoel tegenover hen. 'We willen je graag eerst een beetje beter leren kennen.'

Dat was niet van tevoren afgesproken. Katy ademde diep in en zette al haar wilskracht in om opnieuw vervuld te raken van de vrede die ze enkele minuten eerder had ervaren. Ze nam plaats en lachte even nerveus. 'Sorry. Ik nam aan dat jullie haast hadden.'

Dayne boog zich naar voren en liet zijn onderarmen op de vergadertafel rusten. 'Fijn dat je hierheen hebt willen komen, Katy. Wij gaan er niet vaak toe over om iemand zoals jij hiernaartoe te laat komen om auditie te doen.' Hij liet een korte stilte vallen, waarin hij haar recht bleef aankijken. Weer was het alsof hij dwars door haar heen keek, alsof hij haar al heel haar leven kende. 'Heb je nog vragen?'

Ze was niet van plan geweest om een vraag te stellen, maar ze kon haar nieuwsgierigheid niet meer bedwingen. 'Ja.' Ze keek eerst Dayne en daarna meneer Henry aan. 'Waarom ik? Hoe is het zo gekomen, bedoel ik, dat ik nu hier zit?'

Meneer Henry zei met een knikje naar Dayne: 'Wil jij deze vraag beantwoorden?'

'Dat is goed.' Dayne glimlachte hartelijk en zonder pretenties terwijl hij zijn gewicht verplaatste naar een armleuning van zijn stoel. 'Dat is eigenlijk mijn schuld.'

Katy merkte dat haar hartslag versnelde. Had Dayne Matthews onthouden wie zij was, terwijl hij maar één keer in het theater in Bloomington was geweest? Ze stelde de vraag niet, omdat ze het idee had dat dit niet het goede moment was om te refereren aan zijn bezoek. 'Hoe... hoe heb je mij gevonden?'

'Ik heb een proefopname van je gezien.' Nu had hij ook een lach in zijn ogen. 'Die was heel goed, Katy. Wat ik zag beviel me wel.'

'Dank je wel.' Hij had een proefopname van haar gezien? Ze kreeg een droge keel en had moeite met slikken. Het was dus niet zomaar een uitnodiging geweest; Dayne had haar bezig gezien en haar manier van acteren gewaardeerd. Betekende dit dat hij niet van plan was te vertellen dat hij in het theater langs was geweest? Ze wachtte af wat hij verder zou zeggen.

Dayne kwam overeind en deed een paar stappen bij haar vandaan, voordat hij zich omdraaide en haar weer aankeek. Deze keer had hij een serieuzere uitdrukking op zijn gezicht. 'Je moet goed begrijpen, Katy, dat de rol om een dorpsmeisje vraagt dat graag iets wil bereiken in de grote stad. Maar dat wist je al, hè?'

'Ja.' Je zou zo vergeten dat hij een playboy uit Hollywood was, de hoofdrolspeler die men graag voor iedere belangrijke speelfilm wilde contracteren. Op dat moment kwam hij op haar over als iemand die ze ook in een lunchroom in Bloomington had kunnen ontmoeten. 'Ik begrijp waar het in de rol om draait.'

'Voor die rol hebben we dus iemand nodig met ogen die onschuld uitstralen.' Hij kwam een stap dichterbij en leunde op de tafel. 'Ik heb vorige week zes van de best betaalde actrices laten langskomen, maar onschuld heb ik niet kunnen vinden.' Dayne keek meneer Henry aan. 'Droevig, vind je niet, Mitch?'

Van het gezicht van meneer Henry was eerder frustratie af te lezen, maar hij knikte. 'Heel droevig.'

'Om een lang verhaal kort te maken, ik heb jouw proefopname bekeken en kreeg het vermoeden dat je meer in je mars hebt, Katy Hart.' Hij lachte zo breed dat zijn hele gezicht ervan oplichtte. Hij ging weer aan de tafel zitten en keek haar een moment onderzoekend aan. 'Mag ik je iets vragen?'

'Ja, hoor.' Ze legde haar handen gevouwen in haar schoot. Haar hart klopte intussen weer iets rustiger, maar er leek nu meer op het spel te staan dan daarstraks. Zes van de best betaalde actrices? Die acteerden natuurlijk stukken beter dan zij.

'Waarom ben je na die proefopname gestopt met acteren?'

'Ehm...' Om tijd te winnen liet ze de rest van de zin nog even in de lucht hangen. Hij wist veel meer van haar dan ze had verwacht. Die wetenschap maakte dat haar hart weer op hol sloeg. Dayne Matthews had zich in haar leven verdiept? Dat kon ze zo gauw niet verwerken. Ze schraapte haar keel en glimlachte. 'Om persoonlijke redenen. Ik wilde gewoon iets anders gaan doen, zou je kunnen zeggen.'

Dayne dacht daar even over na en knikte toen peinzend. 'Dat kan gebeuren, neem ik aan.' Hij leunde achterover en streek over zijn kin. 'Vertel ons eens iets over jezelf.'

'Over mezelf?' Daar had Katy op voorbereid moeten zijn. Het was geen moeilijke vraag, maar Daynes ogen hadden zo'n hypnotiserende uitwerking op haar dat ze haar denk- en spraakvermogen kwijtraakte. Uiteindelijk keek ze meneer Henry aan. 'Ik ben regisseur van een kindertoneelgezelschap in Bloomington, Indiana. Dat geeft me', haar ogen gingen weer naar Dayne, 'veel voldoening.'

'Ben je getrouwd, Katy?'

'Nee.' Ze merkte dat ze een kleur kreeg. Het viel haar op dat meneer Henry Dayne even nieuwsgierig aankeek, alsof hij wilde zeggen: 'Wat was dat nu voor vraag?'

Dayne begon maar gauw vrolijk te lachen, en hij wees naar een dossier dat voor hem op de tafel lag. 'Uit mijn informatie werd niet duidelijk of je al dan niet getrouwd was. Als het aankomt op het toebedelen van een hoofdrol kan dat belangrijk zijn. De opnames voor *Dream on* zullen op zijn minst zes weken duren, Katy.' Hij wierp meneer Henry een blik toe die duidelijk bedoeld was om hem gerust te stellen. 'Daarom vroeg ik ernaar.'

Katy glimlachte. Ze begreep nog steeds niet waarom zij hier met Dayne Matthews zat praten, en zo dadelijk auditie zou doen voor een rol in een film waarin ze zijn tegenspeelster zou zijn. Het was een heel rare situatie. Ze konden de auditie nu maar beter afwerken, zodat zij terug kon keren naar haar hotel en haar aandacht weer kon richten op de werkzaamheden die thuis op haar wachtten. Ze pakte de zitting van de stoel met beide handen vast om op te staan. 'Is er verder nog iets?'

'Nee.' Meneer Henry ging rechtop zitten, legde een notitieblok voor zich neer en riep: 'Robert.'

Binnen enkele seconden verscheen een man van middelbare leeftijd met een sikje in de deuropening. 'Is het zover?'

'Ja. Ze zal de tekst twee keer voordragen.' Meneer Henry gebaarde in de richting van een videocamera achter in de kamer. 'Neem het allebei de keren op, alsjeblieft.'

Robert stak zijn duim op. 'Komt voor elkaar.' Hij liep naar het achterste gedeelte van de kamer en ging achter de camera zitten. 'Aftellen graag.'

Meneer Henry keek Katy aan en wees naar het voorste gedeelte van de kamer. 'Wil jij daar gaan staan, Katy, en zo goed mogelijk auditie doen? Zit er maar niet over in als je de tekst even kwijt bent. Dat geeft niks.' Na een korte stilte voegde hij eraan toe: 'We letten op emoties en willen, zoals Dayne al zei, graag een onschuld zien die op het doek goed overkomt.' Hij krabbelde iets op het notitieblok. 'Ik tel tot drie en dan wijs ik naar jou. Op dat moment moet je beginnen, goed?'

'Ja, meneer.' Dit had ze eerder gedaan en er was aan de zogenaamde *cold read* niet veel veranderd sinds ze uit de filmindustrie was gestapt. Je moest nog steeds een tekstgedeelte voorlezen uit een script dat je maar kort had mogen inzien, en dan maar hopen dat je zo overkwam als de casting directeur graag zag. 'Ik ben er klaar voor.'

Dayne keek naar haar op een manier die haar nerveus maakte. 'Ontspan je, Katy. Je zult het uitstekend doen.'

'Goed.' Maar niet Daynes woorden, maar die van God eerder die ochtend gaven haar een vredig gevoel, terwijl ze zich vermande en het personage werd, precies zoals ze dat van haar leerling-acteurs verlangde, telkens wanneer ze zich voorbereidden op een voorstelling.

Meneer Henry zei: 'Katy Hart, *cold read*, 21 juni, drie... twee... een. Opname.' Hij wees naar Katy.

Katy stond niet meer in een kamer met airconditioning in de studio van DreamFilms voor een casting director en de beroemde Dayne Matthews. Er schoten allerlei gevoelens door haar heen, en toen was Katy opeens het dorpsmeisje Tory Temblin. Met gepakte koffers stond ze voor haar vader en probeerde hem ervan te overtuigen dat er niets mis was met wat ze wilde gaan doen, en dat het ook het enige was wat ze wilde.

'Maar, papa, ik heb er echt wel over nagedacht. Ik heb erover nagedacht, erover gebeden en er al plannen voor gemaakt toen ik nog een klein meisje was.' Er klonk hartstocht door in haar stem terwijl ze zich voorstelde hoe een man met kort haar, gekleed in een overall, vlak voor haar stond. Ja, daar stond hij en hij smeekte haar haar spullen op te bergen en thuis te blijven. Voor altijd te blijven wonen in het dorpje waarin ze was opgegroeid.

Ze maakte een weids gebaar. 'Deze boerderij en dit dorpje... Mama en u hebben er genoeg aan, maar ik...' Haar stemming veranderde doordat ze opeens de skyline van New York City voor zich zag. 'Ik ga pas echt leven als ik aan Manhattan denk. Zelfs hier kan ik de hartenklop van die stad voelen, papa, en dat is een fantastisch gevoel.' Ze draaide zich een kwartslag om en toen weer terug. 'Ik wil graag omgeven zijn door miljoenen mensen die allemaal een droom najagen.'

Ze klonk nu zo opgewonden dat het haar bijna de adem benam. 'Ik wil in slaap vallen terwijl ik verkeer hoor, en wakker worden in een appartement op de dertigste verdieping van een torenflat.' In de korte stilte die nu viel, schonk ze haar onzichtbare vader een glimlach waarvan zijn hart wel moest smelten. 'Toe nou, papa. Houd me niet tegen. Geef me een knuffel, wees blij voor me en geef me uw zegen. Toe, laat me gaan. Ik heb nooit iets anders gewild.'

In het script stond nog een alinea, waarin het meisje haar best doet haar vader ervan te overtuigen dat haar niets zal overkomen, dat ze ook prima voor zichzelf zal kunnen zorgen in een stad zo groot als New York. Toen ze uitgesproken was hoorde ze meneer Henry zeggen: 'Stop maar. Zo is het genoeg.'

Ze liet haar adem langzaam tussen haar lippen door ontsnappen en toen was ze weer Katy Hart. Ze had geen flauw idee hoe ze het er afgebracht had, maar één ding was zeker: in de paar minuten dat ze de tekst had voorgelezen, was het haar gelukt in de huid te kruipen van het denkbeeldige personage. Meer kon ze van zichzelf niet verlangen.

Meneer Henry schreef iets op het notitieblok en Dayne zat met zijn rug naar haar toe met de cameraman te praten. Even later keek hij Katy aan en knikte. 'Goed, nog een keer.'

Katy slikte en knikte. Ze was vergeten dat ze geen feedback kreeg, dat casting directors hooguit een nonchalante opmerking maakten. Meneer Henry telde weer af en ze begon aan dezelfde monoloog. Deze keer keek ze maar één keer naar de tekst en haperde ze geen enkele keer. Ze ging zo op in het personage dat de rillingen over haar rug liepen toen ze bij het laatste gedeelte was aangekomen, het gedeelte waarin ze haar vader ervan moest overtuigen dat haar niets zou overkomen.

Ze ervoer alles wat Tory Temblin in die situatie zou ervaren, en ze kon de ogen van haar vader voor zich zien: vol angst en wanhoop bij de gedachte dat hij zijn kleine meisje zou kwijtraken. Toen ze deze keer uitgesproken was, wilde ze doorgaan, helemaal opgaan in de rol en deze tot het einde toe spelen, in een poging de angst van de man weg te nemen door hem te laten zien dat ze best haar dromen kon najagen zonder dat haar iets akeligs overkwam.

Het bleef stil in de kamer en Katy keek meneer Henry en Dayne om de beurt aan. 'Dat was het?'

'Ja, bedankt.' De casting director tikte op de tafel. 'Je mag het script hier bij mij achterlaten.' Hij keek Dayne aan. 'Jij nog iets?'

'Nee.' Dayne stond op. 'Bedankt voor je komst, Katy.'

Ze deed haar best om niet teleurgesteld te zijn. Had ze iets verkeerd gedaan of er helemaal niets van gebakken? In deze situatie werd bijna nooit feedback geven, maar vandaag had ze daar ontzettend veel behoefte aan. 'Goed gedaan' misschien, of: 'Dat was perfect.' Het maakte niet uit wat. Ze dacht terug aan de audities die ze eerder had gedaan, en ze probeerde de vage herinneringen helder te krijgen.

Meneer Henry stond ook op, liep om de tafel heen en schudde haar de hand. 'We waarderen het dat je de tijd genomen hebt om dit te doen, Katy.' Hij keek haar recht aan. 'Je hoort nog van ons. De kans bestaat dat we je terug willen zien voor een auditie voor de camera. Die zal een minuut of tien duren, en dan zal Dayne of een van de andere acteurs in de film erbij betrokken zijn.'

'Er is al aan andere mensen een rol in de film toebedeeld?' Katy sloeg haar armen over elkaar. De opluchting dat deze bezoeking voorbij was, had nog niet helemaal bezit van haar genomen.

'Ja.' Meneer Henry wierp Dayne een scherpe blik toe. 'Alle rollen zijn al verdeeld, op deze na.' Hij pakte zijn portfolio en knikte naar haar. 'Neem me niet kwalijk, ik moet nu gaan.' Hij haalde bij de cameraman achter in de kamer een band op en verliet het vertrek via een zijdeur.

Dayne stond nog een paar meter bij haar vandaan. Hij was ruim een kop groter dan zij. Hij gebaarde naar de deur waardoor meneer Henry was vertrokken. 'Hij doet altijd een beetje uit de hoogte,' grinnikte hij. 'Dat moet je hem maar niet kwalijk nemen.'

'Geeft niet.' Ze pakte haar handtas van de tafel en liet de riem over haar schouder glijden. 'Zo zijn casting directors nou eenmaal.' Ze merkte dat ze weer kleurde onder zijn blik. 'Voor zover ik me herinner.' Ze deed een paar passen in de richting van de deur. 'Bedankt in ieder geval dat je me gevraagd hebt hiernaartoe te komen.' Er verscheen een aarzelende glimlach rond haar mond. 'Het was leuk, ook als het niets oplevert.'

'Je hebt het uitstekend gedaan.' Hij keek even op zijn horloge. 'Zeg, heb je zin in iets te eten? De kantine is open.' Hij trok een wenkbrauw op. 'Ze hebben heerlijke salades.'

Samen met Dayne Matthews iets eten in de kantine van de studio? De vreemde droom die een paar dagen geleden in gang gezet was door het telefoontje van Mitch Henry, duurde voort. Hoe surrealistisch het moment ook op haar overkwam, ze had geen reden om nee te zeggen. 'Ja, goed.'

'Mooi.' Glimlachend probeerde hij zijn looptempo aan te passen aan dat van haar. 'We kunnen het golfkarretje nemen, maar laten we maar gaan lopen. Het is mooi weer.'

Dat was inderdaad zo. Ze liepen naast elkaar, maar er bleef meer dan voldoende ruimte over tussen de twee. Hij voerde haar via een straat die dwars over het terrein van de studio liep mee naar de overkant, waar de kantine was. Ze praatten over de film, de andere mensen die er een rol in hadden gekregen, en het tijdsbestek waarbinnen de opnames gemaakt moesten worden.

'Ik denk dat Mitch een beetje boos op me is.'

Katy vertraagde haar pas en keek hem aan. 'Denk je dat nou echt? Ik dacht dat het aan mij lag, aan mijn gebrek aan ervaring.' Er was een plagerige blik in haar ogen verschenen. 'Misschien is het niet meer dan een algemene afkeer van dorpsmeisjes die in de grote stad iets proberen te bereiken.'

Dayne lachte terwijl hij de deur van de kantine voor haar openhield, en ze zich aansloten bij de rij mensen die ook iets wilden eten. 'Welnee, dat is het niet. Ik maak hem gewoon boos.'

Katy snapte wel waarom. 'Zes dik betaalde actrices, Dayne? En dan kom jij met mij op de proppen?'

Dayne gaf niet meteen antwoord. Hij pakte een bord en schepte er kip, kerriesaus en rijst op. Zij volgde zijn voorbeeld, maar liet haar keuze vallen op de zalm.

Pas toen ze in een rustig hoekje plaats hadden genomen, sloeg hij zijn armen over elkaar en nam haar op. 'Je was daarnet fantastisch, Katy.' Hij haalde een schouder op. 'Ik weet dat we meestal niets over dit soort dingen zeggen als iemand nog niet de garantie heeft gekregen dat hij nog een keer mag komen.' Dayne liet zijn stem dalen. 'Maar jij hebt ons versteld doen staan.'

'Echt waar?' Ze keek even de kantine rond. Die was leeg, op twee groepjes in zwarte pakken geklede mannen in de hoek het verst bij haar vandaan na. Het zou hen geen van allen opvallen dat Dayne Matthews daar zat te lunchen met een onbekende. Ze keek Dayne weer aan. 'Denk je dat Mitch Henry het kon waarderen?'

'Het kon waarderen?' Dayne pakte zijn glas ijswater, nam een slok en grijnsde boven de rand van het glas. 'Jij dwong hem zijn potlood neer te leggen.'

Katy giechelde en leunde achterover tegen de met wit vinyl beklede rugleuning van de bank. 'Is dat goed?'

'Jazeker, Katy. Heel goed.' Dayne versmalde zijn ogen tot spleetjes. 'Zo lang als ik hem ken, heb ik Mitch nog maar twee keer zijn potlood zien neerleggen, geloof ik. Beide keren was dat omdat de persoon die auditie deed zo goed was, dat hij er niets tegen in te brengen had.' Hij legde zijn onderarmen op de tafel en bracht zo zijn gezicht dichter bij dat van haar. 'Zou je willen weten wat hij opschreef toen jij uitgesproken was?'

'Wat?' Katy trok een scheef gezicht. Op de achtergrond werd muziek van een bigband gedraaid en zij moest zichzelf eraan herinneren dat ze zich dit niet inbeeldde. Ze zat echt te lunchen met Dayne Matthews. Zij nam ook een slokje water. 'Wat schreef hij op?'

'Maar één woord: *perfect*.'

Katy liet dat even bezinken. De casting director had dat opgeschreven als reactie op haar auditie? Perfect? Er verscheen kippenvel op haar armen en ze sloeg haar ogen op naar Dayne. 'En wat gebeurt er nu verder?'

'Je komt nog een keer naar Hollywood. Waarschijnlijk over een week.' Om ervoor te zorgen dat hij zich professioneel bleef opstellen, schoof hij een stukje achteruit. 'Ik wil graag dat je een scène samen met mij doet. Gewoon om te kijken of er op het witte doek sprake is van een bepaalde chemie tussen ons.' Hij hield zijn hoofd een beetje scheef. 'Hoe het komt weet ik niet, maar ik denk dat het geen probleem zal zijn.'

Katy glimlachte, maar opeens had ze het het liefst op een lopen gezet. Ja, Dayne Matthews was knap en charmant. Het leed geen twijfel dat ze het bij hem naar haar zin had, maar hij was een playboy en een feestganger, net als Tad in de tijd dat...

Ze bedwong zich. Die tijd was voorbij. Ze zou nooit meer verliefd worden op een acteur. Dayne schonk haar trouwens niet meer aandacht dan hij zou hebben voor ieder ander die auditie deed voor de rol tegenover hem in een belangrijke speelfilm.

Dayne zweeg, en zij werd nerveus omdat ze het idee had dat hij haar gedachten kon lezen. Hij ging verzitten. 'En, wat denk je, Katy Hart? Wil je beroemd worden?' Hij stak zijn handen in de lucht en liet zijn handen van de ene naar de andere kant gaan, alsof er boven hun hoofd een onzichtbare markies hing. '*Dream on,* een romantische komedie met in de hoofdrol Katy Hart. Hoe klinkt dat?'

Katy probeerde zich voor te stellen dat die kans erin zat. 'Dat is heel lang,' haar stem klonk zachter dan daarnet, 'echt heel lang mijn grootste droom geweest.' Ze sloeg haar ogen even neer, want ze voelde zich opeens opgelaten. 'Maar dat is al zo lang geleden. Die droom heb ik opgegeven toen ik een andere carrière nastreefde, en ik... Ach, tot op dit moment heb ik er niet vaak meer aan gedacht.'

Hij hield haar ogen een moment gevangen, voordat hij de zijne neersloeg en naar zijn bord keek. 'Zeg, eet smakelijk.'

'Ja, jij ook.' Ze sloot haar ogen en sprak geluidloos een gebed uit. Op die manier zou hij er niet door van zijn stuk raken en zij geen afbreuk doen aan haar geloofsovertuiging. Daarna pakte ze haar mes en vork en begon haar zalm op te eten.

Ze hadden het onder het eten over het CKT, maar Katy begon er nog steeds niet over dat Dayne in hun theater was geweest. Misschien wist hij niet dat zij dat wist. In dat geval mocht hij erover beginnen. Ze wilde geen al te opdringerige indruk maken.

Toen hij bijna klaar was, legde Dayne zijn bestek neer. 'Ben je er bang voor, Katy?'

'Waarvoor?'

'Voor de roem, voor het leven dat ik leid.' Hij keek haar onderzoekend aan.

Katy liet haar vork boven haar bord zweven. 'Weet ik niet. Ik denk dat ik daar nooit over doorgedacht heb.' Ze keek uit het raam, naar de bleekblauwe hemel en de palmbomen langs de weg naar de kantine. Er was een windje opgestoken, zodat het gebladerte heen en weer wiegde. 'Toen ik jonger was, droomde ik ervan dat ik een groot succes zou worden. Ik denk dat ik nooit heb bedacht wat voor leven ik dan zou hebben.'

Dayne legde zijn arm over de rugleuning van de bank. 'Er zijn, eerlijk gezegd, mensen die er moeite mee hebben.' Hij beet op zijn onderlip. 'Ik hoor daar niet bij. Je moet jezelf gewoon niet te serieus nemen. Dat doen de paparazzi wel voor je.'

Het duizelde Katy weer. Ze was zomaar voor de gein hiernaartoe gekomen en had de auditie alleen maar gedaan omdat het haar gevraagd was. En omdat ze nieuwsgierig was. Maar ze had er nog nooit over nagedacht hoe haar leven zou zijn als ze beroemd was en paparazzi om haar heen zwermden. Ze liet zich een vrolijk lachje ontglippen. 'Ik geloof dat we een beetje op de zaken vooruitlopen.'

'Ja, maar ik wil graag dat je je er bewust van bent.' Dayne nam weer een slok water. 'Meer wil ik er niet mee zeggen.'

Het gesprek kwam op zijn laatste film en de locatie waar deze was opgenomen. Ze hielden het luchtig en tegen de tijd dat ze uitgegeten waren, was Katy ervan overtuigd dat ze zich nergens zorgen over hoefde te maken. Dayne was uitsluitend geïnteresseerd in haar acteertalent.

Het kon toch ook best waar zijn dat hij haar proefopname had gezien, en had bedacht dat zij precies de juiste persoon was voor de rol van Tory Temblin? Hij was per slot van rekening een professional. Hij wilde natuurlijk dat iemand die er geknipt voor was de rol kreeg. Omdat zij dat was, en niet een van de best betaalde actrices, had hij geregeld dat de casting director contact met haar opnam en haar naar Los Angeles liet vliegen voor een *cold read*.

Meer had het niet om het lijf.

Toen ze die avond op de luchthaven op haar vlucht terug naar Indiana zat te wachten, belde ze Rhonda Sanders, die haar had overgehaald de reis te maken. Tot in de kleinste bijzonderheden vertelde Katy haar hoe de auditie was verlopen, hoe Mitch Henry's reactie was geweest en dat ze met Dayne Matthews had geluncht.

'Ze willen dat ik terugkom, Rhonda. Dat is toch niet te geloven!' Katy slaakte onwillekeurig een kreetje. 'Ik heb nog steeds het gevoel dat het een droom of een grap is, maar dat is niet zo. Dayne wil echt dat ik terugkom voor nog een auditie.'

Rhonda slaakte een schrille kreet. 'Ik ben zo blij voor je,

Katy. Eigenlijk sta ik hier plaatsvervangend te trillen op mijn benen.' Ze blies haar adem hard uit. 'Ik kan het niet geloven. De kans bestaat dat je de rol echt krijgt; heb je daar wel aan gedacht?'

'Niet echt. Weet je, ik besef nog steeds niet dat het echt zou kunnen gebeuren.'

Rhonda werd weer rustig en het bleef even stil aan de andere kant van de lijn. 'Weet je wat ik denk, Katy Hart?'

'Nou?'

'Ik denk dat er binnenkort veel verandert in je leven,' zei Rhonda. 'En ik denk dat het gebeurt op een manier waarnaar wij geen van beiden kunnen gissen.'

Die gedachte zorgde ervoor dat Katy later op de avond naar het plafond van haar slaapkamer in het huis van de Flanigans lag te staren, klaarwakker. Het was een nogal angstaanjagende gedachte. Het idee dat ze de rol zou krijgen was natuurlijk fantastisch, maar er had iets doorgeklonken in Rhonda's stem waar ze niet helemaal de vinger op kon leggen, en dat hield haar nu juist uit haar slaap.

Het was al ver voorbij middernacht toen ze zich eindelijk realiseerde wat het was. Ze had in Rhonda's stem hetzelfde gehoord als wat haar vanuit het diepst van haar hart werd toegefluisterd. Het was waarschijnlijk een waarschuwing, of een vermaning om op haar hoede zijn. Het was in ieder geval iets geweest dat haar duidelijk maakte dat de kans bestond dat haar bestaan grondig zou veranderen als ze deze rol kreeg, en dat niet voor maar één seizoen, maar voor alle dagen van haar leven.

11

Er waren vier dagen verstreken sinds Katy auditie had gedaan, en ze had nog niets gehoord van Mitch Henry. Hij ging haar niet bellen; daar was ze van overtuigd. Dayne had vast zijn best gedaan om haar een goed gevoel te geven door haar te vertellen dat hij wilde dat ze nog een keer auditie deed. Nu werd duidelijk dat hij niet de waarheid had gesproken.

Ze was niet goed genoeg.

Op vrijdagavond werd er weer gerepeteerd, en Katy en Rhonda werkten opnieuw samen aan het *Big Missouri*-nummer. Katy keek het twee keer van begin tot einde aan en nam daarna Rhonda apart. 'We moeten erin verwerken wat voor gevoel de twee grote schoepen aan het achterste gedeelte van de boot geven.'

Rhonda knipperde met haar ogen en het was haar aan te zien dat ze niet begreep wat Katy bedoelde. 'Het gevoel dat de twee schoepen geven?'

'Ja.' Katy tikte met haar voet op de grond en griste de liedteksten van de tafel. 'Hier bijvoorbeeld: "Met ronddraaiende schoepen die het water doen kolken."' Ze wees de regel aan. 'We moeten de grote schoepen ook echt in dit nummer laten opduiken.'

Rhonda schudde haar hoofd. 'We kunnen geen schoepen op het toneel brengen, Katy.'

Katy keek met half dichtgeknepen ogen naar de kinderen die voor haar in een rij stonden. Opeens knipte ze met haar vingers, greep Rhonda bij de elleboog en wendde zich tot de kinderen. 'Ik heb het, jongens. Ga allemaal op je hurken zitten.'

De kinderen lieten zich op de vloer zakken; alle ogen waren op Katy gericht.

'We hebben schoepen nodig op het toneel,' zei ze tegen hen. 'Ik zal jullie nu vertellen wat we daarom gaan doen.' Ze koos twee keer een groepje van zes vrij lange jongens en een klein meisje uit. Zo'n groepje werd aan weerskanten van het podium neergezet, en van elk groepje kregen twee jongens de opdracht het meisje op de schouders te nemen. Zodra zij dat deden, moest het meisje haar armen hoog in de lucht steken, alsof ze iets te vieren had. De twee die haar vasthielden, moesten haar dan in kleine cirkels laten ronddraaien. De vier andere jongens moesten ondertussen een hand uitsteken naar het meisje in het midden en in tegengestelde richting om haar heen lopen.

Dit werkte verbazingwekkend goed; ongeveer vijftien seconden lang was het niet moeilijk te geloven dat er werkelijk schoepen op het podium in werking waren getreden. In de zestiende seconde trad er een probleem op: eerst viel het ene meisje, toen het andere. Ze werden allebei opgevangen door de jongens om hen heen, maar bij iedere volgende poging viel een van de twee.

Uiteindelijk stoof Katy het podium op, hielp een van de meisjes overeind en hurkte neer om op gelijke hoogte te komen met het kind. 'Weet je waarom je niet op hun schouders kunt blijven zitten?'

Het kind knikte; haar donkere krullen dansten daarbij op en neer.

'Goed, vertel me dan maar waarom dat is.' Katy klonk veel kalmer dan ze was. Ze moesten vanavond nog twee scènes doornemen en het *Big Missouri*-lied had al veel teveel tijd in beslag genomen. Ze trok haar wenkbrauwen op om het kind aan te moedigen antwoord te geven.

'Ik word duizelig van het ronddraaien.' Het meisje stopte

haar vinger in haar mond. 'En als ik duizelig word, val ik.'

Aan de andere kant van het toneel knikte het andere meisje. 'Ik word er ook duizelig van.'

Katy richtte zich op. 'Ik snap het.' Ze klapte in haar handen en lachte naar beide meisjes. 'Laten we het dan anders doen. Zou het beter gaan, als je je ogen dichtdoet zodra de jongens je op de schouders nemen? Ik denk dat het dan wel goed gaat.'

Op die manier ging het prima. Het lied werd ingezet, en de kinderen kwamen naar voren en maakten op het juiste moment hun draai in de goede richting. Daarna moesten aan weerskanten van het toneel de menselijke schoepen in beweging komen. Met hun handen zo hoog mogelijk in de lucht, een brede lach op hun gezicht en gesloten ogen werden de meisjes opgetild. Geen van tweeën viel.

'Goed zo!' Katy rende het podium weer op en gaf de twee meisjes en de twaalf jongens allemaal een high five. 'We hebben de schoepen.' Ze keek Rhonda aan. 'Wil jij Al en Nancy gaan halen? Zeg maar tegen hen dat vastgelegd kan worden hoe de eerste scène moet verlopen.'

Rhonda boog zich naar haar toe en zei zachtjes: 'Als jij me eerst vertelt hoe het is afgelopen met Dayne Matthews. Heeft hij gebeld?'

'Nee.' Katy gebaarde dat ze erover op moest houden. Ze wilde het niet over haar reis naar Los Angeles hebben. Niet op dit moment. Het was trouwens ook dwaasheid geweest. 'Hij heeft niet gebeld en hij zal ook niet bellen, want dan was het allang gebeurd.' Ze keek op haar horloge. 'Ga Al en Nancy nu maar halen. We lopen toch al achter op het schema.'

Rhonda treuzelde nog even. 'Hij belt heus wel.' Ze wachtte Katy's reactie niet af. In plaats daarvan deed ze wat haar was gevraagd. Katy riep ondertussen de kinderen die de hoofdrollen hadden gekregen, op het podium.

Tijdens de openingsscène van *Tom Sawyer* kwamen er passagiers van de boot. Onder de mensen aan boord van de *Big Missouri* bevond zich de familie Thatcher, dus ook Becky die door Sarah Jo Stryker werd gespeeld. Katy hield het meisje in het oog toen de personages met koffers in de hand opkwamen en naar de dorpsbewoners zwaaiden die aan weerskanten van hen stonden.

Katy kreeg nu voor het eerst de gelegenheid om te zien of Sarah Jo kon acteren.

De familie Thatcher stelde zich op, en toen het personage Becky werd voorgesteld, lachte ze bedeesd en draaide haar lichaam zover dat ze Tom Sawyer kon zien die een eindje verderop, aan de rechterkant van het podium, met de jongens aan het knikkeren was.

Tim Reed, die Tom speelde, pakte zijn strohoed en stond op. Met grote ogen nam hij Becky voor het eerst in zich op. Toen liep hij naar haar toe en stak zijn hand uit. 'Ik ben Tom.' Hij rechtte zijn rug om iets groter te lijken. 'Tom Sawyer. Vertel mij eens iets over jezelf, Becky Thatcher.'

Anderhalve minuut draaide alles om Sarah Jo. Ze kende haar tekst al helemaal uit haar hoofd, en wist ook precies waar ze pauzes moest inlassen en van toonaard moest veranderen om de indruk te wekken dat ze het opwindend maar tegelijk ook best wel eng vond dat ze Tom Sawyer ontmoette.

Maar halverwege haar tekst ging haar moeder, die met de andere ouders achter in de kerkzaal had rondgelopen, op de voorste rij zitten en begon Sarah Jo te coachen. 'Harder! Je moet beter verstaanbaar zijn, want anders red je het niet. Heb je me gehoord? Harder praten!'

Katy's mond viel open. Dit soort gedrag had ze bij het CKT nog niet eerder meegemaakt; dit was de theaterversie van de geobsedeerde voetbalsupporter. Ze stond op het punt er iets van te zeggen toen Rhonda haar even aanstootte.

'Wat doet die vrouw nu?' Rhonda siste de vraag dicht bij Katy's oor. 'Ze bederft de hele scène.'

Mevrouw Stryker stond op en ging anderhalve meter bij Sarah Jo vandaan staan. 'Laat je gezicht meer spreken!' Ze maakte een geluid waaruit frustratie sprak. 'Weet je niet meer wat de toneelleraar vorig jaar tegen je heeft gezegd?' De vrouw deed niet eens meer haar best om zachtjes te praten. Haar kritische opmerkingen hadden de aandacht getrokken van de andere kinderen op het podium. Ze ging er onverstoorbaar mee door. 'Jij speelt de hoofdrol, Sarah Jo. Kruip in de huid van je personage of kom van het podium af.'

Sarah Jo begon harder te praten, maar de charme waarmee ze de rol tot nog toe had gespeeld, verdween doordat ze werd afgeleid door haar moeder. Ze kwam niet meer over als een natuurtalent dat zijn eigen, eerste interpretatie gaf aan een aantal tekstregels, maar als een nerveus kind dat niet goed meer wist hoe het nu verder moest.

Opeens scheen mevrouw Stryker zich te realiseren dat ze als stoorzender werkte. Ze fluisterde nog twee kritische opmerkingen, en na de laatste viel Sarah Jo uit haar rol en keek haar moeder aan. 'Wat zegt u, mama? Ik kan u niet verstaan.'

Katy zwaaide uiteindelijk naar de kinderen op het podium. 'Vijf minuten pauze.'

Alle kinderen waren zich ervan bewust dat Sarah Jo en haar moeder ruzie hadden. Fluisterend slopen ze van het toneel in de richting van de hal, waar andere moeders iets lekkers voor hen hadden klaargezet. Sommigen keken met grote ogen achterom naar Sarah Jo terwijl ze wegliepen. Bailey Flanigan keek Katy aan en zei geluidloos: 'Arm kind!'

Katy knikte vol afkeer.

Sarah Jo voegde zich niet bij de kinderen. In plaats daarvan kwam ze met een schaapachtige uitdrukking op haar gezicht van het podium en ging naast haar moeder op de voorste rij zitten. Alice Stryker scheen ook op dat moment nog niet te beseffen dat zij er de reden van was dat er een pauze was ingelast. Ze boog haar hoofd naar dat van Sarah

Jo en haar mond bleef snel bewegen. Wat ze zei was niet te verstaan, maar ze keek er boos bij. Sarah Jo luisterde alleen maar en knikte een paar keer dat ze het begreep.

Katy werd er misselijk van.

Zonder nog een moment te verliezen liep ze naar de eerste rij en ging voor Sarah Jo en haar moeder staan. 'Mag ik even?'

Toen mevrouw Stryker opkeek, maakte haar frons onmiddellijk plaats voor een gemaakte glimlach. 'Hallo, Katy.' Ze gaf Sarah Jo een klapje op haar hand. 'Ik ben mijn dochter alleen maar een paar aanwijzingen aan het geven.' Ze sloeg haar benen over elkaar en helde enigszins achterover. 'Het gaat om dingen die haar toneelleraar of haar agent haar al keer op keer heeft voorgehouden.' Mevrouw Stryker lachte, wat ongetwijfeld een poging was om de lucht te doen opklaren. 'Sarah Jo heeft veel, heel veel talent. Ik denk dat we het daar allemaal over eens kunnen zijn.'

Ze glimlachte naar haar dochter en keek weer op naar Katy. 'Maar deze,' ze zwaaide met haar arm boven haar hoofd, alsof ze een vlieg wegjoeg, 'zeg maar kindertoneelstukken zijn voor Sarah Jo te vergelijken met cursussen toneelspelen. Ze moet met iedere rol die ze speelt beter worden, of ze zal niet goed genoeg zijn wanneer haar grote kans komt.' Mevrouw Stryker pakte de hand van haar dochter en haalde haar schouders op. 'Ze moet er klaar voor zijn als de kans om beroemd te worden zich voordoet. We weten in ieder geval zeker dat het zover zal komen.'

Katy had de vrouw het liefst een mep gegeven. In plaats daarvan keek ze even met medeleven in haar ogen naar Sarah Jo en gaf haar een klapje op haar schouder. 'Ga jij maar even bij de andere kinderen iets lekkers eten, Sarah Jo. Je moeder en ik moeten even met elkaar praten.'

'Goed.' Ze keek haar moeder aan. 'Mag dat, mama?'

Mevrouw Stryker snoof, maar slaagde er toch in even naar

haar te lachen. 'Ja, schat, ga maar. Na de pauze praten we verder.'

Toen Sarah Jo buiten gehoorsafstand was, ging Katy naast Alice Stryker zitten en keek haar recht aan. Ze voelde dat ze kookte van woede. 'Wat hier daarnet is gebeurd, mag nooit meer voorkomen, mevrouw Stryker. Hebt u dat goed begrepen?'

De vrouw vond dit kennelijk bijzonder schokkend, want haar gezicht betrok en haar ogen versmalden tot spleetjes. 'Wat heeft dit te betekenen?' Ze snoof verontwaardigd. 'Ik heb alle recht om iets tegen mijn dochter te zeggen, mevrouw Hart.'

Het kostte Katy veel moeite om zachtjes te blijven praten. 'Eigenlijk heeft u alleen maar het recht om bij de andere ouders achter in de zaal te blijven. Wanneer we bezig zijn met de enscenering, is het mijn taak om correcties aan te brengen en de kinderen aanwijzingen te geven.' Ze zag weer voor zich hoe verslagen Sarah Jo had gekeken, hoe haar schouders waren afgezakt bij ieder kritisch woord uit de mond van haar moeder. 'Voortaan blijft u achter in de zaal. Is dat duidelijk?'

'Sarah Jo heeft meer nodig dan de aanwijzingen van een...' ze gebaarde naar Katy, 'van iemand die zo jong is als u. Ze heeft aanwijzingen nodig van een professional, en ik heb daar genoeg van gezien om te weten hoe ik haar van advies moet dienen.'

'Mevrouw Stryker, u ontmoedigt uw dochter. Ze was net bezig te ontdekken hoe ze invulling moest geven aan haar rol, toen u kritiek begon te leveren.' Katy boog zich dichter naar de vrouw toe, omdat ze haar per se duidelijk wilde maken wat ze bedoelde. 'Sarah Jo zal het nooit ver schoppen in de toneelwereld als u haar niet toestaat hierin haar eigen weg te gaan.'

Alice Stryker schoot overeind. 'Hoe durft u dat te zeggen over mijn dochter! Er komt een dag dat ze beroemder zal zijn dan wie dan ook in dit theater. Dan zal iedereen blij zijn dat ik het haar zo moeilijk heb gemaakt. Als u niet toestaat dat ik dat hier doe, zal ik het thuis doen. Wat er ook voor nodig is, ik zal het doen. Roem eist een hoge tol en ik ben bereid die tol te betalen.'

Katy kon bijna geen lucht meer krijgen, en toen ze overeind kwam was ze duizelig. Wat kon deze vrouw venijnig zijn. 'Stel dat Sarah Jo níét bereid is die tol te betalen?' Haar stem daalde en in ieder woord klonk woede en frustratie door. 'Stel dat ze vandaag graag gewoon wil genieten van het kindertheater omdat ze een kind is?' Ze beteugelde haar emoties en gedachten. 'Weet u wel hoeveel meisjes graag de rol van Becky Thatcher hadden willen spelen?'

Er verscheen een hooghartige uitdrukking op Alices gezicht. 'Sarah Jo is niet net als alle andere meisjes. Ze is anders, bijzonder.' Ze klemde haar handtas tegen zich aan. 'Ze zal ooit een ster zijn en dan zult u het beter begrijpen.'

Alice Stryker gaf Katy niet meer de gelegenheid om hierop te reageren. Met grote passen liep ze de kerkzaal uit, door de dubbele deuren de hal in, waarschijnlijk om Sarah Jo nog een serie aanwijzingen te geven. Katy keek haar na en sloeg toen haar ogen neer. Haar knieën knikten. Moest iedere rol, iedere repetitie een bepaald niveau hebben om ervoor te zorgen dat Sarah Jo een ster werd? Was dat zó belangrijk?

Katy was zo verbijsterd dat ze bleef staan waar ze stond, totdat Rhonda terugkwam. Ze fluisterde Katy toe: 'Iedereen heeft het erover. Ouders, kinderen. Iedereen.'

'Waarom zou je er enige moeite voor doen, als dat van je wordt verlangd om succes te hebben?' Katy huiverde. 'Die vrouw is vastbesloten ervoor te zorgen dat Sarah Jo er geen plezier aan beleeft. Wat er dan nog rest, is alleen maar hard werken en een obsessie voor roem. Dat is de moeite niet waard.' Katy keek naar haar aantekeningen. Ze moest haar aandacht weer op de repetitie richtten. Ze liepen al achter. 'Laten we maar weer beginnen.'

De kinderen werden teruggeroepen en Katy pakte de draad weer op bij de scène die ze net niet hadden afgemaakt. Deze keer bleef Alice Stryker op afstand, maar Katy keek twee keer achterom en zag toen dat de vrouw in haar ene hand een notitieboekje en in haar andere hand een pen had. Katy's hart ging uit naar Sarah Jo. Wat voor notities Sarah Jo's moeder ook maakte, ze waren vast niet bemoedigend, als je in aanmerking nam wat ze haar allemaal eerder tegen haar dochter hadden horen zeggen.

Toch konden ze nu ongehinderd de scène uitspelen, omdat mevrouw Stryker naar het achterste gedeelte van de kerkzaal was verbannen. De meeste kinderen die een rol hadden gekregen met tekst, kenden die tekst uit hun hoofd en aan het einde van de repetitie was er niemand meer geblesseerd geraakt tijdens het *Big Missouri*-dansnummer.

Het was nog maar net half negen geweest toen Katy de kinderen opdracht gaf op het podium te gaan zitten. 'Acteren betekent niet voor alle mensen precies hetzelfde.' Ze zorgde ervoor dat ze alle kinderen die op het podium zaten, een voor een aankeek, maar ze besteedde vooral aandacht aan Sarah Jo Stryker. 'Voor sommige van jullie is het een kans om ervaring op te doen voor iets groters in de toekomst. Anderen hier zien het theater als een club na schooltijd, een plek om met elkaar plezier te hebben. Om wat voor redenen je ook hier bent, ik wil graag dat je drie dingen onthoudt.' Ze glimlachte even naar Sarah Jo. 'Het eerste is dat het er in het theater om gaat dat je plezier hebt.' Ze weerstond de aandrang om Alice Stryker aan te kijken. 'Wat we hier doen noemen we niet voor niets toneelspelen.' Ze herhaalde het woord, maar legde nu de nadruk op de laatste twee lettergrepen. Toen stak ze haar handen in de lucht en maakte een sprongetje. 'Het hoort leuk te zijn!'

Ze keek het podium weer rond. 'Het tweede is, dat het er in het theater om gaat dat je samen iets doet.' Katy bukte en tikte op het harde oppervlak van het podium. 'Je komt niet op om aan iedereen te vertellen: "Hé, kijk eens hoe goed ik ben!"' Katy schudde haar hoofd. 'Nee, jullie komen het podium op om andere mensen te worden. Om te bedenken hoe hun wereld eruitziet en wat voor personen het zijn. Om met alles wat in je is die rol te spelen.' Ze liet haar blik over de gezichten voor haar glijden. 'Wie van jullie weet waarom dat zo is?'

Enkele oudere kinderen staken hun hand op. Bailey Flanigan was een van hen. Katy wees haar aan. 'Bailey?'

'Omdat je alleen maar met iedereen die op het toneel staat, het verhaal tot leven kunt brengen. Iedereen moet er achter komen hoe het personage is dat hij moet spelen, want anders wordt het geen goede voorstelling.'

'Precies.' Katy deed alsof ze in de huid van een personage kroop en begon de woorden te brullen die hoorde bij een van Tom Sawyers solo-optredens. Ze stak haar borst naar voren, tilde haar kin op en sprak de woorden overdreven precies uit. Omdat zingen een sterk punt van Katy was, klonk het goed, maar na twee zinnen begonnen de kinderen te giechelen. Katy hield op met zingen en kon een glimlach niet onderdrukken. 'Kan iemand mij vertellen of dit een scène was die de hele voorstelling ten goede komt, of een scène die alleen maar de toneelspeler zelf in het zonnetje zet?'

Tim Reed stak het eerst zijn hand op en Katy wees hem aan. 'Het was een egoïstisch gespeelde scène. Ja, dat is zeker.'

'Goed, maar waarom is dat zo?' Katy vond dit heerlijk, hield van de manier waarop de kinderen op haar reageerden. Dat maakte deel uit van wat zij deed, en dat was niet alleen kinderen begeleiden terwijl ze een voorstelling gestalte gaven, maar hun ook leren waar het in het theater om gaat. En dan vooral kinderen als Sarah Jo Stryker, van wie de ouders het kindertheater alleen maar zagen als een middel om een bepaald doel te bereiken.

Tim ging staan, zodat ze hem beter konden verstaan. 'Het was een egoïstisch gespeelde scène omdat het alleen maar om jou zelf ging, toen je aan het zingen was. Het was alsof je de enige persoon op het podium was, en je iedereen wilde laten weten dat je een mooie stem hebt.'

'Goed opgemerkt, Tim.' Katy merkte dat de ouders achter in de kerkzaal onrustig begonnen te worden. Ze had nog ongeveer een minuut om alles samen te vatten. 'In plaats van dat je een solopartij zingt zoals je die zou zingen als je optreedt als solist, moet je het personage laten zingen als je een rol speelt in een voorstelling. Op die manier laat je zien wat je wilt overbrengen, en dat tilt het verhaal naar een hoger niveau. Dat bedoelen we als we zeggen dat we het samen moeten doen.' Ze stak drie vingers op. 'Het derde is eigenlijk heel eenvoudig. Bij het CKT is een voorstelling altijd bedoeld om Jezus Christus te verheerlijken en eer te bewijzen. Wil iemand er nog iets meer over zeggen?'

Ashley Zarelli stak haar hand op en Katy knikte in haar richting. Met een glimlach op haar gezicht stond Ash op. Als ze nerveus was, liet ze dat niet merken. 'Ik zou nog willen zeggen dat we onze talenten van Jezus hebben gekregen. Mensen zetten hun talenten vaak in om God dwars te zitten. Wij hier begrijpen geloof ik allemaal dat we zonder God niets voorstellen. Elke voorstelling is een kans om ons best te doen met de talenten die God ons heeft gegeven, en Hem er alle eer voor te geven.'

'Dat was een mooie aanvulling, Ashley. Dank je wel.' Katy klapte een keer in haar handen en gebaarde dat de kinderen om haar heen moesten komen staan. 'Jullie hebben het vandaag allemaal prima gedaan.'

Terwijl de meisjes en jongens dicht om haar heen dromden, trok de kleine Mary Reed aan Katy's mouw. 'Katy...'

'Wat is er, Mary?' Omdat de andere kinderen veel lawaai maakten, bukte ze zich om Mary te kunnen verstaan.

'Ik vind jou lief, Katy.' Mary keek met ogen vol liefde naar haar op. 'Bedankt dat je ons zo veel wilt leren.'

Katy trok het meisje naar zich toe om haar een knuffel te geven. Dit was zo fijn, dat ze er helemaal warm van werd. Wat maakte het uit als Dayne Matthews helemaal niet terugbelde? Ze had helemaal geen acteerwerk nodig, niet zolang ze dit mocht blijven doen. Het CKT beschikte niet over een groot budget en ze verdiende dan ook niet genoeg om op zichzelf te gaan wonen, maar ze vond het heerlijk om met deze kinderen te werken. Het kind in haar armen was daarvan het bewijs.

'Kunnen we het lied gaan zingen?' Katy wreef met haar neus tegen die van Mary.

'Ja, ik ben er klaar voor.' Mary deed een stap achteruit en pakte Katy's hand vast.

Katy verhief haar stem, zodat de kinderen om haar heen haar allemaal konden verstaan. 'Allemaal in de kring komen staan, jongens.'

Katy sloot de repetitie altijd op dezelfde manier af. De kinderen gingen in een kring om haar heen staan en zij zette een gek lied in. 'Kedeng-deng, tsjoek-tsjoek-tsjoeke trein, wind me op en ik doe voor de gein...' De kinderen zongen het lied eerst zo hard als ze konden en uiteindelijk zo zachtjes dat het nauwelijks meer was dan fluisteren, voordat ze aan het eind in gejuich uitbarstten en met hun ouders naar huis gingen.

Toen de kinderen weg waren, keek Katy op haar horloge. Het was negen uur en de komende twee uur moesten er decors ontworpen worden. Nancy Helmes bracht iedereen koffie, volle mokken voor de anderen, een halve mok vol voor zichzelf.

'Ik kan maar niet begrijpen waarom jouw mok halfvol is, Nancy.' Katy grijnsde naar de vrouw. 'Wil je me nog een keer vertellen hoe dat zit?'

'Ik vind koude koffie afschuwelijk.' Nancy trok aan vies

gezicht. 'Ik neem maar een halve mok vol omdat je maar zo veel koffie kunt opdrinken voordat ze koud wordt.'

'O, ja, nu weet ik het weer.'

'Ze is een beetje gek.' Al trok op een luchthartige, sarcastische manier zijn wenkbrauwen op. 'Daarom houd ik van haar.'

Heath Hudson was er die avond ook om een handje toe te steken, en Ashley Baxter. Haar man was thuisgebleven bij hun zoon. Omdat deze eerste bijeenkomst vooral bedoeld was om een ontwerp te maken, had hij bedacht dat het niet gaf als hij pas op een van de latere avonden van de werkgroep aanwezig was.

Het eerste wat ze deden was de spaanplaten naar binnen brengen. Katy ging bij een hoek van de stapel platen staan en overzag de kerkzaal. 'Willen jullie allemaal even hierheen komen?'

Rhonda, Heath en Ashley haastten zich naar haar toe en hielpen haar drie onhandig grote spaanplaten op te pakken en het podium op te sjouwen. 'Rustig aan, allemaal. Laat jouw hoek van de spaanplaat niet vallen.' Katy liep als eerste de trap op.

Rhonda liet haar hoek op de grond zakken en veegde het stof aan haar handen af aan haar spijkerbroek. Toen pakte ze de hoek weer op. 'Als ik weer een splinter in mijn hand krijg, zal ik geen verfkwast meer kunnen vasthouden.'

Katy verstevigde haar greep op de spaanplaat en droeg haar steentje bij om hem op te tillen en naar het achterste gedeelte van het podium te verplaatsen. Zij kreeg ook splinters in haar handen. 'Ze hadden gezegd dat deze platen van heel fijne houtspaanders waren gemaakt. Waarom versplinteren ze dan toch zo erg?'

Ashley stak haar hoofd om de spaanplaat heen. 'Het geeft niet, hoor. Ik weet bijna zeker dat we ze toch goed kunnen beschilderen.'

'Dat is dan mooi.' Katy nam even grote stappen als Rhonda en even later lag de plaat plat op het podium. Ze glimlachte naar Ashley. 'Fijn dat je dit wilt doen. Daar mogen we God voor danken.' Ze keek eerst Heath en toen Rhonda aan. 'We hebben gebeden of God ons iemand met een kunstzinnige achtergrond wilde sturen om ons te helpen met de decors.' Haar blik ging weer naar Ashley. 'En dan stuurt God ons een beroepskunstenaar. Is dat niet geweldig?'

Toen alle drie de spaanplaten naast elkaar op het podium lagen, legde Katy uit waar ze voor bedoeld waren. 'Hiervan maken we het huis van tante Polly. Omdat zij momenteel slecht bij kas is, krijgt het geen vierde muur.' De verf was een paar meter verderop al op uitgespreide kranten klaargezet. Katy wees ernaar. 'We hebben rood, blauw, groen, geel en wit. Dat moet voldoende zijn om een paar mooie ramen met een weids uitzicht te schilderen en het begin van een dak.' Ze keek Ashley vragend aan. 'Kun jij met een potlood een paar lijnen trekken waardoor het lijkt alsof er boven op de drie muren een dak zit?'

Lachend rolde Ashley haar mouwen op. 'Geen probleem.'

Heath had nog steeds een wit overhemd aan en een stropdas om, omdat hij rechtstreeks uit zijn werk was gekomen. Hij trok nu een oud T-shirt over zijn hoofd en zei: 'Goed, mevrouw Blake, zorg dat wij met de verf aan de slag kunnen.'

Rhonda lachte. 'Wij gaan hier staan toekijken.' Ze ging naast Katy staan en gaf haar een por tussen de ribben. Toen fluisterde ze: 'Ik heb haar gisteren ook iets zien tekenen. Ze is fantastisch.'

Voordat Katy kon reageren, ging haar mobiele telefoon. Rhonda's ogen lichtten op toen Katy hem uit haar zak haalde. Rhonda stelde geluidloos de vraag die hen allebei bezighield: 'Dayne?'

Katy trok een gezicht tegen haar, hield de telefoon bij haar oor en keerde de anderen de rug toe. 'Hallo?'

'Hallo, Katy, met Dayne spreek je.' Hij aarzelde even. 'Dayne Matthews. Heb je even of ben je druk bezig?'

De vloer onder Katy's voeten leek opeens vloeibaar, maar ze hield zich staande. 'Hallo. Nee... ik sta alleen maar op het punt een paar decors te schilderen.' Omdat ze niet wist wat ze verder nog moest zeggen, wachtte ze zijn reactie af.

Aan de andere eind van de lijn grinnikte Dayne. 'Heerlijk is dat, decors schilderen.' Hij ademde langzaam in. 'Het is lang geleden dat ik dat heb gedaan.'

'Misschien moet je ons een keer komen helpen.' Ze begon weer rustig te worden en op de manier die haar eigen was deel te nemen aan het gesprek. 'Niets is leuker dan een hele avond decors schilderen.'

'Misschien doet ik dat wel.' Hij moest weer lachen, maar daarna werd hij ernstig. 'Moet je horen, ik had je al eerder willen bellen, maar ik moest eerst zeker weten wanneer de auditie zou plaatsvinden. Mitch en ik willen graag dat je terugkomt, deze keer om een scène samen met mij te spelen.'

Katy greep de telefoon steviger vast. Gebeurde dit echt? Nee, Dayne Matthews was niet echt via haar mobiel met haar aan het kletsen. Het kon toch niet waar zijn dat hij haar vroeg terug te komen naar Hollywood om samen met hem een scène te spelen? 'Wanneer... wanneer zou dat moeten gebeuren?'

'Dinsdagochtend. Je zou maandag hiernaartoe kunnen vliegen, als dat uitkomt. De studio heeft al een vlucht voor je geboekt, als je interesse hebt.'

Als ze interesse had!? 'Ja, goed.' Ze dwong zichzelf om langzaam in te ademen. 'Dinsdag komt goed uit.'

Katy wierp een blik over haar schouder. Heath keek naar Ashley die opging in het trekken van lijnen op de spaanplaat. Maar Rhonda stond slechts een paar meter bij haar vandaan met grote ogen naar haar te kijken. Deze keer zei ze geluidloos: 'Ik wist het wel.'

Katy maakte stilzwijgend een triomfantelijk gebaar en hield toen een vinger tegen haar mond. Ze wilde niet dat Heath of Ashley afwist van haar audities in Los Angeles; nu nog niet. Dayne vertelde haar hoe laat haar vliegtuig zou opstijgen, en hij verzekerde haar dat iemand van de studio haar nog zou bellen om dit allemaal te bevestigen en nadere bijzonderheden door te geven.

'Wat moet ik aantrekken? Gaat het om een scène in de stad of in haar geboortedorp?' Ze stond nog steeds met haar rug naar de anderen toe en bleef zachtjes praten.

'Weet je, Katy,' ze kon aan de manier waarop Dayne dit zei, horen dat hij lachte, 'ik geloof niet dat dat belangrijk is.'

Toen, toen pas wilde ze tegenover zichzelf toegeven dat het waar was, en die waarheid werd al groter en omhulde haar als een roze wolk, nog voordat het telefoongesprek met Dayne Matthews was afgelopen. Nadat ze er haar leven lang van had gedroomd dat ze een bekend actrice zou worden, nadat ze er dichtbij was gekomen in Chicago en ervoor weggelopen was, zou die droom uit het verleden hier en nu nog werkelijkheid kunnen worden. En waarom het niet belangrijk was wat ze aanhad tijdens de auditie, lag voor de hand: de rol van Tory Temblin kon haar eigenlijk niet meer ontgaan.

12

Dayne merkte zelf dat hij verliefd begon te worden op Katy Hart.

Het verbaasde hem niet. Vanaf het moment dat hij haar in het theater in Bloomington had gezien, een jaar geleden, was hij van haar gecharmeerd geweest. Wat hem wel verbaasde was dat hij zijn gevoelens niet onder controle kon houden.

In zijn wereld was er een even grote overvloed aan vrouwen als aan korrels zand op het strand van Malibu. Wanneer hij er een tegenkwam die hij niet kon krijgen, omdat ze getrouwd was of een vriend had, flirtte hij met haar, maar werd nooit verliefd op haar. Niet smoorverliefd in ieder geval. Maar wat Katy betrof lag dat anders. Hij had nog nooit iemand als zij ontmoet sinds hij in Indonesië van de kostschool af was gekomen. Ze was even echt als een zomerbriesje en hoe hij ook zijn best deed om haar uit zijn hoofd te zetten, hij slaagde er niet in.

Het was nu zaterdagochtend en Katy zou maandag terugkeren in LA. Hij wilde haar graag bellen en plannen maken om met haar uit te gaan, haar de stad te laten zien, maar dat kon hij niet doen omdat dat niet fair zou zijn ten opzichte van Katy. Haar onschuld ging zelfs zo ver dat ze waarschijnlijk niet begreep wat haar te wachten stond in de wereld waarin ze in Hollywood zou leven.

Op blote voeten liep Dayne door de keuken om een doos eieren uit zijn koelkast te halen. Vandaag stond voor hem het eiwit van vier eieren met zacht gebakken champignons op het menu. Een van zijn lievelingsgerechten. Hij pakte een schaal uit het keukenkastje en viste een vork uit de bestekbak.

Hij hield van zaterdagochtenden in juni, van de mist die rond zijn patio hing, van de rust om hem heen als de oceaan uit het zicht verdween en zijn huis en de grond eromheen een cocon werden waarbinnen alles aangenaam en normaal was.

Al was het maar voor een paar uur.

Er zweefde mooie, instrumentale muziek door het huis. Hij had een hele verzameling van dergelijke muziek en dit stuk heette *Creek* of iets wat daarop leek. Het was zachte gitaarmuziek, af en toe vermengd met de kreet van een vogel of het zachte gekabbel van een beek.

Op zo'n zaterdagochtend als vandaag heerste er vrede in zijn huis.

Hij brak de eieren, scheidde de eiwitten van de dooiers en klopte het eiwit met zijn vork stijf.Voor de zoveelste keer kreeg hij Katy's gezicht voor ogen terwijl hij het mengsel in een kleine koekenpan goot.

Betoverend mooi was ze niet, maar daar ging het hem ook niet om. Hij had al het grootste gedeelte van zijn carrière dat soort vrouwen om zich heen gehad. Zij bezat een natuurlijke schoonheid, waardoor ze gewoonweg een verrukkelijke, knappe vrouw was, met een manier van doen die Hollywood was vergeten. Daardoor was ze ook precies de juiste persoon voor de rol in *Dream on* en zou ze zomaar ineens boven aan de lijst van Hollywood actrices komen te staan als ze de rol kreeg.

En ze zou hem krijgen.

Hij dacht terug aan het gesprek dat hij met Mitch Henry over Katy had gevoerd. Na haar eerste auditie en Daynes lunch met haar in de kantine was Dayne teruggekeerd naar het kantoor in de studio. Daar zag hij Mitch achter zijn bureau naar zijn computer staren.

Blakend van energie en enthousiasme vroeg Dayne ademloos: 'En?'

Mitch zette zijn bril af, legde hem op het bureau en richtte zijn blik op Dayne. 'Je lijkt wel een schooljongen, Matthews.' Hij liet zijn kin zakken en op zijn gezicht verscheen de uitdrukking van een strenge vader. 'Word niet verliefd op haar.' Hij keek weer naar zijn computerscherm, maar na enige aarzeling voegde hij er nog aan toe: 'Ze is te goed voor jou.'

'Dat weet ik.' Hij trok een stoel naar zich toe en leunde op de rand van het bureau dat tussen hen in stond. 'Maar wat vind je van haar? Ze is precies de persoon die we zoeken, toch?'

Mitch zuchtte op een overdreven manier en wendde zich weer tot Dayne. 'Je was er toch bij?'

'Ja, klopt.' Dayne wist niet goed waar de casting director naartoe wilde.

'Je hebt toch meegekeken toen ze auditie deed?'

'Ja, maar wat wil je nu eigenlijk zeggen?' Dayne schoof een stukje achteruit. 'Ik wil toch weten wat je van haar vindt.'

Mitch deed zijn benen over elkaar en greep de armleuningen van zijn stoel vast. 'Ik vond haar fantastisch. Het is jaren geleden dat ik hier zo'n natuurtalent heb zien binnenkomen.' Zijn gezichtsuitdrukking veranderde en een glimlach maakte de blik in zijn ogen minder streng. 'Maar dat wist je al.'

'Ja, maar...' Dayne stond op en gooide zijn handen in de lucht. '... maar waarom ben je dan niet enthousiaster?'

'Omdat...' Hij draaide zijn gezicht even naar het raam en stond toen op. Toen hij zich omdraaide keek hij weer ernstig. 'Ik denk niet dat ze de rol accepteert.'

'Natuurlijk wel.' Dayne merkte dat hij begon te borrelen van enthousiasme. Het liefst had hij gejuicht van blijdschap. Mitch Henry vond haar goed, zo goed zelfs dat hij al van plan was haar de rol aan te bieden! Dayne zag al helemaal voor zich hoe hij met haar zou samenwerken, haar beter zou leren kennen, bevriend zou raken met het meisje dat sinds vorig jaar zomer door zijn hoofd spookte. 'Ze komt toch niet hierheen gevlogen om auditie te doen als ze niet in de rol geïnteresseerd is?'

'Ik maak me zorgen.' Mitch tikte met zijn vingers op zijn bureau. 'Katy Hart hoort hier niet thuis.' Hij wapperde met zijn hand. 'Je weet zelf wat voor krankzinnige toestand het hier in Hollywood is.'

'Misschien wil ze die rol toch graag hebben.' Daynes reactie kwam snel, te snel. Nog terwijl hij aan het woord was wist hij dat Mitch gelijk had. De manier van leven van de elite in Hollywood, het type actrice dat gewoonlijk zijn tegenspeelster was in een lange speelfilm; Katy was daar niet op voorbereid. Absoluut niet.

'Ga behoedzaam met haar om wanneer ze hiernaartoe komt voor de volgende auditie.' Weer met de blik van de strenge vader in zijn ogen wees hij naar Dayne. 'Ik kan zien wat voor gevoelens je voor haar hebt, Dayne. Doe iedereen nu het plezier dat je je gevoelens voor je houdt. Ik wil het gezicht van dat meisje niet op de omslag van alle tijdschriften zien staan, snap je?'

De herinnering aan dat gesprek was blijven hangen, net als de dichte mist buiten.

Moest hij op afstand blijven van iedereen die hij graag wilde leren kennen? Van iedereen die een goede uitwerking op hem zou hebben? Er kwam nog een herinnering bovendrijven, die zo verdrietig was dat hij er zelden bij stilstond. Het was de herinnering aan zijn biologische moeder, hoe ze in het ziekenhuisbed in Bloomington had gelegen, hoe het had gevoeld toen de stervende vrouw haar armen om zijn hals had geslagen en tegen hem had gezegd wat hij altijd al graag had willen weten.

Ze had gezegd dat ze van hem hield, en dat ook zijn biologische vader van hem hield. En dat zijn broer en zijn zusjes ook van hem gehouden zouden hebben, als ze de kans hadden gekregen om hem te leren kennen.

Dayne draaide het gas lager. Hij greep het granieten aanrechtblad vast en sloot zijn ogen. Hij wist nog hoe het had gevoeld, toen hij in die gehuurde SUV achteraan op het parkeerterrein naar de hoofdingang van het ziekenhuis zat te kijken en een groepje mensen naar buiten had zien komen. Hij had zich algauw gerealiseerd dat het zijn familieleden waren, zijn biologische vader en zijn broer en zussen met hun echtgenoten en kinderen.

Hij wist ook nu nog hoe het had gevoeld toen hij zijn vingers om de hendel van het portier aan de bestuurderskant kromde, het portier openduwde en een voet op de grond zette. Hij wilde naar hen toe gaan om zich aan hen voor te stellen en met hen te praten. Om hen misschien zelfs wel te omhelzen. En dan zou hij zomaar ineens, binnen enkele seconden, de familie hebben die hij altijd graag had willen hebben. Nooit zou hij dan meer het gevoel hebben dat hij nergens bij hoorde.

Maar zodra hij het daglicht in stapte, hoorde hij de eerste serie klikken van de fototoestellen van de paparazzi. Op dat moment nam hij het besluit dat hij de Baxters niet ook het slachtoffer zou laten worden van de roddelbladen. Zij waren onbespiede, goede mensen voor zover hij wist, die hun brood verdienden als arts, advocaat, leerkracht of kunstenaar, en het middelpunt van hun leven was het aardige stadje Bloomington in Indiana.

Hij bleef daarom in de auto zitten in plaats van naar hen toe te gaan en zij liepen hem voorbij, stapten in hun auto's en reden weg.

Dayne deed zijn ogen open.

Gezien het besluit dat hij die dag had genomen, had hij zich voorgenomen niet meer aan hen te denken, hen uit zijn hoofd te zetten. Maar zoals een lievelingslied in je hoofd kan blijven hangen kwam de herinnering aan hen steeds weer boven. Op de meest onverwachte momenten zag hij weer voor zich hoe hun gezichten getekend waren geweest door bezorgdheid en hoe ze zich aan elkaar vast hadden geklemd, overduidelijk bezorgd over hun moeder die in het ziekenhuis op sterven lag.

Het was zinloos om aan Elizabeth en de andere Baxters te denken. En het was even zinloos om aan Katy Hart te denken. Omdat ze in werelden leefden die veel te veel van elkaar verschilden, en de kloof ertussen te breed was om te overbruggen, kon hij er maar het beste voor zorgen dat dit zo bleef. Voorlopig in ieder geval. Als Katy de rol accepteerde, als de manier waarop ze haar rol invulde in heel het land zou worden geprezen, zoals hij verwachtte, zou ze toegang krijgen tot zijn wereld.

En dan kwamen ze misschien wel tot de ontdekking dat ze samen iets konden opbouwen.

Maar dat was voor dit moment uitgesloten, dat zou nog niet gebeuren op de maandag dat ze naar LA kwam om voor de tweede keer auditie te doen.

Hij schraapte de lichtgebakken champignons in het halfgare eiwit en roerde alles door elkaar. De problemen die zijn vrienden hadden met roem, deden Dayne meestal niets. Wat de roddelbladen publiceerden kon hem niets schelen. De mensen die aannamen dat alles wat in die waardeloze bladen werd afgedrukt waar was, moesten wel een heel saai leven leiden. Hij viel 's avonds in slaap zonder zich af te vragen of er buiten een fotograaf in de boom zat of er een op zijn oprit op hem stond te wachten. Ze waren eigenlijk alleen maar lastig, niet gevaarlijk.

Maar wanneer hij meerekende wat hij misliep doordat hij de Baxters tegen hen had beschermd, werd het een stuk ingewikkelder.

Het eiwit was gaar geworden en hij lepelde het op een bord. Hij schonk een glas sinaasappelsap in, dat in de winkel aan de overkant vers geperst was. Dat dronk hij het liefst bij zijn ontbijt en dat kreeg hij dan ook van zijn dikbetaalde huishoudster. Ze wist wat hij lekker vond en ze vulde steeds de voorraad aan.

Het gerecht smaakte precies zoals hij het lekker vond, maar onder het eten bleef hij de gezichten van de Baxters en van Katy voor zich zien. Misschien kwam dat door de muziek, de zachte melodie die gespeeld zou kunnen worden tijdens de aftiteling van een verdrietige film. Hij wilde net opstaan om over te stappen op iets vrolijkers toen zijn telefoon ging.

Onderweg naar de geluidsapparatuur nam hij op. 'Hallo?'

'Met mij, Dayne. Kelly.' Ze klonk gespannen, kalm en wanhopig tegelijk. 'Ik geloof dat daarnet iemand geprobeerd heeft bij mij in te breken.'

'Wat?' Dayne liep terug, pakte zijn bord en ging naar de keuken. 'Kelly, bel de politie. Nu meteen.'

'Nee, ze zijn geloof ik al weg. Ze hebben geprobeerd in te breken, maar namen de benen toen ze merkten dat ik thuis was, en misschien zijn ze nu...'

'Wacht, Kelly. Praat wat langzamer, wat anders begrijp ik niet wat je zegt.' Hij leunde tegen de deur naar de patio en tuurde de mist in. Er verscheen kippenvel op zijn armen. 'Vertel me wat er is gebeurd.'

'Ik hoorde iemand op het raam tikken en toen ik ernaartoe rende om te zien wie dat deed, stond er een vrouw.' Ze praatte nu langzaam, maar klonk nog steeds ademloos en angstig. 'Ik geloof dat ze een mes in haar hand had, Dayne.'

Dayne merkte dat zijn hart twee keer zo snel begon te kloppen. 'Toe, Kelly, bel de politie. Ik meen het.'

'Nee, wacht. Ik bleef haar in de gaten houden, en opeens draaide ze zich om, rende naar haar auto en reed weg.'

Zijn voorhoofd was koud omdat hij ermee tegen het glas in de deur naar de patio had gestaan. Hij ging weer rechtop staan. Wat voor engerd wilde Kelly Parker iets aandoen? Hij richtte zijn aandacht op wat Kelly had gezegd. 'Wat voor auto? Heb je het nummerbord gezien?'

'Nee, maar de auto wel. Het was een vierdeurs, en ik weet bijna zeker dat het een oude Honda Civic was. Een gele Civic.'

'En je weet zeker dat hij nu weg is?'

'Ja. Ik zag hem wegrijden.'

'Goed.' Dayne hief zijn arm gebogen boven zijn hoofd en duwde hem tegen de ruit. 'Laat me er eens even goed over nadenken. Misschien was de vrouw op zoek naar een bepaald huis en keek ze bij jou naar binnen om te zien of ze het juiste adres had gevonden.'

'Dat geloof ik niet.' Kelly stond zo te horen te bibberen op haar benen. 'Misschien was het een fotograaf. Ik werd gewoon bang. Omdat het op klaarlichte dag was en zo, snap je.'

Dayne klemde zijn kaken op elkaar. Hij was er trots op dat hij zich niet door fotografen liet ontmoedigen. Hij had teveel plezier in het acteren om zich druk te maken over de paparazzi. Ook na wat er in Bloomington was gebeurd, zag hij het gebrek aan privacy niet als een gevangenis, maar eerder als de tol die iedereen in de bovenste gelederen van de amusementsindustrie moest betalen.

Uit gevangenissen kon je niet ontsnappen, maar de paparazzi zouden als vuurvliegjes bij zonsopgang verdwijnen wanneer je het acteren voor een paar jaar opgaf. Ja toch? Dat was toch wat hij zichzelf steeds voorhield? Je koos er toch voor om beroemd te zijn?

Doordat Dayne nu een doodsbange Kelly Parker aan de lijn had, wist hij dat opeens niet meer zo zeker. 'Wil je dat ik naar je toe kom?'

'Ja, graag, Dayne. Ik durf niet weg te gaan; ik ben te bang.' Ze haalde twee keer haar neus op. 'Ik wil het trouwens ook nog graag met je over iets anders hebben.'

Dayne reed naar Kelly's huis zonder dat hij werd gevolgd. Als de paparazzi op de hoogte waren van zijn gedragspatroon, wisten ze dat hij zijn huis op zaterdag meestal op zijn vroegst om drie uur verliet. Omdat het nog steeds ochtend was, waren ze waarschijnlijk iemand anders aan het lastigvallen. Kelly Parker, zo te horen.

Dayne was in tweestrijd toen hij uit zijn Escalade stapte en snel verder liep over het trottoir. Wat Kelly hem ook wilde vragen, hij hoopte dat het niets te maken had met de vorige avond. Het was verkeerd van hem geweest om 's nachts bij haar te blijven en met haar naar bed te gaan. Als ze niet zo in de war was, zou het nog tot daaraan toe zijn, maar ze was al een hele tijd niet in goede doen. Het lag voor de hand dat alles nog verwarder zou worden doordat hij op die manier met haar samen was geweest.

Ze deed open, trok hem naar binnen en stortte zich in zijn armen. 'Dayne, ik vind dit afschuwelijk.' Ze deed een stapje terug; haar wangen waren betraand. 'Het is niets voor mij om me in huis verscholen te houden en bang te zijn voor mijn eigen schaduw. Vroeger liep ik vaak 's avonds in mijn eentje door de buurt.'

Hij had er al over nagedacht wat hij tegen haar zou zeggen. Daarom aarzelde hij nu geen moment meer, nam haar bij de hand en voerde haar mee naar de woonkamer, waar hij haar liet plaatsnemen op de bank. Hij ging naast haar zitten en keek haar recht aan. 'Je hebt hulp nodig, Kelly. Dat je hier,' hij keek de kamer rond, 'blijft omdat je niet meer naar buiten durft, is niet normaal.' De woede die hij eerder had gevoeld, kwam opeens weer aan de oppervlakte. 'Je mag niet toestaan dat zij jou op deze manier in het nauw drijven.'

Kelly liet haar hoofd hangen en haar schouders zakten af. 'Ik weet dat ik de roddelbladen beter niet kan lezen, maar dan belt er iemand of zie ik ze ergens, en dan weet ik toch wel wat erin staat.' Ze keek hem aan. 'Deze keer gaat het over mijn armen.' Ze gebaarde naar de rij ramen tegenover hen. 'Iemand fotografeerde me terwijl ik ergens naar wees, en nu heb ik kwabbige armen.'

Dayne kromp ineen. Hij had die foto een paar dagen geleden gezien en erom gelachen. Kelly Parker met kwabbige armen? Dat was absurd. Maar ze hadden zes foto's gemaakt van vrouwelijke beroemdheden met armen die allesbehalve volmaakt waren. De kop luidde: *O-oh... Kwabbige armen! Wie heeft ze wel en wie niet?*

'Ik heb die foto gezien. Het is belachelijk.' Hij liet zijn hand van haar schouder naar haar pols glijden. 'Jouw armen zijn precies goed, schat. Dat weet je best.'

Kelly schudde haar hoofd. 'Foto's liegen niet. Eerst heb ik cellulitis, dan ben ik lesbisch en nu heb ik kwabbige armen. Dan vergaat je zelfs de eetlust, weet je.'

Hij bekeek Kelly en zag opeens dat ze magerder was dan een paar maanden geleden. 'Je eet toch wel?' In Hollywood waren altijd wel een paar vrouwen zichzelf aan het uithongeren. Dat was dan hun manier om om te gaan met de druk waaronder ze stonden om er perfect uit te zien, en het kwam voor dat hun gewicht dan tot gevaarlijk lage waarden daalde. Hij voelde een moment angst in zich opkomen. 'Ja, je eet toch wel, Kelly?'

Ze haalde haar schouders op. 'Ik eet genoeg.' Ze sloeg haar armen om zich heen en hield haar ogen neergeslagen. 'Ik zou het niet erg vinden als in een roddelblad kwam te staan dat ik te mager lijk. Dat zou beter zijn dan de verhalen over cellulitis en kwabbige armen.'

'Je bént mager.' Hij pakte haar kin vast en tilde deze behoedzaam op, totdat ze elkaar recht in de ogen keken. 'Het lijkt wel mode om zo dun mogelijk te zijn. Laat je er niet door in de war brengen, Kelly. Nee, echt, beloof me dat je er niet aan mee zult doen.'

Ze aarzelde te lang. Het was dus al een probleem? Maar toen voelde hij dat ze knikte. 'Goed.' Ze raakte zijn vingers aan en trok zijn hand omlaag, maar in plaats dat ze losliet verstrengelde ze haar vingers met die van hem. 'Ik voel me beter nu jij hier bent.'

'Dat is mooi.' Hij leunde achterover. 'Je wilde het ook nog over iets anders hebben?'

'Ja.' Het was weken geleden dat ze zo'n levendige blik in haar ogen had gehad. 'Ik wil de kans krijgen om de rol in *Dream on* op me te nemen. De vrouwelijke hoofdrol.'

Daynes hart sprong op. Dat was Katy's rol. 'De rol van Tory Temblin?'

'Ja.' Ze glimlachte bedeesd naar hem. 'Ik kan die rol aan, Dayne. Ik heb horen zeggen dat het je moeite kost om iemand voor de rol te vinden.' Ze zweeg een moment. 'Roep me op en laat me auditie doen.'

'Meen je dat nou?' Hij grijnsde scheef naar haar. Dit was niet het moment om een onbekende uit Midden-Amerika te berde te brengen. 'Hoe kom je erbij te denken dat zo'n spetter als jij de rol zou kunnen spelen van een doodgewoon plattelandmeisje?'

'Jij en ik.' Ze bracht zijn vingertoppen naar haar lippen en kuste ze één voor één, op een zodanig trage, sensuele manier dat hij het niet alleen in zijn vingertoppen voelde. Ondertussen bleef ze hem aankijken. 'Dat geeft natuurlijk de vereiste chemie op het witte doek.'

Dayne slikte en probeerde zijn kalmte te herwinnen. 'Ja, dat moet ik je nageven.' Hij grinnikte zachtjes. 'Maar jij bent elegant en hebt sexappeal, Kelly.' Hij schoof iets naar haar toe en boog zich naar haar over. 'Je bent een fantastisch actrice, maar... Ik weet niet... We zijn op zoek naar een beginneling.'

'Dat lijkt me een uitdaging.' Hoe angstig Kelly ook was, aan haar gezichtsuitdrukking was te zien dat het zelfvertrouwen dat haar altijd had gekenmerkt, terug was. 'Toe, Dayne, laat me auditie doen voor die rol.'

Haar glimlach deed zijn hart smelten. Stel dat Mitch gelijk had? Stel dat Katy de rol werd aangeboden en ze accepteerde hem niet? Hij moest toch zorgen voor een goede rolbezetting om in de komende maanden een speelfilm te kunnen maken. 'Goed. Kom dinsdagochtend naar de studio.' Hij streek met zijn knokkels over haar wang. Hij liet haar vooral komen omdat hij met haar te doen had. En omdat de kans bestond dat het met Katy niet in orde kwam. 'Zorg dat je er om acht uur bent.'

'Waarom zo vroeg?' Ze sprak op luchtigere toon dan daarnet en haar ogen speelden een spelletje met hem. 'Doet mevrouw Beginneling om negen uur auditie?'

Katy's gezicht kwam hem voor ogen, maar Dayne liet niet merken hoe zijn hart daarop reageerde. In plaats daarvan knikte hij instemmend. 'Ja, heel goed, maar jij bent in ieder geval het eerst aan de beurt.'

Ze begonnen over iets anders te praten: over het leven van gemeenschappelijke vrienden en bekenden, hoe goed het ging met bepaalde actrices, en hoe zij erin slaagden de paparazzi te negeren. Ook lieten ze nog even de revue passeren hoe obsessief men in dit land de gangen van beroemdheden naging.

Een uur later keek Dayne op zijn horloge. 'Ik moet thuis nog een paar dingen doen.' Hij raakte haar wang even aan en hield een moment haar blik vast. 'Gaat het wel weer?'

'Ja.' Van haar gezicht was opeens iets anders af te lezen, iets wat verdacht veel op schaamte leek. Ze keek even de gang door naar de deur van haar slaapkamer. 'Je mag van mij best nog een poosje blijven.'

Haar boodschap was duidelijk. De laatste keer dat hij bij

haar thuis was geweest, was de gang van zaken zodanig geweest dat hij het ook normaal vond dat ze uiteindelijk meer samen deden dan een gesprek voeren.

'Vandaag niet, goed?' Hij liet zijn vingers over de zijkant van haar gezicht gaan en woelde in haar haar. 'Weet je nog wat we elkaar beloofd hebben?' Zijn stem klonk schor, doortrokken van een begeerte waaraan hij weigerde gehoor te geven. Hij bleef kalm. 'Wat we elkaar de vorige keer beloofd hebben?'

'Ja, dat we er geen ingewikkelde toestand van zouden maken.' Kelly perste haar lippen opeen tot een smalle streep en sloeg haar ogen neer. Toen ze weer opkeek, lichtten er diverse emoties op in haar ogen. Spijt en afkeuring, twijfel en ontmoediging. 'Ik wil het niet nodeloos ingewikkeld maken, Dayne.' Ze trok één schouder op. 'Ik wil soms alleen maar dat je me vasthoudt.'

Dayne kwam overeind en stak zijn armen naar haar uit. 'Kom dan maar hier, jij.'

Er glinsterden tranen in Kelly's ogen toen ze opstond en haar armen om zijn middel sloeg. Haar nabijheid deed wel weer wat met hem, maar het was niet meer dan dat hij zich lichamelijk tot haar aangetrokken voelde. Hij had alleen maar vriendschappelijke gevoelens voor Kelly Parker. Toen hij zich losmaakte, lachte hij naar haar en gaf haar een kus op het puntje van haar neus. 'Ga maar gauw douchen, schat. Bel daarna je vriendinnen en ga vanavond uit. Als ze je achtervolgen en foto's nemen, glimlach je en amuseer je je toch nog gewoon.'

Hij dacht even dat ze hem weer dicht naar zich toe wilde trekken om hem te kussen, maar daar achtte ze zichzelf toch te goed voor. Ze knuffelde hem nog een keer en deed een stap achteruit. 'Bedankt dat je gekomen bent, Dayne.' Ze sloeg haar armen stevig om haar middel. 'Tot dinsdag.' Na een korte stilte voegde ze eraan toe: 'Zeg maar tegen mevrouw Beginneling dat ze deze keer geen enkele kans maakt. Ik heb mijn zinnen op die rol gezet.'

Dat gedeelte van het gesprek schoot hem onderweg naar huis weer te binnen. Hoe zou het gaan met mevrouw Beginneling? Zou Katy Hart de rol krijgen? Zou ze hem accepteren? Hij dacht aan Kelly Parker, die te bang was om zich buiten haar eigen huis te wagen. Stel dat dat Katy ook zou overkomen?

Over deze mogelijkheid had hij nog niet eerder nagedacht, maar met die vraag bleef hij in gedachten bezig terwijl hij over de kustweg naar huis reed. Omdat de zon de mist bijna helemaal had verdreven, begon het buiten warmer te worden. Hij was nog maar een meter of tien van zijn huis verwijderd toen hij vaart minderde en naar de oprit van het huis van zijn buren keek. Er stond een oude auto geparkeerd en achter het stuur zat een vrouw die strak naar zijn huis keek.

Dat verbaasde hem op zich niet. Zijn huis werd altijd in de gaten gehouden door mensen die hoopten dat hij uit het raam zou kijken, de garagedeur open zou doen of opeens naar buiten zou komen. Maar zij hadden meestal een fototoestel bij zich. Door zijn ogen half dicht te knijpen probeerde hij meer bijzonderheden te onderscheiden, terwijl hij langzaam voorsorteerde. De handen van de vrouw lagen op het stuurwiel. Als ze al een fototoestel bij zich had, dan hield ze het niet vast.

Op dat moment keek ze over haar schouder en zag hem. Ze leek opeens haast te hebben, want ze reed plompverloren achteruit, zonder op het naderende verkeer te letten. Een vrachtwagen moest uitwijken om niet met haar in botsing te komen. Ze voegde in en stoof weg. Voor de roddelbladen werkte ze in ieder geval niet, want dan zou ze er niet voor gekozen hebben snel weg te rijden zodra ze hem zag.

Maar dat was niet het enige waarover Dayne inzat, terwijl hij links afsloeg, met de afstandsbediening zijn garagedeur opende en zijn auto naar binnen reed. Een ander aspect gaf voldoende reden om hem de stuipen op het lijf te jagen: het merk en de kleur van de auto van de vrouw.

Het was een vierdeurs, gele Honda Civic.

13

Katy kon zich niet goed op de musical concentreren.

Het was nog maar twaalf uur geleden dat ze met Dayne Matthews had gesproken, maar haar hele wereld leek toch al helemaal uit balans. Voordat ze die ochtend waren begonnen aan de repetitie, had Rhonda haar verteld dat er onenigheid was ontstaan tussen de theaterzaalcommissie en de souvenircommissie.

'De ouders gingen al bijna met elkaar op de vuist toen ik hier aankwam.' Rhonda zat naast de Katy op de eerste rij, vanwaar ze van achter een tafel de repetitie regisseerden.

Katy fronste. 'Ik snap niet dat volwassenen zich zo kunnen gedragen.' Ze pakte haar gele notitieblok en begon al pratend te schrijven. 'Regel 18: verbied ouders te vroeg naar de repetities te komen om dingen te bespreken die in de commissies spelen.'

'Helemaal mee eens.' Rhonda haalde een script naar zich toe en begon erin te bladeren. 'De theaterzaalcommissie wil in de lobby van het theater klapstoelen neerzetten, voor het geval we een volle zaal hebben. Maar de souvenircommissie wil het grootste gedeelte van de rechterkant van die ruimte vrijhouden, omdat zij die nodig hebben om buttons en *Tom Sawyer*-plakboeken te verkopen.' Ze nam even de tijd om adem te halen. 'Matt Bellonte van de theaterzaal zei dat hij de souvenirs liever weggaf dan dat hij een betalende bezoeker die in die ruimte plaats had kunnen nemen, zou teleurstellen. Waarop Melody Thorpe zei dat zij zo nodig zelf de ruimte voor de verkoop van souvenirs in de lobby zou bewaken, omdat ze niet van plan was er ook maar een gedeelte van op te geven voor een paar extra klapstoelen.'

'Fantastisch.' Katy merkte dat ze zich begon op te winden. 'Eén grote, gelukkige christelijke familie.'

'En dan is er nog iets.' Rhonda glimlachte, maar je kon aan de manier waarop ze het zei horen dat ze aarzelde om het te vertellen. 'Alice Stryker zegt dat we verschillende belichtingstechnieken moeten uitproberen. Sarah Jo komt kennelijk in bepaalde spotlights niet goed voor het voetlicht. Mevrouw Stryker wil dat niet laten gebeuren, omdat ze een professionele videograaf heeft ingehuurd om de beste scènes van de musical vast te leggen. Die video-opnames wil ze gebruiken om Sarah Jo te helpen hogerop te komen.'

'Hoe haalt die vrouw het in haar hoofd!' Katy liet zich onderuitzakken en sloeg haar handen voor haar gezicht. Ze tuurde tussen haar vingers door. 'Een professionele videograaf?'

'Ja.' Rhonda bekeek een pagina vol aantekeningen. 'Mevrouw Stryker zegt dat we er helemaal geen erg in zullen hebben dat hij er is, maar dat hij Sarah Jo heel vaak vragen zal stellen en mij misschien ook. Jou in ieder geval.'

'En toch zullen we er nauwelijks erg in hebben dat hij er is?' Katy duwde twee vingers tegen haar slaap. 'Kunnen ze dat doen? Staat er niet iets in de richtlijnen van het CKT dat ingaat tegen het in dienst nemen van je eigen videograaf?'

'Was het maar waar.' Rhonda fronste. 'Ik heb het nagekeken, maar als er volgens het copyright van de musical video-opnames gemaakt mogen worden, kun je er niets tegen doen.'

'Dat verbaast me eigenlijk.' Katy schermde nog steeds haar ogen af. 'Verder nog iets?'

'Het geluid.' Rhonda schudde haar hoofd, alsof ook zijzelf het volgende nieuwtje niet kon geloven.

'Mevrouw Stryker wil de videograaf vlak voor de eerste

voorstelling ook zelf nog een geluidstest laten doen.'

'Natuurlijk.' Katy liet haar handen zakken en ging rechtop zitten. 'We zullen er nu meteen een aantekening van maken. We moeten van haar zeker ook voor de beste microfoon zorgen?'

'Bij voorkeur eentje die niet kraakt.' Rhonda kon het niet helpen, ze moest even giechelen. 'Weet je wat ze tegen me zei? "Moet je horen, ik weet best hoe deze kindertheatergezelschappen waarvoor maar weinig geld wordt uitgetrokken, werken. Ik wil niet meemaken dat het mijn dochter overkomt dat een microfoon het begeeft. De videograaf en ik willen ieder woord horen."'

'Weet je wat ik denk?' Katy stond op; haar enthousiasme was bijna volledig verdwenen.

'Nou?'

'Ik denk dat we de kinderen maar beter op het toneel kunnen laten komen, want anders ga ik naar huis en huil ik mezelf in slaap.'

Ze zagen het allebei helemaal voor zich en moesten erom lachen, maar Rhonda was al weg. Ze vloog door het gangpad naar de lobby en stuurde de kinderen de kerkzaal in en het podium op.

De repetitie verliep dramatisch. Toen de hoofdrolspelers opkwamen om het tweede tafereel in scène te zetten, kon Sarah Jo bijna geen geluid meer uitbrengen.

Katy liep naar haar toe en legde een hand op de schouder van het meisje. 'Wat is er met je stem gebeurd, lieverd?'

'Ik...', ze greep naar haar keel en wreef erover, 'ik heb te lang gerepeteerd.'

'Waarvoor heb je gerepeteerd?' Het meisje had de vorige avond vier uur gerepeteerd en had in alle vroegte in de kerk aanwezig moeten zijn om nog weer vier uur te repeteren. Wanneer had ze dan verder nog tijd gehad om te repeteren? 'Voor het CKT?'

'Ja.' Sarah Jo wipte van de ene op de andere voet. Haar stem klonk zo schraperig dat ze bijna niet te verstaan was. 'Ik heb mijn solo gerepeteerd. Mama zei dat het beter kon.'

'Goed,' Katy spande haar kaakspieren aan, 'dan geef ik jou nu nieuwe instructies.' Ze keek over haar schouder naar het achterste gedeelte van de kerkzaal. Mevrouw Stryker was daar niet. Ze richtte haar aandacht weer op Sarah Jo. 'Ik wil dat je je tekst vandaag zo zachtjes mogelijk uitspreekt. En als je aan de beurt ben om te zingen beweeg je alleen je mond, zodat te zien is dat je het lied kent. Is dat afgesproken?'

'Ja, goed.' Het meisje keek al iets minder ernstig en er zweemde een glimlach om haar mond. 'Bedankt, Katy.'

Ze liepen vijftien minuten achter op het schema tegen de tijd dat Katy weer op haar plek in de buurt van de tafel stond en er een begin gemaakt werd met de scène. Het was het gedeelte van de musical waarin tante Polly in haar schommelstoel zit te vertellen over de problemen met Tom Sawyer. Dan komt er een groep vrouwen van de hulpdienst van de kerk langs met een uitnodiging voor de picknick die voor de dorpsbewoners georganiseerd zal worden, in de hoop dat tante Polly er haar beroemde taarten voor zal bakken. Onder de vrouwen bevinden zich de weduwe Douglas, mevrouw Thatcher en Becky.

'Nee maar, die Becky van u is echt een schoonheid.' Ashley Zarelli, die tante Polly speelde, hield de lettergrepen zo lang aan, dat de tekst precies goed werd uitgesproken: deels zo temerig als men daar in het Midwesten praatte, en deels op de quasibezorgde toon waarmee men roddelde. 'Mijn Tom heeft haar ongetwijfeld goed in zich opgenomen.'

Omdat Sarah Jo ondertussen opging in een gesprek met Toms neef, werd verondersteld dat zij de opmerking niet gehoord had. Zij kwam hierna aan het woord en begon precies op het juiste moment te praten. 'Je neef is best knap.' Ze was nauwelijks te verstaan. 'Vind je ook niet?'

'Tom?' De neef wierp haar een eigenaardige blik toe. 'Becky Thatcher, je bent vast niet goed bij je hoofd als je denkt dat die Tom Sawyer ook maar ergens voor deugt.'

Nu was het Tim Reeds beurt om te reageren. Tegen de tijd dat hij 'niet goed bij je hoofd' hoorde, moest hij achter een witte schutting langs sluipen die uiteindelijk midden op het podium zou komen te staan als deel van het decor. Terwijl hij dat deed, moest hij tegen tante Polly opbotsen.

Maar hij was nergens te bekennen.

'Tim.' Katy liet in de manier waarop ze zijn naam noemde, frustratie doorklinken. Ze keek de kerkzaal rond. 'Heeft iemand Tim gezien?'

De andere kinderen keek om zich heen, maar niemand gaf antwoord.

'Tim?' Ze riep zijn naam deze keer. Blijf rustig, zei ze tegen zichzelf. Het zijn maar kinderen. 'Tim, waar zit je?'

Op dat moment kwam hij door de deuren achter in de kerkzaal naar binnengestormd en vloog met zo veel vaart over het middenpad het podium op dat hij met tante Polly in botsing kwam. Hij viel zo hard op zijn achterwerk dat zijn ogen zich opensperden. 'Tante Polly... Wat een verrassing.'

Er golfde gedempt gelach over het podium en door de kerkzaal.

Katy liep dichter naar Tim toe en keek hem recht aan. 'Is dit iets wat je er zelf bij hebt bedacht?' Ze gebaarde naar het achterste gedeelte van de zaal. 'Wil je op deze manier aan het publiek duidelijk maken hoe slecht Tom Sawyer eigenlijk is?'

Tim krabbelde overeind en veegde het zitvlak van zijn spijkerbroek af. 'Sorry, Katy.'

Ze wierp hem een veelbetekenende blik toe en zei: 'Goed, laten we dan nu serieus aan de slag gaan. Over zeven weken is al de eerste voorstelling.'

Rhonda maakte oogcontact met Katy toen zij terugliep naar de tafel. 'Zal ik de kinderen die in deze scène moeten dansen, meenemen naar de foyer en die dans daar met hen instuderen?'

'Ja, doe dat maar. Dat is beter dan dat ze hier niets anders doen dan giechelen om Tim Reed.' Ze keek nog een keer naar het achterste gedeelte van de kerkzaal, en bij de deuren waardoor Tim naar binnen was gestormd stond Bailey Flanigan. Katy bleef even naar haar kijken. Was Bailey de reden dat Tim het te druk had om op tijd op te komen? Ze trok een wenkbrauw op, maar het viel Bailey niet op. Het meisje had alleen maar oog voor Tim.

Rhonda verliet met acht meisjes in haar kielzog de zaal. Katy nam zich voor het er met Bailey over te hebben. Misschien vond er achter de schermen iets moois plaats, maar dat moest dan toch wachten tot na de repetitie. Ze richtte haar aandacht weer op de jongens en meisjes op het podium die allemaal nog naar haar stonden te kijken, totdat zij een teken zou geven dat ze verder konden gaan. 'Goed jongens, begin maar bij het moment dat Tim binnenkomt.'

Deze keer sloop Tim over het podium en liep zacht tegen Ashley Zarelli op, precies zoals van hem werd verwacht. 'Tante Polly... Wat een verrassing.'

Katy keek in het script. Zo luidde de tekst toch niet? Ze ontdekte waar de tekst stond, en daaruit bleek dat Tim in deze scène meer tekst had. Ze probeerde hem zo streng mogelijk aan te kijken. 'Tim Reed, ken je je tekst?'

Hij maakte zich zo lang mogelijk en krabde op zijn hoofd, zijn gezicht een toonbeeld van gelatenheid. 'Niet echt.'

Ze knarsetandde, maar slaagde er op de een of andere manier toch in om niet tegen hem uit te vallen. 'Ik verwacht meer van jou, Tim. Jij hoort bij de oudere kinderen van het CKT en als je een hoofdrol hebt, moet je je tekst kennen.'

'Ja, Katy. Het spijt me.' Hij straalde nederigheid en eerlijkheid uit. Het leed geen twijfel dat hij zijn optreden vandaag zelf ook niet kon waarderen. 'Kan iemand mij helpen mijn tekst uit het hoofd te leren?'

'Nancy.' Katy wees naar de rand van het podium. 'Kun jij daar gaan zitten om Tim te helpen? Kijk maar wat daarvoor nodig is.'

'Dat is precies wat het creatieve team doet!' Nancy Helmes salueerde en deed wat haar was gevraagd.

Toen Nancy haar plek had ingenomen stak Katy haar handen omhoog. 'Kom, jongens, laten we nu serieus aan de slag gaan. Luister goed alsjeblieft. Dit is jullie voorstelling. Het hangt van jullie af of jullie trots zullen zijn op het uiteindelijke resultaat, of dat jullie je zullen schamen omdat je niet beter je best hebt gedaan.' Ze wees naar Sarah Jo. 'Dat geldt voor iedereen behalve voor jou, Becky Thatcher. Jij moet iets minder goed je best doen.'

De daaropvolgende drie uur werd er keihard gewerkt en was het even saai als in het eerste uur. De enige die op het podium schitterde, was Ashley Zarelli. Haar eerste optreden was eigenlijk zo goed dat Katy zich er zorgen over begon te maken dat er zich nog een probleem zou voordoen. Omdat Ashley zowel getalenteerd als goed voorbereid was, zou het best zo kunnen gaan dat zij in deze scène alle aandacht van het publiek naar zich toe trok.

Ook over Sarah Jo maakte ze zich zorgen. Katy deed haar best om haar moeder te ontlopen, maar Sarah Jo leek toch niet echt warm te lopen voor de rol van Becky. Toen de repetitie ten eind liep, begon Katy zich af te vragen of ze de verkeerde keus had gemaakt. Misschien had ze de rol toch aan Bailey Flanigan moeten geven. Ze wilde niet dat iemand haar zou beschuldigen van voortrekkerij wat de Flanigans betrof, maar misschien was ze doorgeslagen in haar poging iedereen gelijke kansen te geven.

Katy staarde naar haar tennisschoenen. Het was nu in ieder geval te laat om Sarah Jo's rol aan iemand anders te geven. Dat kon ze niet maken. Het enige wat ze nu nog kon doen, was ervoor zorgen dat het meisje meer plezier kreeg in haar rol. Ze moest haar helpen in te zien dat acteren in een kindertheater niet bedoeld was als voorbereiding op belangrijkere en betere rollen. Je kon er vooral vriendschappen sluiten en er de ruimte krijgen om je droom om later te gaan acteren vast voor een deel te verwezenlijken.

Ze sloeg haar armen over elkaar en drukte ze tegen haar middel. Rhonda en Al en Nancy Helmes moesten hun aantekeningen doornemen terwijl de kinderen het theater verlieten, en Jenny Flanigan zei dat ze iets met Katy te bespreken had.

Voordat het daarvan kwam ging Katy naar het vrouwentoilet, sloot zich op in het hokje het verst bij de ingang vandaan en leunde met haar rug tegen de deur. Waarom kon ze zich niet aan de indruk onttrekken dat ze niet meer alles onder controle had? De door de ouders gevormde commissies maakten ruzie, mevrouw Stryker had een professionele videograaf in de arm genomen en haar betrouwbaarste leerling kende nog helemaal zijn tekst niet. Ze was tot het eind van de maand blut; ze had niet eens geld om een nieuwe spijkerbroek te kopen en in de benzinetank van haar aftandse Nissan zat niet veel meer dan benzinedamp.

Had ze hiervoor Chicago verlaten? Had ze het acteren de rug toegekeerd om in eenzaamheid een chaotisch, armoedig leven te leiden?

Katy wist wat het antwoord was. Haar reden om niet meer te acteren had niets te maken met het kindertheater of nobele doelstellingen, niet in het begin in ieder geval. Ze had de baan bij het CKT in Chicago aangenomen om de andere kant van het acteren zover mogelijk achter zich te laten, om te ontsnappen aan de soort filmcarrière die haar alles gekost had wat destijds belangrijk voor haar was geweest.

Ze sloot haar ogen en leunde met haar hoofd tegen de koele deur van het toilethokje. Hij heette Tad Thompson, en ze waren met elkaar bevriend geweest sinds ze in de onderbouw van de middelbare school allebei de lessen drama volgden. Verliefd werden ze pas op elkaar toen ze allebei eerstejaarsstudent waren, en tegen die tijd deden ze allebei al vaak auditie en kregen ze kleine rollen in reclameboodschappen en films.

Hij kreeg eerder een grote rol dan zij, een bijrol in een film waarin een van de bekendste acteurs in Hollywood zijn tegenspeler was.

'Er verandert niets,' had hij haar beloofd. 'Ik ben een poosje weg, maar ik kom terug. Dan wordt alles weer precies zoals het was.'

Maar zijn medespelers in de film zetten flink de bloemetjes buiten en Tad werd meegezogen in een manier van leven waar hij niet op voorbereid was. Katy deed alles wat ze kon om hem vast te houden, maar uiteindelijk had ze het idee gehad dat ze niet hém vasthield, maar het touw van een vlieger die in een orkaan verzeild was geraakt. Terwijl dat allemaal speelde kreeg ze de kans waarop ze destijds had gehoopt: ze mocht proefopnames maken voor een twee uur durende tv-film. Daaruit zou blijken dat ze kon acteren en dan ging misschien de deur open voor meer audities, meer films.

Tad overleed de week voordat haar film door CBS werd uitgezonden.

Het verlies had haar gevloerd. Ze was er zozeer door uit haar evenwicht geraakt, dat ze niet goed wist hoe ze dit te boven moest komen. Wat er in de drie maanden daarna gebeurde, bleef wazig. Iedere auditie liep op niets uit en ze vond haar dromen alleen nog maar afschuwelijk en glansloos. Het eind van het liedje was dat ze niet meer opnam als haar agent belde.

Haar moeder begreep het. Ze stapte een paar maanden na Tads dood Katy's kamer binnen en trok de deur zachtjes achter zich dicht. 'Het is niet meer zo, hè?' Ze kwam naast Katy op het bed zitten en haalde haar duim over haar wenkbrauw.

'Hoe bedoelt u?'

'Je droomt er niet meer van om actrice te worden. Die droom vervloog op het moment dat Tad overleed. En nu wil je uit angst het liefst zo ver mogelijk bij die wereld vandaan blijven.'

Er waren tranen in Katy's ogen geschoten, maar ze zei niets, kon niets zeggen.

'Het geeft niet dat je bang bent, Katy.' Haar moeder schonk haar een triest glimlachje. 'God is Degene die leven geeft. Telkens wanneer er een droom vervliegt, komt er een andere droom voor in de plaats.'

Katy kreeg een brok in haar keel.

Tad en zij zouden gaan trouwen en een appartement kopen in Chicago. Het plan was dat ze allebei als acteur zouden blijven werken, en dat ze samen niet de fouten zouden maken die zo vele andere mensen in de showbusiness maakten. Ze zouden een gezin stichten, en het was hun bedoeling hun kinderen te leren wie God was, ook al had Tad niet zo veel met het geloof.

Katy deed haar ogen open en staarde naar de kale muur boven het toilet. Ze had Tad destijds ontzettend gemist, en ze was zo verdrietig geweest dat ze maandenlang vroeg in bed was gekropen. Maar geleidelijk aan werd het zo veel minder dat ze weer belangstelling kreeg voor de dingen om zich heen. De ontdekking die ze toen deed, was dat haar moeder ook op een ander punt gelijk had gehad: Hoop doet leven.

Alleen al het feit dat ze moest ademhalen, uit bed moest stappen en de dag onder ogen moest zien gaf haar hoop, en hoop riep nieuwe dromen in het leven. Vanaf het moment dat ze met haar moeder een plaatselijke voorstelling van het CKT bijwoonde, was de oplossing duidelijk. Het kindertheater was het antwoord, de remedie tegen haar eenzame dagen en nachten. Ze hoefde weinig te doen om als assistent te worden aangenomen en aan het eind van haar eerste jaar werd ze benoemd tot regisseur van het CKT.

Bij het KinderTheater stond acteren niet meer voor de wereld die haar Tad had afgenomen. Hier was acteren op een creatieve manier uiting geven aan wat er in het hart leeft, zo in de huid van een ander kruipen dat je er God, de Gever van de creativiteit, mee kon verheerlijken.

Daar was ze niet anders over gaan denken, geen moment. Ze geloofde in het CKT en in alles wat ze daar probeerden te doen. Maar waarom stond ze dan nu in een cabine van het toilet haar best te doen om niet in huilen uit te barsten? Waarom hadden de oudercommissies, Alice Stryker en Tims misser haar zo beïnvloed dat ze haastig dekking was gaan zoeken?

Katy wist zelf niet wat het antwoord op deze vragen was. Ze haalde een keer diep adem en verliet de benauwde cabine. Toen ze langs de spiegel kwam, ving ze een glimp op van haar spiegelbeeld, en opeens wist ze waarom alles zo vreemd en chaotisch op haar overkwam; waarom de baan waar ze zo veel van hield, naar haar idee eerder een last dan een zegen was.

Dat kwam door de auditie.

Ze zou naar het westen vertrekken om Dayne Matthews te ontmoeten, en hoe ze ook over de amusementsindustrie dacht, hoezeer ze die industrie er ook de schuld van gaf dat ze beroofd was van Tad Thompson en van het leven waarvoor ze samen plannen hadden gemaakt, haar spiegelbeeld maakte haar duidelijk dat het weer aan het gebeuren was.

Hoop baande de weg voor nieuwe dromen.

De droom had deze keer alleen niets te maken met het KinderTheater, haar baan als regisseur of iets anders dat in verband stond met het CKT. De nieuwe dromen had betrekking op alles wat er voor haar in het verschiet lag in Hollywood, Californië.

14

De zon scheen op die zaterdagmiddag tussen een handvol witte schapenwolkjes door toen Ashley samen met Landon en Cole over de parkeerplaats bij de kerk liep. Ashley keek nog een keer om zich heen. Haar vader was nog steeds nergens te bekennen en dat was vreemd. Hij was anders altijd rond deze tijd hier om eventuele bezoekers rond te leiden. Ze nam Cole bij de hand en hielp hem bij het instappen.

Toen ze allemaal ingestapt waren, wendde ze zich tot Landon. 'Vind jij het ook niet vreemd?' Ze maakte haar veiligheidsgordel vast. 'Pa is hier anders altijd rond deze tijd.'

'Misschien moest hij naar het ziekenhuis.' Landon startte de SUV en reed achter drie andere auto's aan die op de uitgang afgingen.

'Op zaterdag?'

'Misschien had hij vandaag iets anders op zijn programma. Gewoon, voor de verandering.' Hij legde zijn hand even op die van Ashley. 'Er is niets met hem aan de hand, Ash. Echt niet.'

Ze schonk hem een zwakke glimlach en keek over haar rechterschouder. 'Doe je veiligheidsgordel vast, Cole.'

'Dat heb ik al gedaan, mama. Ik doe mijn gordel altijd vast, hoor.' Hij lachte naar haar. Omdat hij bovenin twee voortanden miste, lispelde hij. 'Gaan we nog naar de picknick?'

Ashley richtte haar aandacht weer op Landon. 'Gaan we nog?'

'Als jullie dat graag willen.' Hij gebaarde naar de lucht. 'Het wordt zo te zien een heerlijke dag.'

'Ja, mama, laten we ernaartoe gaan.' Cole legde zijn hand op haar schouder en kneep er even in. 'Maar laten we eerst even bij opa langsgaan om te kijken of hij mee wil!'

'Hmm.' Ashley keek Landon aan. 'Ik moet eigenlijk toch nog naar hem toe om de verf op te halen die ik bij hem in huis heb staan.' Ze trok haar wenkbrauwen op. 'Kunnen we even langsgaan?'

'Ja, best.' Landon maakte een bocht naar links en reed de parkeerplaats af. 'Wat zou je ervan vinden als ik jou daar even afzet? Dan gaan Cole en ik naar de brandweerkazerne.' Met een grijns op zijn gezicht keek hij achterom naar Cole. 'Ik moet daar nog een paar formulieren invullen en Cole kan me dan helpen om de brandweerauto's te wassen.'

'Ja, joepie! Ik vind het leuk om de brandweerauto's te wassen.' Cole wipte een paar keer op en neer op de bank. 'Mag ik de banden wassen?'

'Ja, best, Cole. Niemand in de brandweerkazerne kan zo goed banden wassen als jij.'

'Jippie!'

Ashley wreef met haar duim over Landons vingers. 'Je vindt het niet erg?'

'Helemaal niet.' Hij keek haar vol begrip aan. 'Je wilt niet alleen maar langsgaan, Ash. Ik ken je.' Hij glimlachte. 'De picknick kan wel een uurtje wachten.'

Ashley nam Landon een moment op. Wat was hij sterk en lang en wat hield hij veel van haar. Hoe kon het eigenlijk bestaan dat het helemaal goed gekomen was met hen? Waar had ze het aan verdiend dat ze uiteindelijk getrouwd was met een man als Landon Blake, die genoeg van haar hield om naar haar te luisteren als niemand anders dat wilde doen? Deze man was volledig op de hoogte van haar verleden en ondanks de pijnlijke bijzonderheden hield hij niet minder van haar.

Ze boog zich naar hem toe en gaf hem een kus op zijn

wang. 'Ik popel om met jou die cruise te gaan maken.'

'En anders ik wel.' Hij wreef met zijn neus over haar gezicht. 'Ik houd van je, Ash.'

'Weet ik, maar raad eens wat?' fluisterde ze.

'Wat?'

Ze kuste hem nog een keer. 'Ik houd meer van jou.'

Er werd op de achterbank gegiecheld. 'Jullie kussen elkaar wel erg vaak, hoor.'

'Helemaal niet.' Ashley reikte naar achteren en kietelde hem tussen de ribben. 'Je kunt elkaar niet te vaak kussen, Coley.'

Landon keek haar even van opzij aan. 'Ik zou graag de proef op de som willen nemen.'

'Ja, hè?' Ze boog zich weer naar hem toe.

'Misschien kan ik tijdens de cruise mijn kans grijpen?' Zijn ogen straalden van vertrouwen en liefde. Hij wist hoe hij een moment als dit moest uitbuiten.

'Lijkt me een goed idee.' Ze maakte het zich weer gemakkelijk op haar stoel en keek naar de weg voor hen. Bloomington was erg mooi aan het begin van de zomer; de esdoorns waren groen en vol en de lentebloemen zouden het nog een paar weken uithouden.

Binnen tien minuten kwamen ze aan bij het huis van haar vader. Landon duwde het portier voor haar open. 'Zeg tegen hem dat hij met ons mee moet gaan.' Hij keek op zijn horloge. 'Over een uur komen we jullie ophalen en dan nemen we tegelijk de verf mee. Op die manier zijn we minder tijd kwijt.'

'Goed.' Ze blies hem en ook Cole een kus toe. 'Wees voorzichtig.'

'Altijd.' Landon lachte breed naar haar.

Ze deed het portier dicht en keek hen na toen ze wegreden. Cole zwaaide naar haar totdat ze de oprit afreden.

Toen ze weg waren, liet Ashley haar handen zakken en

staarde naar de uitgestrekte, blauwe lucht. 'Dank U, God. U bent zo goed.'

Ze draaide een keer in het rond om dit te benadrukken. Toen huppelde ze de stoeptreden op en belde aan. Toen er niet werd gereageerd, ging ze naar binnen. Lichtvoetig liep ze door het klompenhok de keuken binnen. Ze had nog steeds de neiging om haar moeder te roepen, maar ze vermande zich.

'Pap? Ben je thuis?'

Het bleef stil in huis en Ashley fronste. Hij was niet in de kerk en hij kon ook niet naar het ziekenhuis zijn. Niet op zaterdag. Had hij misschien een bijzondere patiënt in het ziekenhuis bij wie hij op zaterdag langs moest? Dat kon toch het geval zijn?

Hoe dan ook, als hij niet thuis was, hoefde ze hier geen uur te blijven. Ze stak haar hand in haar tas om haar mobiele telefoon eruit te halen en trof er niet één maar twee in aan. Die van haar en die van Landon. Dat betekende dat ze hem pas kon bellen als hij in de brandweerkazerne was aangekomen, en dan kon ze hem net zo goed eerst zijn bureauwerk laten afmaken.

Ze maakte even een rondje door het huis. Het was er donkerder dan anders en opeens begreep ze hoe dat kwam. De meeste luxaflex zat nog steeds dicht, hoewel het al bijna één uur was. Dat was een van de vele dingen die anders waren geworden sinds haar moeder was overleden. Toen zij nog leefde, liep ze iedere morgen zodra ze wakker was neuriënd door het huis om overal de luxaflex open te doen.

'Licht,' zei ze dan altijd. 'We hebben hierbinnen licht nodig.'

Ashley merkte dat ze weer overvallen werd door verdriet. Haar moeders liefde voor licht gaf haar altijd het gevoel dat zij op de een of andere manier verwante zielen waren, ondanks het feit dat ze moeite met elkaar hadden gehad in de jaren nadat Ashley uit Parijs was teruggekomen. Gezien haar liefde voor licht had haar moeder ook kunstenaar kunnen zijn, als ze er de kans voor had gekregen.

Het was helaas wel gepast dat het nu donkerder in huis was. Daardoor leek het alsof alles waarvan haar moeder had gehouden, ook de kamers in het oude huis van de familie Baxter, mee treurden. Ashley liep door de keuken naar het fornuis, waar haar moeder duizenden maaltijden had gekookt en miljoenen koppen thee had gezet.

Voorzichtig pakte ze het hengsel van de oude koperen ketel beet. *God, U weet hoe erg we haar missen. U weet hoe graag ik nu met haar een kop thee had willen drinken. Is het verkeerd om te wensen dat ze hier was?*

Ashley kreeg geen antwoord, maar ze ervoer diep vanbinnen een vrede die niet geworteld was in deze wereld. Ze vulde de ketel met water, zette een gaspit van het fornuis aan en wachtte. Ondertussen bekeek ze alle dingen in de keuken die herinneringen bij haar opriepen. Tientallen kwamen er bij haar boven, aan gelach, gesprekken en aan een intimiteit waarvan alleen in een gezin sprake kan zijn.

Toen het water kookte, pakte Ashley niet één, maar twee theekopjes. Een kopje dat zijzelf het liefst gebruikte, en het kopje dat haar moeder had gebruikt. Ze haalde twee theezakjes uit de doos en liet er in elk kop eentje vallen. Ze goot in allebei de kopjes water en sloot een moment haar ogen. Ze stond het zichzelf toe te geloven dat haar moeder vandaag, alleen vandaag, nog leefde, bezig was in de kamer ernaast en ieder moment de keuken kon binnenlopen.

'Mam, de thee is klaar.' Haar woorden echoden door het lege huis en de tranen biggelden over haar wangen.

Ze knipperde met haar ogen en deed ze open. Het halfdonker stemde haar opeens heel verdrietig, omdat het haar er te sterk aan herinnerde dat haar moeder er niet meer was. Op deze stralende dag kon Ashley het niet uitstaan dat duisternis de ruimtes vulde, waarin haar moeder ooit een dagelijkse dosis licht en warmte had verwelkomd.

Ashley liet de thee voor wat ze was en begon alle luxaflex op te trekken, eerst die voor de keukenramen en daarna alle andere op de begane grond. Toen ze daarmee klaar was, liep ze de trap op naar de kamer die ooit haar slaapkamer was geweest. Voordat ze met Landon was getrouwd, had ze er af en toe geschilderd.

Ook in deze kamer trok Ashley de luxaflex op. De blikken verf waarnaar ze op zoek was, stonden in de boekenkast, twee planken van onderen. Ze pakte ze en wilde er net mee de trap af lopen toen de deur van de ouderslaapkamer haar aandacht trok. In die kamer was ze niet geweest, maar eigenlijk moest ook daar de luxaflex opgetrokken worden. Juist daar.

Ze zette de blikken verf op het tafeltje dat op de overloop stond, en deed de deur zo ver open dat ze naar binnen kon kijken. Het was het donkerste vertrek in het huis en Ashley klakte met haar tong. Hoe haalde haar vader het in zijn hoofd? Ze liep snel van het raam naast de kant van het bed waar haar vader lag, naar het andere raam, naast de kant waar haar moeder altijd had gelegen.

Toen het licht de kamer in stroomde, deed ze een stap achteruit en keek naar het bed van haar ouders. Een jaar geleden had haar moeder daar nog gelegen en had ze Ashley geholpen haar bruiloft te plannen, ook al was ze ziek en had ze veel pijn. Ze keek naar het tapijt naast het bed. Daar had ze in haar bruidsjapon gestaan toen haar moeder de hele rij paarlemoeren knoopjes aan de achterkant had dichtgemaakt.

Ze kon haar moeders stem nog horen. 'Wat zie je er mooi uit, Ashley.'

God was genadig geweest; Hij had haar moeder lang genoeg laten leven om haar te zien trouwen met Landon. Ook had Hij haar nog laten meemaken dat Erin, Ashleys jongste zus, met haar vier geadopteerde dochtertjes naar huis kwam. Maar hoeveel God hun ook had gegeven, Ashley verlangde naar meer. Naar nog een week of een dag. Al was het maar een uur.

Snuffend keek ze weer naar de ramen. Het was vandaag niet licht genoeg om de duisternis te verjagen. Frisse lucht, dat had deze kamer nodig. Ze deed het raam aan haar moederskant open, liep om het bed heen en gooide ook het raam aan haar vaders kant open.

Een warme, zoet ruikende wind vulde de kamer en deed de luxaflex ritselen. Ja, dat was beter. Zolang ze nog levendige herinneringen had aan haar moeder, hoorden de ruimten die haar het meest vertrouwd waren geweest je ook het gevoel te geven dat ze nog leefde. Ze deed opnieuw een stap achteruit en wilde net de kamer verlaten toen ze achter zich iets hoorde.

Ze draaide zich om om te kijken wat het was. De deur van de inloopkast van haar ouders stond open. Op de bovenste plank lagen twee enveloppen, en ernaast stond een doos propvol paperassen die nu in de zachte wind bewogen. Ashley keek er een moment naar. Waren het soms brieven? Dingen die haar moeder aan haar vader had geschreven?

Ze keek even op de klok. Ze had nog tijd genoeg. Landon kwam pas over een half uur terug. Ze liep dwars door de kamer en deed de lamp in de kast aan. Ze trok eerst de dikste envelop van de plank. Er zaten oude bankafschriften en belastingformulieren in.

Ashley legde hem terug. De andere envelop was lang zo dik niet. Er zat waarschijnlijk niets belangrijks in. Ze had hogere verwachtingen van de doos. Voorzichtig pakte ze hem van de plank en zette hem op de grond. Hij was gevuld met een stapel vergeelde enveloppen die óf aan haar vader óf aan haar moeder waren geadresseerd.

Ze haalde er een uit de doos en maakte de envelop open.

Er zat een velletje papier in waarop een van haar moeders vriendinnen een kerstwens had geschreven, die was verzonden terwijl de vriendin op vakantie was in Italië. Ashley stopte het velletje weer in de envelop en bekeek nog een paar andere enveloppen. Bijna helemaal onder in de doos zag ze er een waarop alleen maar *Elizabeth* stond.

Het was nog steeds stil in huis, maar Ashley keek toch even om het hoekje van de kastdeur. Het was toch wel vreemd dat ze hier nu in haar moeder spullen snuffelde. Maar haar moeder had nooit geheimen gehad; van haar hadden haar kinderen alles mogen zien. Ashley ging met gekruiste benen op de grond zitten en maakte de envelop open.

Er zat zo te zien een handgeschreven brief van twee kantjes in van haar vader aan haar moeder. Het papier was oud, het handschrift een beetje verbleekt. Ze keek of er boven aan het eerste vel papier een datum stond. Ja, 17 juni 1980. De dag nadat Luke was geboren.

Ashley sloot haar ogen en probeerde zich voor te stellen wat voor gevoelens haar vader die dag had gehad. Het gezin van de familie Baxter bestond in die tijd uit vier meisjes, maar geen jongen. Luke, hun vijfde en laatste kind, was de eerste zoon. Haar vader was vast buiten zichzelf van vreugde en dankbaarheid geweest, en hij was vast ook heel blij geweest dat zijn vrouw en Luke de bevalling goed hadden doorstaan.

Ze deed haar ogen open en las de eerste regel.

Lieve Elizabeth…

Ashley keek naar het vel papier, maar haar ogen prikten en de woorden liepen in elkaar over. Hoe vaak had ze haar vader haar moeder zo horen noemen? *Lieve Elizabeth.* Als hij thuiskwam van zijn werk trof hij haar meestal in de keuken aan, waar ze bezig was het avondeten klaar te maken. Dan ging hij achter haar staan en sloeg zijn armen om haar middel. 'Lieve Elizabeth, hoe was jouw dag vandaag?'

Ze knipperde met haar ogen en de woorden op de pagina werden weer goed leesbaar.

Lieve Elizabeth,

We hebben een zoon! Een zoon van wie we kunnen zeggen dat hij helemaal van onszelf is! Het is toch niet te geloven, liefste. Wat is God goed! We hebben veel meegemaakt, maar Hij heeft ons vier lieve dochters geschonken en is nu ook nog zo genadig geweest ons gezin op deze manier compleet te maken –, zo compleet als het eigenlijk vanaf het begin geweest had moeten zijn.

Ashley hield op met lezen en lachte even, maar het klonk verdrietig. 'Bedankt, pap.' *Zo compleet als het eigenlijk vanaf het begin geweest had moeten zijn*? Ze ademde in door haar neus en beheerste zich. Wat maakte het uit als haar vader op die manier tegen Lukes komst had aangekeken? Zo kon het hem nu niet meer kwalijk nemen.

Ze las verder.

Ik zit hier in ons huis vol verlangen op jullie te wachten. Jij en onze zoon horen hier thuis. Maar ik moet toch telkens denken aan wat je eerder vandaag hebt gezegd. Je zei dat je, wanneer je naar Luke keek, moest terugdenken aan wat je had gevoeld toen...

'Ashley?'

Ze slaakte een kreet en gooide de brief in de lucht. Haar vader stond een meter of twee bij haar vandaan en keek deels verbaasd, deels verontwaardigd. 'Pap, je laat me schrikken.' Ze stond op. 'Ik had niet gehoord dat je binnenkwam.'

'Ik ben ook van jou geschrokken.' Haar vader keek naar de doos met brieven op de vloer en toen weer naar haar.

'Omdat ik beneden thee zag staan, riep ik, maar niemand reageerde.' Aan zijn manier van spreken te horen was hij gefrustreerd. 'Waar ben je eigenlijk mee bezig?'

'Ehm,' Ashley keek naar de vloer van de inloopkast en zag de twee velletjes papier. Het ene lag op een paar schoenen van haar vader, het andere in een wasmand. Nerveus lachend raapte ze ze op, vouwde ze op en stopte ze weer in de envelop. 'Toen ik de ramen openzette, deed de wind de brieven in de doos een beetje ritselen en...' ze moest weer lachen, 'voor ik het wist zat ik hier in deze doos met brieven te kijken.' Ze bleef glimlachen. 'Ik ben trouwens hier naartoe gekomen omdat je niet in de kerk was en ik me zorgen maakte.'

'Laat mij eens kijken.' Haar vader pakte de envelop uit haar hand, maakte hem open en trok de brief eruit. Hij wekte de indruk dat hij uit zijn humeur was.

Wat vreemd, dacht Ashley. Goed, hij had haar erop betrapt dat ze brieven in zijn kast bekeek, maar ze had niet gedacht dat haar vader dit zo zwaar zou opnemen. Ze bleef naar hem kijken terwijl hij de brief doorlas. Hij keek al minder gefrustreerd, maar in zijn ogen zag ze iets wat er eerder nog niet was geweest. Enige nervositeit, misschien. Alsof iets in de brief hem dwarszat.

Opeens kreeg Ashley duidelijk het gevoel dat ze inbreuk had gemaakt op een geheim dat geheim had moeten blijven.

Haar vader vouwde de brief op, liet hem weer in de envelop glijden en stak hem tussen de stapel brieven in de doos. Toen zette hij de doos terug op de plank en keek Ashley afkeurend aan. 'De dingen in deze kast zijn heel bijzonder, Ashley. Het gaat om dingen waarvan alleen je moeder en ik afweten.'

Ashley kreeg onmiddellijk last van schuldgevoelens. 'Het spijt me. Ik heb er eigenlijk niet over nagedacht.'

De blik in zijn ogen verzachtte en hij trok Ashley naar

zich toe om haar een zoen te geven. 'Het was niet mijn bedoeling zo kortaf tegen je te doen.' Hij deed een stapje achteruit, maar zijn handen bleven op haar schouders liggen. 'Ik zou een insteekboek kunnen vullen, als je wilt, met een aantal brieven die je moeder in de loop van de jaren heeft geschreven. Misschien is het moment aangebroken om ze met jullie allemaal te delen.'

Ashley lachte, maar het ging nog niet van harte. 'Als het maar niet hier op de vloer van de kast is.'

'Nee.' Hij keek op zijn horloge. 'Zeg, ik moet me nodig verkleden voor...'

'O, dat is waar ook.' Ze pakte zijn handen vast. 'Landon is met Cole in de brandweerkazerne. Over een paar minuten komen ze terug. Heb je zin om met ons mee te gaan naar de picknick?' Ze bekeek hem van top tot teen. 'Dat kan prima zonder dat je je verkleedt.'

'Ehm...' Hij begon te trekken aan een stapel trainingsbroeken. 'Ik heb eigenlijk andere plannen.'

Ashley manoeuvreerde zich om hem heen om uit de kast te stappen. 'O ja?'

'Ja.' Hij trok een blauwe broek uit de stapel en draaide zich naar haar om. 'Ik ga met een paar vrienden wandelen in de omgeving van Lake Monroe.'

Vrienden? Ashley stak haar stekels op. 'Wat voor vrienden?'

'Vrienden met wie je moeder vroeger vrijwilligerswerk deed in het ziekenhuis. Jij kent hen niet.'

In haar hoofd begonnen waarschuwingslampjes te branden en Ashley deed een stapje achteruit. 'Waarom was je vanmorgen niet in de kerk?'

'Ik was daar wel.' Glimlachend liep haar vader haar voorbij in de richting van zijn ladekast. Hij keek over zijn schouder. 'Ik ben alleen maar eerder weggegaan.'

'Zo vroeg ga je anders nooit naar huis.' Ashley draaide zich om om beter naar hem te kunnen kijken. Ze vond het afschuwelijk dat ze zo beschuldigend klonk, maar waarom had ze het idee dat haar vader iets achterhield?

Haar vader bleef staan en draaide zich om, zodat hij haar echt aan kon kijken. 'Dat deed ik, omdat ik met die vrienden van je moeder op stap zou gaan.' Hij haalde zijn schouders op. 'Dat geeft toch niet?'

Ashley deed een paar stappen dichter naar hem toe, maar ze kon niet voorkomen dat er schrik te horen was in haar stem toen ze zei: 'Sinds wanneer ben je zo dik met hen bevriend?'

'Ashley, doe niet zo belachelijk.' Haar vader moest even lachen en draaide zich weer om naar de ladekast. Hij haalde er een paar witte sokken uit. 'Wat is erop tegen als ik af en toe optrek met mensen van mijn eigen leeftijd?'

Deze woorden hadden een kalmerende uitwerking op haar. Ze merkte dat haar schouders weer op hun plek zakten. Hij had gelijk. Ze reageerde waarschijnlijk iets te fel. Tot een paar maanden geleden had hij weinig meer gedaan dan naar zijn werk gaan en thuiskomen. Haar zus Kari was bang geweest dat hij zijn leven verder in eenzaamheid zou slijten.

Opeens moest ze ergens aan denken. 'Elaine Denning maakt toch geen deel uit van die groep?'

'Elaine?' Haar vader was intussen op de rand van het bed gaan zitten om zijn zwarte sokken uit te trekken. 'Ja, Elaine hoort bij dat groepje.'

'Pap!' Ashley zette haar handen in haar zij en kwam nog dichter bij hem staan. 'Elaine is weduwe.' Uit haar mond klonk het woord *weduwe* als een besmettelijke ziekte. 'Was zij vanmorgen soms ook in de kerk?'

Hij trok een witte sok aan. 'Ja, inderdaad. En wat zou dat, Ashley?' Toen hij ook de andere witte sok had aangetrokken stond hij op. 'We hadden ieder onze eigen bezigheden, als je het per se wilt weten.'

Een golf van schaamte overspoelde haar. 'O. Sorry.' Ze glimlachte schaapachtig naar hem. 'Ik wou alleen maar... Je weet wel... Het is te snel om...'

Haar vaders gezicht drukte medeleven uit. Hij kwam naar haar toe en haalde zijn knokkels langs haar wang. 'Ik heb geen vriendin, als je dat soms bedoelt, Ash.' Hij keek naar de inloopkast. 'Heb je de stoel gezien die daar staat?'

'Nee.' Ashley keek even naar de plek bij het raam waar haar moeders makkelijke stoel had gestaan. Hij stond er niet meer. Haar blik ging weer naar haar vader. 'Hebt u mama's stoel in de inloopkast gezet?'

'Ja.' Hij boog zich naar voren om haar een kus te geven op het puntje van haar neus. 'Op die stoel ga ik elke morgen in mijn Bijbel zitten lezen.' Na een korte stilte voegde hij eraan toe: 'Weet je waarom?'

'Nee. Waarom doe je dat?' Ashleys stem klonk gesmoord. Ze had geen flauw idee waarom hij dat deed.

'Omdat het in die kast, waarin nog alle kleren hangen die zij heeft gedragen, naar haar ruikt. Dat idee heb ik in ieder geval.' Zijn stem kreeg een trieste ondertoon. 'Als ik het niet meer kan verdragen om haar ook nog maar een minuut te missen, ga ik daar soms zitten en dan adem ik haar in, snuif ik haar geur op, haal ik herinneringen aan haar op. En dan smeek ik God om me de kracht gegeven om door te gaan.'

Na een korte aarzeling omhelsde Ashley haar vader en duwde haar hoofd tegen zijn borst. Hoe was ze op de gedachte gekomen dat haar vader een vriendin had? Wat een belachelijk idee! Hij miste mama nog even erg als zij allemaal. Ze keek op. 'Het spijt me.' Ze hoopte dat hij in haar ogen kon zien dat ze het echt meende. Knikkend in de richting van de kast zei ze: 'Het spijt me ook dat ik daarin heb rondgeneusd.'

'Het is al goed.' Hij omhelsde haar nog een keer. 'Waarom

ga je niet vast buiten op Landon staan wachten? Bedankt voor het aanbod om me mee te nemen naar de picknick. Volgende keer misschien?'

'Goed.' Ashley maakte zich los uit zijn armen en zwaaide nog even, voordat ze zich omdraaide en de trap afliep naar de keuken. Toen ze door de woonkamer liep zag ze de Durango de oprit op draaien. Haar vader dacht waarschijnlijk dat ze niet goed snik was, omdat ze in haar moeders spullen had gegrasduind terwijl ze op de vloer van zijn inloopkast zat. En omdat ze hem daarna ook nog had ondervraagd, omdat hij met een aantal vrienden bij het meer wilde gaan wandelen.

Het leek er niet op dat haar vader iets achterhield. Wat had hij ook alweer gezegd? Dat hij bereid was een insteekboek te vullen met brieven van hun moeder? Ja, dat zou mooi zijn, iets waarop ze zich kon verheugen. En het sprak voor zich dat hij geen interesse had in Elaine Denning.

Zuchtend liep ze de keuken in. Het was maar goed dat ze voor vandaag niet veel op haar programma had. Ze had er behoefte aan om een paar uur met Landon en Cole ontspannen bezig te zijn in de zon.

Pas toen ze de twee kopjes koude thee op het aanrecht zag staan, viel haar iets in. Haar vader was bereid om voor hen een insteekboek te vullen met hun moeders brieven, maar gold dat ook voor de brief waarin ze had zitten lezen toen hij binnenkwam? Ze was halverwege geweest toen hij haar naam riep. Waarom had hij die brief niet gewoon aan haar teruggegeven, zodat ze ook de rest had kunnen lezen?

Als haar vader inderdaad een soort brievenboek samenstelde, zou die brief niet makkelijk terug te vinden zijn omdat hij die niet bovenop had gelegd. Hij had hem ergens midden tussen de stapel gestoken. Ashley gooide de thee weg, pakte haar handtas en keek nog een keer naar de oude waterketel op het fornuis.

Ze liep door de zijdeur naar buiten en begroette haar man en zoon. Ondertussen bedacht ze dat ze aan haar vader moest vragen of ze naar die brief die zij half had gelezen, mocht zoeken als deze niet in het brievenboek zat. Ze had het gevoel dat die brief belangrijk was, wat er verder ook in stond.

En dat ze aan het beste deel ervan niet was toegekomen.

ɞ

John keek Ashley na toen ze de kamer verliet, en ademde voor de eerste keer in de tien minuten dat zij in deze kamer was geweest, diep door. Er zaten vele brieven in de doos; hoe kon ze er juist een van de weinige waarin hij werd genoemd, de broer van wie geen van de kinderen uit zijn gezin wist dat hij bestond, uitgevist hebben? En hoe zat het met de andere brieven op de bovenste plank van de inloopkast? Had ze die ook doorgekeken?

Hij staarde uit het raam en merkte dat zijn hart weer normaal begon te kloppen. Nee, dat kon ze niet gedaan hebben. Ashley maakte van haar hart nooit een moordkuil. Als ze een envelop was tegengekomen waarop *Eerstgeborene* stond geschreven, zou ze er zeker vragen over gesteld hebben.

Het werd nu in ieder geval tijd om iets met de brief te doen. Anders zou Ashley hem een andere keer toevallig tegenkomen, als ze op zoek was naar een van de truien van haar moeder of de was opborg. Hij liep naar de inloopkast, trok de deur open en reikte naar de envelop waarin maar drie brieven zaten: één voor hem, één voor de kinderen en één voor hun eerstgeborene, de zoon die ze niet gekend hadden.

Hij pakte de grote envelop en liet hem onder een stapel opgevouwen T-shirts door glijden in een hoekje onder in de kast. Daarna haalde hij Elizabeths doos met brieven uit de kast en zette hem op de grond. Met gemak vond hij de brief die hij daarnet vluchtig had doorgelezen.

Behoedzamer dan daarnet haalde hij hem uit de envelop en vouwde hem open. Hij wist niet hoe ver Ashley was gekomen, maar ze zou het hebben gezegd als ze hem al bijna helemaal had gelezen. De opmerkingen over hun eerstgeboren zoon stonden al in de eerste helft van zijn brief. Hij liet zijn ogen deze keer langzamer over de tekst glijden en genoot daarbij van ieder woord, elk gevoel dat hij 24 jaar geleden had gehad.

Lieve Elizabeth,
we hebben een zoon! Een zoon van wie we kunnen zeggen dat hij helemaal van onszelf is! Het is toch niet te geloven, liefste. Wat is God goed! We hebben veel meegemaakt, maar Hij heeft ons vier lieve dochters geschonken en is nu ook nog zo genadig geweest ons gezin op deze manier compleet te maken, zo compleet als het eigenlijk vanaf het begin geweest had moeten zijn. Ik zit hier in ons huis vol verlangen op jullie te wachten. Jij en onze zoon horen hier thuis. Maar ik moet toch telkens denken aan wat je eerder vandaag hebt gezegd. Je zei dat je, wanneer je naar Luke keek, moest terugdenken aan wat je had gevoeld toen je onze eerstgeborene vasthield, het kind dat ik nooit heb gezien. Nu begrijp ik hoeveel pijn jou dat moet hebben gedaan, en dat je de herinnering aan hem nog steeds koestert. Sinds ik hem heb gezien, hem in mijn handen heb gehouden en hem in mijn hart heb gesloten, kan ik me pas voorstellen hoe het zou zijn als we hem zouden moeten afstaan; hoe moeilijk het zou zijn om hem in de armen van een onbekende te leggen.

Johns handen trilden. Hoe vaak hij er ook over nadacht of zichzelf dwong te geloven dat het niet was gebeurd, het was wel zo gelopen. Elizabeth was zwanger geworden, haar ouders hadden haar weggestuurd en haar op de verdrietigste dag van hun leven gedwongen het kind af te staan.

Het leed geen twijfel dat Ashley deze brief niet helemaal had gelezen. Anders zou er niets meer geheimgehouden kunnen worden. Hij probeerde zijn vingers stil te houden en keek waar hij was gebleven.

Ik geloof dat God ons dit jongetje heeft gegeven, zodat ik me niet langer hoef af te vragen hoe het geweest zou zijn als ik onze eerste zoon had gezien. Daarvoor zal ik zolang ik leef dankbaar zijn. Ik ben blij dat je het met mij eens bent dat we het zo min mogelijk over onze eerstgeborene moeten hebben. We hebben vijf prachtige kinderen, Elizabeth. Meer dan waarom ik had kunnen vragen of ik me had kunnen voorstellen. Waar onze eerstgeborene ook is, hij heeft familieleden die van hem houden, dat moeten we blijven geloven.
Ik moet nu afronden, maar wees ervan verzekerd dat ik, telkens als ik me verheug over deze dag, de geboortedag van ons zoontje, een paar minuten de tijd zal nemen om ook het verdriet te voelen dat jij hebt omdat je net zo'n kind als dit hebt moeten afstaan. God zij dank dat Hij jou in mijn leven heeft gebracht, Elizabeth. Ik zal voor je zorgen zolang als ik leef. Ik houd van je.

Voor altijd de jouwe,
John

Hij bleef nog even naar de brief kijken, naar het stuk papier dat Elizabeth gekoesterd en al die jaren had bewaard. Toen vouwde hij de brief op en stopte hem weer in de envelop. De zucht die hij daarbij slaakte, ging verloren in de middaggeluiden van roodborstjes en ruisende bladeren. Hij hield de brief nog even tegen zijn hart gedrukt. Hij herinnerde hem aan de man die hij destijds geweest was, aan het leven dat hij met Elizabeth had geleid toen de kinderen nog klein waren.

Wat had ze die jongen graag willen ontmoeten. Uiteindelijk bad ze alleen nog maar daarvoor, voor een kans om haar eerstgeboren zoon nog één keer in haar armen te houden. Gevoelens van schuld en spijt doorboorden als pijlen zijn hart. Hij had waarschijnlijk meer kunnen doen om haar te helpen hem te vinden. De eerste keer, tien jaar geleden, toen Elizabeth had willen weten waar hij gebleven was, had hij echt flink zijn best gedaan. Maar de laatste keer was hij te zeer in beslag genomen geweest door pogingen om Elizabeth te redden. De dag had niet voldoende uren gehad om contact op te nemen met privédetectives, maatschappelijk werkers of andere mensen die zouden kunnen weten waar de jongen uiteindelijk terecht was gekomen.

Een zwoel windje streek langs hem heen en maakte iets droevigs bij hem wakker. Elizabeths verlangen om de jongen te zien was zo sterk geweest dat ze op de dag dat ze was overleden, zichzelf ervan overtuigd had dat hij langs was geweest, haar in haar ziekenkamer had opgezocht. Wat had ze toen ook alweer gezegd?

Ze had haar eerstgeborene ontmoet. Hij heette Dayne en hij was acteur. Ze had ook verteld dat zijn ouders overleden waren, en dat hij geen broertjes of zusjes had. Pas toen ze al een paar minuten aan het woord was, had ze even een stilte laten vallen en hem daarna gevraagd of ze het misschien alleen maar had gedroomd.

Op dat moment had John zich gerealiseerd wat er was gebeurd. Als gevolg van de medicatie was ze gaan hallucineren. Ze moest met Luke hebben gepraat, want die had eerder op de dag aan haar bed gezeten. En die Dayne, die acteur over wie ze had gesproken, was vast en zeker Hollywoods enige echte Dayne Matthews, een cliënt van het advocatenkantoor in New York waarvoor Luke werkte.

In haar laatste wanhopige poging om te geloven dat haar gebeden waren verhoord, had ze de bijzonderheden vast door elkaar gehaald.

Eigenlijk was dat heel verdrietig. Hun eerstgeboren zoon

moest ergens op de wereld zijn, als hij nog leefde, en er was geen reden om daaraan te twijfelen. Hij zou nu 36 jaar zijn en had misschien al een gezin gesticht.

John keek naar de inhoud van de doos. Hij zou de brieven sorteren en alles wat ook maar even verwees naar hun oudste zoon ertussenuit halen, maar niet nu. Hij keek weer naar de envelop in zijn hand. Hij kon nu wel meteen iets met deze brief doen. Hij trok de envelop die hij onder in de kast onder een stapel T-shirts had verstopt weer tevoorschijn, stopte de brief erin en verborg hem weer.

Heel even vroeg hij zich af waarom hij eigenlijk zo zijn best deed om de waarheid verborgen te houden. Wat gaf het eigenlijk als de kinderen er nu achter kwamen, als zij onder ogen moesten zien dat hun ouders niet volmaakt waren geweest? Maar bijna meteen herinnerde hij zich dat hij het in de loop der jaren een tiental keren met Elizabeth over dit onderwerp gehad had. Hij wist nog precies hoe onvermurwbaar ze was geweest toen ze uitsprak hoe zij erover dacht.

'We mogen hen er alleen maar van op de hoogte stellen als we hem hebben gevonden.' Die uitspraak had ze gedaan op serieuze toon en met een strak gezicht. 'Wij missen hem ons hele leven al en maken ons ook al ons hele leven zorgen om hem. Dat is voldoende. Het mag hen niet precies zo vergaan.'

John dacht over haar woorden na en nam daarbij in aanmerking wat er allemaal was veranderd. De kinderen waren inmiddels oud genoeg. De kans dat ze ontredderd zouden zijn of zouden treuren om een oudere broer, was niet meer zo groot als toen ze jong waren. En het zou gemakkelijker zijn om te onthullen hoe het precies zat. Op die manier hoefde hij zich er geen zorgen over te maken wat zijn kinderen in zijn inloopkast zouden kunnen aantreffen. Maar er was nog wel een reden om zijn kinderen niet op de hoogte te stellen van het bestaan van hun oudste broer.

Tot die conclusie kwam hij in evenveel tijd als het hem kostte om de doos met brieven weer op de plank in de kast te zetten. De reden was eenvoudig dat Elizabeth niet wilde dat hij dat deed.

En zolang hij ademhaalde zou hij haar wensen eerbiedigen.

15

Op de grauwe avond trok de ene na de andere bui over Bloomington, en Katy vond dat wel bij de situatie passen. Haar leven werd er perfect door gesymboliseerd. Ze had nog steeds geen contact gehad met Jenny Flanigan en de spanningen tussen hen leken alleen maar op te lopen. Bij het CKT hadden ze nog niet eerder zo'n trage start gehad in een nieuw seizoen, en over 24 uur zat ze in Los Angeles om zich voor te bereiden op een auditie voor een rol waardoor haar leven voorgoed zou kunnen veranderen.

Omdat ze zo veel had om over na te denken, wilde ze niet blijven rondhangen in het huis van de familie Flanigan. In plaats daarvan sprak ze met Heath Hudson af dat ze samen zouden gaan eten in een restaurantje niet ver van de universiteit.

Katy reed de parkeerplaats op, vond een plekje in de buurt van de ingang en parkeerde daar haar auto. Hoe had ze het in haar hoofd gehaald om met Heath uit eten te gaan? Het zou hem alleen maar op verkeerde gedachten brengen en wat had dat voor zin? Ze was niet in hem geïnteresseerd.

Ze keek even in de achteruitkijkspiegel om te zien hoe ze eruitzag. Ondertussen liet ze in gedachten hun gesprek de revue passeren.

'Je vertrekt dus maandag? Laat mij jou dan op een etentje trakteren voordat je gaat.'

Van Katy's gezicht moest Heath hebben afgelezen dat ze aarzelde, want hij zei grinnikend: 'We moeten het nog over de plannen voor het geluid voor *Tom Sawyer* hebben, weet je nog?'

Dat klopte, maar ze was niet meer zo zeker van haar zaak terwijl ze uit haar auto stapte en snel naar binnen ging. Ze zocht een afgeschermd tafeltje voor in het restaurantje uit en staarde uit het raam. Ze was een halfuur te vroeg en had daardoor tijd genoeg om na te denken over alles wat er in haar leven speelde.

Maar misschien had ze beter thuis kunnen blijven om in die tijd met Jenny te praten, om haar eerlijk te vertellen hoe het zat met die reisjes naar Californië. Alleen Rhonda wist waarom ze steeds naar Hollywood reisde. Toen ze die ochtend had gezegd dat ze naar LA ging, hadden Jim en Jenny haar allebei bevreemd aangekeken.

'Alweer?' vroeg Jim. De Flanigans stonden net als Katy op het punt om naar de kerk te gaan. Jim grijnsde. 'Wat is er loos? Heb je daar in het geniep een vrijer?' Hij plaagde haar, want hij keek net zo uit zijn ogen als wanneer hij met zijn kinderen aan het spelen was.

Ze schudde alleen maar haar hoofd en verzon een smoes. 'Ik ga er research doen. Verder niets.'

Research verrichten hoorde bij het werk van een regisseur van het CKT. Ze moest vaak naar een andere stad vliegen om naar een voorstelling van een ander CKT-gezelschap te gaan kijken. Zij besliste welke voorstellingen het CKT op de planken bracht, wat voor lessen er gegeven zou worden, en wat voor activiteiten ze buiten het seizoen om zouden kunnen organiseren. Bijna al haar beslissingen waren gebaseerd op de research die ze in andere steden verrichtte.

Het was dus een geloofwaardige smoes, maar ze had niet de waarheid gesproken en daar had ze nu last van. Ze leunde met haar ellebogen op de tafel. Ze had er zo veel last van dat ze het liefst direct naar huis was gegaan om de Flanigans de waarheid te vertellen.

Als de auditie ertoe leidde dat ze een rol kreeg in de film, zou ze hen daarvan op de hoogte moeten stellen en wat zouden ze dan wel niet denken? Maar stel dat ze de rol niet kreeg; liegen was niets voor haar. Katy deed haar armen over elkaar en liet ze op de tafel rusten. Haar moeder had haar opgevoed in de overtuiging dat liegen een van de ergste dingen was die iemand kon doen.

God, het spijt me. Ik heb gelogen tegen de Flanigans, ga uit eten met Heath terwijl ik niets voor hem voel... Waarom maak ik overal zo'n janboel van?

Een Bijbelvers uit de preek die ze eerder op de dag had gehoord, schoot haar te binnen. *Wees heilig want Ik ben heilig.* Deze uitspraak deed God tegen zijn volk in het Bijbelboek Leviticus, maar Katy had er nooit goed mee uit de voeten gekund. Hoe kon je als mens heilig zijn? Daar was toch alleen God maar toe in staat?

Die ochtend had de voorganger het duidelijk uitgelegd. God verlangde van zijn volk dat het heilig was, maar niet dat het volmaakt was. God was natuurlijk wel volmaakt heilig, maar voor zijn volk betekende heilig zijn dat het apart gezet was. Dat het anders was dan andere volkeren.

Katy liet een triest lachje horen. Je kon niet zeggen dat zij anders was dan anderen, als ze loog tegen de mensen bij wie ze in huis woonde. Ze zou de Flanigans later op de avond op de hoogte stellen, en dan misschien ook nog de tijd nemen om met Jenny een en ander door te praten.

Haar blik viel op een klok aan de muur. Ze was nog steeds twintig minuten te vroeg. Ze tikte met haar vingers op de tafel en dacht aan Rhonda. Dat ze daar niet eerder aan had gedacht! Ze moest aan Rhonda vragen of ze ook hiernaartoe kwam om met hen mee te eten. Dat was precies de goede oplossing, want Heath kon dit etentje dan onmogelijk aanzien voor een date. Omdat Rhonda gisteravond een paar minuten eerder naar huis was gegaan, had ze niet meegekregen dat ze met Heath uit eten zou gaan. Maar hij zou het niet erg vinden als Rhonda zich bij hen voegde.

Ze haalde haar mobiele telefoon tevoorschijn en belde Rhonda. Vijf minuten later had ze Rhonda zover dat ze beloofde te komen.

Het telefoongesprek was net afgelopen toen ze zag dat Heath zijn auto parkeerde, zijn raampje naar beneden draaide, er een paraplu door naar buiten stak en die opzette.

Katy fronste. *Waar was hij mee bezig?*

Terwijl de paraplu door het raampje naar buiten stak, duwde hij het portier open, sprong uit de auto en probeerde er een paar passen bij vandaan te lopen. Maar de geopende paraplu was te groot om hem weer door het raam naar binnen te duwen. Heath werd erdoor tegengehouden en viel bijna.

Katy sloeg een hand voor haar mond. 'Kom op, Heath,' fluisterde ze. 'Klap hem in of duw hem helemaal naar buiten en pak dan met je andere hand het handvast vast. Zoiets.'

Heath worstelde een paar seconden met de paraplu. Manmoedig probeerde hij hem door het raam naar zich toe te trekken. Toen hij de verkeerde kant op boog, hield Heath ermee op en duwde het knopje op het handvat in. De paraplu klapte weer dicht en zo kon hij hem eindelijk door het raampje naar zich toe trekken. Tegen de tijd dat hij het raampje omhoog had gedraaid, de paraplu had opgezet en hem boven zijn hoofd hield, was hij doorweekt.

'O, Heath.' Katy ademde langzaam uit. Ze zag hem over de parkeerplaats lopen en het restaurant binnengaan. Hij zag haar meteen.

'Hé.' Hij schonk haar een scheef lachje terwijl hij tegenover haar plaatsnam. Hij knikte in de richting van het slechte weer buiten. 'Wat een hondenweer, hè? Het is bijna niet te geloven dat een paar uur geleden de zon nog scheen.'

Er liep water over zijn gezicht en aan zijn wenkbrauwen en wimpers hingen regendruppels. Hij zag er bespottelijk uit, maar had toch iets ontwapenends.

Katy beet op haar lip om te voorkomen dat ze begon te lachen. 'Ja. En dan had je ook nog veel te stellen met die paraplu.'

Zijn gezicht betrok. 'Heb je dat gezien?'

'Ja.' Ze haalde haar schouders op. 'Doe de volgende keer het portier open in plaats van het raampje.'

'O, ja. Goede tip.' Hij glimlachte naar haar. 'Je bent vroeg.'

'Ja, dat kun je wel zeggen.' Katy gaf hem een servet en wees naar zijn wenkbrauwen. 'Je drupt nog steeds.'

'Fantastisch.' Hij pakte het servet aan, tuitte zijn lippen en knikte een paar keer achter elkaar. 'En ik probeerde nog wel indruk op je te maken.'

Katy lachte en veranderde van onderwerp. Het gesprek ging verder onder andere over de vorderingen die ze maakten met *Tom Sawyer*, en Katy genoot ervan. Heath vertelde haar dat hij een keer een presentatie had gehouden op een conferentie voor zakenlieden, en dat was een grappig, meeslepend verhaal. Buiten de wereld van het CKT, zonder al die kinderen die hen in het oog hielden, zou ze eigenlijk alle reden hebben om Heath Hudson aardig te vinden.

Ondanks zijn gehannes met de paraplu.

Hun gesprek was luchtig en aangenaam en na een tijdje gaven ze hun bestelling op. Toen moest Katy opeens aan Rhonda denken. 'O, dat ben ik vergeten je te vertellen,' ze nam een slokje water, 'ik heb Rhonda gevraagd of ze ook kwam.'

Aan zijn ogen zag ze dat hij er niet echt blij mee was. 'O, goed hoor.'

Katy sloeg haar ogen neer. Ze had Heath nu een jaar meegemaakt en wist nog steeds niet goed wat hij nu eigenlijk voor haar voelde. Misschien moest zij hem er nu naar vragen, voordat het uit de hand liep. 'Heath?'

'Ja?' Hij keek haar recht aan.
'Was dit een date?'
'Dit?' Hij wekte een moment de indruk dat hij het zou ontkennen, maar hij tilde even zijn handen op en liet ze weer zakken. 'Ja, ik denk van wel.'
Katy stak haar hand uit en legde die over zijn hand. 'Dat wist ik niet, Heath. Het spijt me.'
'Het geeft niet.' Hij schonk haar een geforceerde glimlach. 'Zo erg is het nu ook weer niet. Met Rhonda kun je ook plezier hebben.'
Katy liet zich een beetje onderuitzakken. 'Het spijt me, Heath. Echt waar.' Na enige aarzeling voegde ze eraan toe: 'Mag ik je iets vertellen?'
Hij leunde achterover en nam haar op. 'Ik denk dat ik wel kan raden wat je nu zult zeggen.'
'Ja, misschien wel.' Ze trok haar hand terug en ging iets rechterop zitten. 'Ik vind het fijn om met jou bevriend te zijn.' Haar schouders gingen omhoog. 'Zou dat voldoende kunnen zijn? In ieder geval voorlopig?'
De blik in zijn ogen werd zachter, en voor het eerst werd op een pijnlijke manier duidelijk dat hij meer dan vriendschappelijke gevoelens voor haar had. 'Dat is goed.' Hij keek diep in haar ogen. 'Kun jij me een plezier doen, Katy?'
Haar hart vulde zich met een warm gevoel. Door de manier waarop Heath nu keek, ernstig en kwetsbaar, kon ze zich bijna indenken dat ze meer voor hem zou gaan voelen. 'Zeg het maar.'
Hij hield haar blik een moment vast. 'Kun je het me laten weten als je van gedachten verandert?'
'Ja, Heath.' Ze hield het gevoel dat ze toch wel een band met hem had, nog even vast. 'Jij hoort het als eerste.'
Hij keek naar buiten en wees. 'Daar heb je Rhonda.'
Katy draaide zich om en zag dat haar vriendin naar de ingang van het restaurant rende. Om droog te blijven hield

ze een boek boven haar hoofd. Katy keek Heath weer aan. 'Alles goed?'

Zijn gezicht straalde een zelfvertrouwen uit dat duidelijk maakte dat hij zich nu niet meer in zijn hart liet kijken. Hij grinnikte zachtjes. 'Alleen als je niets aan Rhonda vertelt over de paraplu.'

Rhonda kwam naar hun tafel toe, buiten adem en doornat. 'Volgens de weerberichten valt er de eerstkomende paar uur vijf centimeter regen.' Ze liet zich op de plaats naast Katy neervallen. 'Waar is de kaart? Als ik niet snel iets te eten krijg, val ik flauw.'

Onder het eten bespraken ze onder meer welke personages een draadloze microfoon moesten hebben, en welke een plaats op het toneel toegewezen zouden krijgen, waar ze zich in de buurt bevonden van richtmicrofoons. Kort daarna ging Heath betalen en vertrok. Hij moest nog een paar dingen doen, verklaarde hij. Voordat hij wegliep, keek hij Katy nog even iets langer aan dan normaal.

Toen hij weg was, wierp Rhonda haar een doordringende blik toe. 'Wat had dat allemaal te betekenen?'

'Wat?' Katy plukte aan het restant van haar broodje.

'Die blik van Heath daarnet.' Ze trok een wenkbrauw op. 'Wat heb ik over het hoofd gezien?'

Katy lachte. 'Jij ziet nooit iets over het hoofd.'

'Precies.' Ze nam een slok frisdrank. 'Vertel het me dus maar.'

'Het heeft niets te betekenen.' Haar vriendin bleef haar onderzoekend aankijken, totdat Katy uiteindelijk zuchtte en zei: 'Nou, goed dan. Ik denk dat het Heaths bedoeling was dat dit een date was.'

'Wat dom van mij.' Rhonda leunde achterover en deed haar armen over elkaar. 'Ik had het kunnen weten.'

'Wat had je kunnen weten? Dat dit een date was?'

'Nee, dat Heath verkikkerd op je is.'

'Dat weet iedereen.' Katy verplaatste met haar vork de rauwkost op haar bord. 'Dat is nu net het probleem.'

'Niet als je in hem bent geïnteresseerd.'

Nu was Katy aan de beurt om haar wenkbrauwen op te trekken. 'Dat ben ik niet.' Ze keek neer op haar bord. 'Ik heb tegen hem gezegd dat ik alleen maar bevriend met hem wil zijn.'

'Dat kwam vast hard aan.' Rhonda zat even stil. 'Het is geen slechte vent, Katy. Ik vind hem eigenlijk best aardig.'

'Dat is hij ook wel.' Katy sperde haar ogen iets verder open. 'Zeg, waarom ga jij niet een keer met hem uit?'

Er viel een schaduw over Rhonda's gezicht. 'Hij voelt niets voor mij. Dat kan iedereen zo zien.'

'Hoe weet je dat nou?' De manier waarop Katy het zei, klonk niet overtuigend. 'Stel dat hij nog niet eerder op die manier aan jou heeft gedacht?'

'Dat is het niet.'

'Niet?' Katy voelde opeens hoop in zich opborrelen. Misschien was de oplossing van het probleem dat Rhonda en Heath een stel werden. 'Laten we het niet meer over hem hebben, maar over jou. Hoe kijk jij ertegenaan?'

Ze kenden elkaar al een hele poos, en al die tijd had Rhonda nooit de indruk gewekt dat ze zich ergens voor geneerde. Ze kon van alles doen terwijl ze met de kinderen van het CKT aan het werk was: lopen als een walrus of zingen als een eekhoorn, radslagen maken over het toneel of een paarse pruik opzetten. Maar nu het over Heath ging, leek het of Rhonda met zichzelf geen raad wist.

Ze staarde naar het rietje in haar glas. 'Ik zei toch al dat ik hem best aardig vind.'

'Rhonda?' Katy dempte haar stem. 'Je geeft echt om hem, hè? Waarom heb je me dat nooit verteld?'

Rhonda schudde haar hoofd en prikte in een koud frietje. 'Het gevoel is niet wederzijds, Katy. Hij geeft niets om mij.

Wat heeft het dan voor zin om er verder nog iets over te zeggen?'

Ze deden er allebei even het zwijgen toe. Katy wilde er niet op doorgaan, maar ze vermoedde dat Rhonda's reactie iets te maken had met de manier waarop ze naar zichzelf keek. Rhonda was een paar kilo zwaarder dan ze graag wilde zijn, en haar make-up kon niet verbloemen dat haar huid niet helemaal gaaf was. Haar blonde haar was goed geknipt, maar ze nam zelden de tijd om het in model te brengen.

Het maakte natuurlijk allemaal niets uit. Rhonda was knap; iedereen zei dat. Misschien kon Katy iemand zover krijgen dat hij Heath in het oor fluisterde dat Rhonda in hem geïnteresseerd was.

Rhonda verbrak als eerste de stilte. 'Soms vraag ik me af... Jij bent toch gelovig opgevoed?'

'Ja.' Katy knipperde met haar ogen. Waar wilde Rhonda naartoe?

'Is jou niet geleerd dat God een plan heeft met je leven, dat Hij je een hoopvolle toekomst wil geven?'

'Ja. Dat staat in Jeremia 29 vers 11.' Katy depte haar lippen met het servet. 'Mijn moeder herinnerde me vroeger steeds aan dat vers.'

'Weet je wat mijn moeder vaak deed?' Rhonda wachtte niet op een reactie. 'Zij ging iedere avond naast me op mijn bed zitten. Vanaf de tijd dat ik in groep zes zat geloof ik; zo heel precies weet ik het niet meer. Dan bad ze met me en in dat gebed noemde ze ook bijna altijd de man met wie ik ooit zou trouwen.'

'Echt waar?'

'Ja.' Rhonda legde haar handen gevouwen op de tafel. 'Mijn moeder vroeg dan aan God of Hij voor hem wilde zorgen, waar hij op dat moment ook was, en of Hij hem wilde doen opgroeien in een goed gezin, waar ze in God geloofden. Zo ging dat ongeveer. En dan bad ze ook nog of

God ervoor wilde zorgen dat wij elkaar ontmoetten wanneer de tijd er rijp voor was.'

Katy wist niet wat ze hiervan moest denken. 'Zo moet het dus gaan? En waar is hij dan nu?'

'Dat vraag ik me ook steeds af.' Je kon aan Rhonda's stem horen dat ze behoorlijk gefrustreerd was. 'Ik ben er klaar voor, snap je? Ik heb gewacht op de man die speciaal voor mij bestemd is. Het liefst zou ik nu tegen God willen zeggen: "Wat mij betreft mag het nu ieder moment gebeuren."'

'Ik weet het.' Katy draaide aan een pluk haar. 'Het zou gemakkelijker moeten gaan dan het nu gaat.'

'Gemakkelijker... eerder...' Rhonda gooide haar handen in de lucht. 'Alles behalve dag in dag uit deze eenzaamheid.'

Katy hield zich even stil. 'Geloof je het nog steeds?'

Er schoten tranen in Rhonda's ogen. 'Wat?'

'Geloof je nog steeds dat God iemand speciaal voor jou heeft bestemd, en dat je hem zult ontmoeten als de tijd er rijp voor is?'

'Ik wil het geloven.' Ze haalde haar neus op. 'Heb ik een andere keus? Maar elke dag heb ik het idee dat mijn kansen kleiner zijn geworden.' Ze sprak op rustigere toon dan daarnet. 'Weet je wat er laatst gebeurde? Om kwart over zeven verliet ik mijn appartement om naar mijn werk te gaan, tegelijk met nog twintig andere mensen. Uiteindelijk stonden we met zijn allen dicht tegen elkaar aangedrukt in de lift en we waren bijna op de tweede etage toen dat ding er gewoon mee ophield.' Rhonda keek naar haar bord. 'Pal naast me, met zijn schouder tegen mijn schouder, stond een man die ik al paar keer eerder had gezien, goed gekleed, iets ouder dan ik, geen trouwring.'

Katy boog zich over de tafel heen. 'Wat gebeurde er?'

'Ik zat dus vast in de lift en iedereen beklaagde zich, drukte op knopjes en maakte gebruik van de noodtelefoon om te horen wat er mis was. De helft van de mensen riep dat iemand moest zorgen dat het geval weer in beweging kwam. En weet je wat ik deed?'

Katy schudde haar hoofd.

'Ik snoof de geur op van de aftershave van die man, voelde zijn schouder tegen mijn schouder, en probeerde me te herinneren wanneer ik voor het laatst zo dicht bij een man had gestaan.' Ze zuchtte. 'Ik kon alleen maar denken: oh, toe, laat hem nog een uur vast blijven zitten.'

Katy liet haar hoofd even hangen. Toen keek ze Rhonda aan. 'Wat vervelend voor je.'

'Helemaal niet.' Ze slaagde er maar half in om te lachen. 'Nee, Katy, denk er nu nog eens even over na. Omdat ik kom vast te zitten in de lift, ben ik voor het eerst in vijf jaar zo dicht in de buurt van een man. Dat is toch zielig?'

Katy grijnsde naar haar. 'Heb je gevraagd hoe hij heette?'

'Eigenlijk niet, nee. Hij was een van degenen die zijn best deden om ons eruit te krijgen, snap je? Een van de mensen die riepen dat iemand ons moest komen helpen. Ongeveer een minuut later kwam de lift weer in beweging.'

'Tja.' Katy fronste. 'Niet erg veelbelovend.'

'Nee.' Rhonda haalde diep adem. 'Nou ja, wat ik eigenlijk zeggen wil is dat ik inderdaad om Heath geef. Maar ik zie hoe hij naar jou kijkt, Katy.' Ze nam een slokje water. 'Ik heb hem allang van mijn lijstje geschrapt.'

'Heath is mijn type niet.' Katy maakte met haar rietje de ijsblokjes in haar glas kapot. Ze kon nog maar moeilijk geloven dat Rhonda gevoelens had voor Heath. Hoe lang werkten ze eigenlijk al samen? 'Ik weet niet wat wel mijn type is.'

Rhonda schoof haar glas achteruit. Ze wierp Katy een veelbetekenende blik toe. Die zag al aan haar ogen dat ze haar ging plagen. 'Ik denk dat ik het wel weet.'

'O?' Katy lachte. Dit was de reden dat ze zo graag met Rhonda optrok. Ze konden serieus zijn maar zaten even vaak met elkaar te dollen. 'Weet jij van wat voor type man ik houd?'

'Ja.' Ze legde haar servet op haar bord. 'Van mysterieuze mannen die onverwacht naar een CKT-voorstelling komen kijken en dan opeens weer zijn verdwenen. Van mannen die toevallig Hollywoods beroemdste hoofdrolspelers zijn.'

Katy vertrok haar gezicht. 'Dayne Matthews?'

'In één keer goed.' Rhonda klopte zichzelf op de borst. 'Hier heb je dat het eerst gehoord.'

'Wat?' Katy's polsslag versnelde. Ze lachte om te verbloemen dat ze hierdoor van de wijs was gebracht. 'Doe niet zo raar, Rhonda. Hij is een playboy, een filmster. Ik zou nog niet voor hem vallen als hij de laatste persoon op aarde was.'

Rhonda knikte Katy toe. 'Onthoud nu maar wat ik daarnet heb gezegd.'

'Dayne Matthews kan volgens mij nooit de soort man zijn die past in het plan dat God met mijn leven heeft.' Katy stond op en pakte haar tas. 'Ga je mee, zotte vriendin van me. Ik moet voor morgen nog het een en ander doen.'

Ze vertrokken in Katy's auto en veranderden van onderwerp. Terwijl ze het over *Tom Sawyer* hadden en over de vorderingen die de decorcommissie maakte, kon Katy het wilde idee niet uit haar hoofd zetten. Dayne Matthews? Ze leek wel gek. Die man had niets met haar gemeen en mocht dat wel het geval zijn, dan was hij desondanks onbereikbaar, met al die sterretjes die om hem heen hingen.

Maar toen Katy Rhonda bij haar eigen auto afzette, merkte ze dat haar hart nog steeds sneller klopte dan normaal. Ze keek in de achteruitkijkspiegel en zag dat haar wangen rood waren. Ze legde de rug van haar handen tegen haar gezicht.

Wat mankeerde haar? Verried haar lichaam geheimen die haar hart nog niet eens in overweging had genomen? Was ze het ergens toch met Rhonda eens? Kon het waar zijn dat ze zich tot Dayne Matthews aangetrokken voelde?

Fronsend zette Katy de radio aan. Ze voelde zich helemaal niet tot hem aangetrokken. Ze zou naar LA vliegen, auditie doen voor de rol en terugkeren naar huis. Meer niet. De gedachte dat Dayne en zij een stel zouden worden, was lachwekkend, maar daar was niet alles mee gezegd.

Het was een gevaarlijke gedachte.

16

Chloe was het helemaal zat.

Ze vond het afschuwelijk om de hele dag in haar Honda de oprijlaan naar de studio in de gaten te houden. Dayne ging altijd naar binnen via de hoofdingang, maar dat wilde nog niet zeggen dat hij ook door die deur weer naar buiten zou komen. Het was warm en benauwd in de auto en het mes in haar zak porde haar steeds tussen de ribben.

Misschien had ze het geluk dat hij er niet zo lang bleef. Hooguit een uur of twee. Anna had met haar mee willen gaan, maar Chloe was weggereden voordat ze haar schoenen had kunnen aantrekken. Dat was het prettigste aan deze dinsdagochtend. Ze was in ieder geval alleen.

Ze was vandaag weer op de plek gaan staan waar ze meestal stond, op de heuvel met uitzicht op de weg langs de kust van de Grote Oceaan. Daar stond ze niet het liefst om hem in de gaten te houden, maar ze hadden haar de laatste tijd te vaak gesignaleerd. Eén keer voor de nachtclub en één keer terwijl ze om het huis van die Kelly Parker heenliep.

Die eerste keer had de politie haar bijna doorgehad; tenminste, dat had Anna tegen haar gezegd.

Vanaf de heuvel kon ze alles zien wat ze moest zien. Haar verrekijker werkte goed; ze had de studio scherp in beeld.

Ze drukte haar hoofd tegen het raam aan de bestuurderskant en keek strak naar de ingang van de studio. Wat voor echtgenoot was hij eigenlijk, dat hij op zichzelf woonde en haar steeds bij de studio in haar Honda opsloot? En het ergste was nog wel dat hij het hield met Kelly Parker.

Het mes dat tussen haar ribben porde, brandde in haar zak. Kelly Parker zou niet lang meer rondlopen. En dat gold ook voor ieder ander die het met haar man aanlegde. Waar haalden ze het lef vandaan?!

'Ga naar huis, halve gare.'

Chloe draaide zich met een ruk om en keek naar de stoel naast haar. Er zat niemand; alleen haar verrekijker lag erop. 'Wie zei dat?' Ze keek door de voorruit naar buiten. 'Anna? Was jij dat?'

'Ik weet wat je denkt.' Anna lachte net als altijd als een heks. 'Je zit hier op Dayne te wachten om hem te volgen naar elk restaurant waar hij maar gaat eten, en je hoopt dat hij er vandaag voor uitkomt dat jij zijn echtgenote bent.' Ze lachte weer en het gelach vulde de auto. Het drong Chloe's hoofd binnen tot het uit elkaar leek te barsten, en het bonsde in haar aderen.

'Anna?' Chloe keek naar de vloer onder haar voeten en toen wist ze het weer. Op de achterbank! Ze draaide zich helemaal om en hapte naar adem. Anna zat recht achter haar. 'Zit je daar al de hele tijd?'

Haar zus lachte spottend. 'Maak jezelf maar niets wijs, Chloe. Je komt toch niet van me af.' Ze wees naar de ingang van de studio. 'Het is maf om hierbuiten te blijven zitten. Die vent is je man niet.'

De woede kwam snel, zonder enige aarzeling, opzetten en was zo overweldigend dat haar hart ervan begon te bonken. Ze wees naar Anna. 'Ik wil geen woord meer van je horen, begrepen? Geen woord meer!'

Anna rolde met haar ogen en deed alsof ze haar lippen dicht ritste.

'Goed zo.' Chloe vond het prettig als dit gebeurde, als ze zo kwaad werd dat haar zus er echt stil van werd. 'Houden zo!'

Ze keek weer aandachtig door de voorruit naar de oprijlaan van de studio. Deze dag zou nu echt niets meer opleveren. Anna zou alles bederven. Zolang Anna bij haar was, zou Dayne niet met haar mee naar huis gaan, haar niet behandelen zoals een echtgenoot je hoort te behandelen. Dat had Dayne al tegen haar gezegd, zij het niet met woorden, maar met de blik waarmee hij haar had aangekeken, die keer dat zij op de oprit van zijn buren geparkeerd stond en hij haar had gezien.

Ze wist ongeveer waarom Dayne vandaag in de studio was. Volgens de bladen was hij op zoek naar een hoofdrolspeelster voor zijn volgende film. Het sprak voor zich dat niemand een betere tegenspeelster van Dayne Matthews zou zijn dan zij. Ze was tot nog toe in drie films figurant geweest en elke keer had ze bewezen dat zij de betere actrice was.

'Hier zit ik, Dayne.' Ze draaide het raampje half naar beneden en fluisterde de woorden de zoele zomerlucht in. 'De vrouw naar wie je op zoek bent, zit hier.'

'Je hebt last van waandenkbeelden, Chloe. Je hebt nog nooit van je leven geacteerd.'

Chloe draaide het raampje weer omhoog en knarsetandde. Ze werd gek van Anna. Deze keer trok ze haar mes uit haar zak en draaide zich vliegensvlug om. 'Ik zei toch dat je...'

Anna was verdwenen. Ze zat niet meer achter haar. 'Hier zit ik, sufferd.' Het werd op neerbuigende, scherpe toon gezegd.

Chloe schoof met een ruk achteruit tegen het portier van de auto aan toen ze Anna in het oog kreeg. Ze zat nu in de stoel naast haar. Zo geraffineerd kon Anna zijn. 'Ik zei tegen je dat je je kop moest houden!' Chloe kneep haar ogen halfdicht en hield haar mes ter hoogte van haar schouder klaar om toe te steken als dat nodig was. 'Ik wil je geen pijn doen, Anna, maar ik doe het wel als ik dat nodig vind. Zeker weten.' Haar hand begon te trillen en er gleden zweetdruppeltjes over haar slapen naar beneden. 'Houd je kop!'

Anna keek haar vol afschuw aan en draaide haar gezicht naar het raam.

Chloe liet het mes langzaam zakken. 'Dat is beter. Blijf maar uit het raam kijken.' Ze stak het mes weer in haar zak. 'Drijf me niet tot het uiterste, Anna. Ik heb er al eerder gebruik van gemaakt, weet je. Niemand is er toen achter gekomen en dat zal ook deze keer niet gebeuren.'

Er viel weer een zweetdruppel van haar gezicht. Hoe kwam dat nu weer? Waarom was het hierbinnen zo warm? Ze keek de auto rond en realiseerde zich dat alle raampjes dichtzaten. Op een zomerse dag moest ze de ramen eigenlijk wel openzetten. Ook als dat betekende dat Dayne kon horen hoe hard haar hart bonkte of hoe ze Anna met de dood bedreigde.

Het waren ramen die je met de hand moest opendraaien, want Chloe had geen behoefte aan dure dingen. O ja, Anna had ooit, lang geleden, een luxe leventje geleid, maar Chloe niet. Zij had de dagen dat ze in luxe kon leven nog tegoed, wanneer Dayne ervoor uitkwam dat zij zijn vrouw was. Dan zou ze ramen krijgen die automatisch omhoog en naar beneden gingen.

Ze draaide het raampje aan haar kant half open en snauwde tegen Anna dat zij dat ook moest doen. Anna snoof, maar ze deed wat Chloe zei. Als Anna wist wat goed voor haar was, zou ze steeds doen wat Chloe zei. Chloe had per slot van rekening het mes op zak.

Koele lucht vulde de auto en Chloe veegde het zweet van haar voorhoofd. Dat was precies wat zij nodig had. Open ramen. Ze keek strak naar de ingang van de studio. Waarover had ze zitten nadenken? O ja, ze wist het alweer.

Over het feit dat Dayne op zoek was naar een hoofdrolspeelster.

Op dat moment reed een zilverkleurige Mercedes de parkeerplaats op. Die zou Chloe overal herkend hebben, want het was Kelly Parkers auto. Chloe hoorde gesis, en even vroeg ze zich af of ze een lekke band had. Ze keek naar Anna en merkte dat ze weer boos begon te worden. Anna moest lachen bij het idee dat Kelly Parker auditie zou doen voor de rol in Daynes film. Of lachte ze haar uit?

'Houd je kop!'

Het gesis hield op.

Chloe stak haar hoofd uit het raam en schreeuwde: 'Zij niet, Dayne!' Hij moest haar horen. Ze schreeuwde zo hard als ze kon. 'Niet Kelly Parker!'

Chloe riep er nog een reeks scheldwoorden achteraan. Ze had met Kelly moeten afrekenen toen ze daar de kans voor had gehad. Dan zou Dayne nu aan haar gevraagd hebben auditie te komen doen voor de rol, in plaats van aan die valse slet Kelly Parker.

Vijf minuten later kwam de politie opdagen. Toen ze achter haar Honda stopten, liet Anna zich weer horen. Ze draaide haar gezicht naar Chloe toe, wees naar haar en liet haar kwaadaardigste lachje horen. 'Moet je zien wat je nu hebt gedaan, stommerd.'

Chloe's hartslag werd onregelmatig. Ze kon Anna niet doden, niet terwijl de politie achter haar stond. Vliegensvlug trok ze het mes uit haar zak en gooide het op de grond. Toen wierp ze een blik in de achteruitkijkspiegel en zag twee agenten uit de politieauto stappen.

'Ik wil geen woord meer horen, Anna.' Chloe snauwde haar zuster de woorden toe en gaf Anna gauw een harde klap in haar gezicht, voordat de agenten het zagen. 'Verdwijn!'

'Nee.' Anna boog zich naar haar toe. 'Dit is allemaal Kelly Parkers schuld. Dood haar, niet mij.'

Er klonken voetstappen naast het portier van haar auto. Ze draaide zich om en keek de mannen glimlachend aan. 'Hallo, agenten. Kan ik u ergens mee helpen?'

Een van de mannen hield zijn hand op zijn revolver. De

andere deed een stap naar voren. 'Hallo.' Hij knikte in de richting van de studio. 'Iemand van de studio heeft ons gebeld om te melden dat hier een auto geparkeerd stond. Vermoedelijk van paparazzi.' Hij boog zich voorover om in de auto te kijken. 'Heeft u een of meer fototoestellen bij u?'

'Nee, agent.' *Messen, ja. Fototoestellen, nee.* Ze wees naar zichzelf. 'Denkt u dat dat telefoontje over míj ging?'

'Had u een reden om uzelf een klap te geven toen we achter u stopten? Had u misschien een insect in de auto?'

Chloe's hersens draaiden op volle toeren. Ze had zichzelf geen klap gegeven. Ze had Anna een klap gegeven. 'Ja, dat klopt, agent. Een mug.'

'Aan uw gezicht te zien is die klap hard aangekomen.'

Ze lachte. 'Ja, maar ik ben niet door de mug gebeten.'

De agent keek haar onderzoekend aan. Ze kon zo wel zien dat hij haar niet geloofde. 'Nou, mevrouw, dit is geen parkeerterrein.' Hij sloeg zijn armen over elkaar. 'Vertelt u mij maar eens waarom u hier staat.'

'Om research te doen.' Het antwoord kwam onvoorbereid. Chloe deed haar uiterste best om een betere verklaring te verzinnen. 'Mijn zus schrijft een boek over de studio.' Ze probeerde ernstig te kijken. 'Ik ga voor haar op onderzoek uit.'

Hij zei er bijna meteen achteraan: 'O, zit dat zo. Mag ik even uw rijbewijs zien?'

Waarom wilden ze dat altijd? Chloe overwoog om het mes van de vloer te pakken en ermee naar de mannen te zwaaien. Dan zouden ze wel afdruipen. Ze keek naar de stoel naast zich.

Die was leeg. Anna was verdwenen. Echt iets voor haar. Ze bleef niet in de buurt op de momenten dat zich problemen voordeden.

Uiteindelijk lachte ze poeslief naar de agent. 'Ik ben bang dat ik het thuis heb laten liggen.'

'Weet u dat het illegaal is om te rijden zonder dat u uw rijbewijs bij u hebt?' De man trok een bonnenboekje uit zijn achterzak. 'Ik zou u hiervoor mee kunnen nemen naar het bureau, mevrouw. In plaats daarvan zal ik een bon uitschrijven en u vervolgens vragen weg te gaan. Wanneer iemand van de studio ziet dat u hier toch weer geparkeerd staat, komen we terug.'

De andere agent ging van zijn ene op zijn andere been staan. 'De veiligheid van de studio staat bij ons voorop. U moet tegen uw zuster zeggen dat ze contact moet zoeken met de afdeling die de publiciteit van de studio verzorgt, als er research verricht moet worden.'

Chloe knikte. 'Dat zal ik doen.'

'Goed.' De eerste agent hield zijn pen boven het bonnenboekje. 'Uw naam alstublieft.'

'Chloe Madden.'

De agent knikte. 'Geboortedatum?'

'19 December 1960.'

'Klopt het dat u 43 jaar oud ben?'

43? 'Ja, agent.'

Hij liep naar de achterkant van haar auto en krabbelde iets op de bon, haar kenteken waarschijnlijk. De andere agent stond de hele tijd naar haar te kijken. Ze voelde aan dat hij betwijfelde of haar hele verhaal wel klopte.

De eerste agent kwam weer bij het raam staan en trok een wit velletje papier uit het bonnenboekje. 'U krijgt tien dagen de tijd om op het bureau te komen bewijzen dat u in het bezit bent van een geldig rijbewijs. Het adres staat achterop, en ook een telefoonnummer.' Hij keek haar streng aan. 'Zorg dat dat wordt geregeld en maak dat u wegkomt. Begrepen?'

Ze knarsetandde, maar dat duurde maar een paar seconden. Er verscheen bijna meteen weer een glimlach op haar gezicht. 'Begrepen.' Ze knikte en zwaaide even vrolijk naar hen.

De agenten liepen terug naar hun auto, maar ze maakten geen aanstalten om te vertrekken. Chloe kreunde. Ze wachtten tot zij wegreed. Binnensmonds vloekend draaide ze het contactsleuteltje om. Ook goed. Ze zou vertrekken, maar ze kwam weer terug. Ze zou de volgende keer alleen voorzichtiger moeten zijn.

Deze confrontaties met de politie moesten ophouden. Het werd tijd om iets te ondernemen, om Dayne opdracht te geven naar huis te komen, waar hij thuishoorde. Als iemand haar probeerde tegen te houden, Kelly Parker of een ander sletje, zou Chloe gewoon haar mes pakken en haar van kant maken.

Ze had het mes al eerder gebruikt, zonder dat ze ooit betrapt was. Ze kon goed bijzonderheden geheimhouden; daar was ze heel goed in. Haar bloed begon sneller te stromen en haar polsslag versnelde. Het zou helemaal geen probleem zijn om het mes nog een keer te gebruiken.

Het zou opwindend zijn.

17

Dayne stond naast Mitch Henry toen Kelly Parker de ruimte binnenkwam waar de auditie zou plaatsvinden.

Het was een heel grote ruimte die deed denken aan een pakhuis, wat kenmerkend is voor een geluiddichte opnamestudio. Deze was voor de helft zwak verlicht, en de andere helft was verhoogd en werd fel verlicht door lampen die aan zwarte dakspanten hingen en elk een andere kant op schenen. Het verlichte gedeelte was zo ingericht dat het de toegang tot het appartement van de hoofdrolspeelster in Manhattan voorstelde: een trottoir dat uitkwam bij een trapje naar een kleine veranda en een nepdeur.

Het was de bedoeling dat in deze scène voor de camera een duidelijke chemie zou zijn waar te nemen tussen Dayne en degene die zijn tegenspeelster in *Dream on* zou worden.

Mitch keek op van zijn klembord. 'Bedankt dat je hiernaartoe bent gekomen, Kelly. Je weet wat er in de scène gebeurt?'

'De hoofdrolspeler loopt met mij mee naar huis aan het eind van mijn eerste werkweek. Voor de deur van mijn appartement dagen we elkaar een beetje uit en flirten we even, en dan kust hij mij.' Ze keek Dayne aan met een blik in haar ogen die boekdelen sprak. 'Ik kom een moment in de verleiding om hem te vragen binnen te komen, maar ik houd me in omdat ik opeens bedenk wie ik ben, hoe ik ben opgevoed.'

'Heel goed.' Mitch was zo te zien onder de indruk. 'Je hebt je huiswerk gedaan.'

'Uiteraard.'

Dayne verloor haar geen moment uit het oog. Hoewel ze iets te mager was, was ze heel aantrekkelijk; dat leed geen twijfel. In haar donkere spijkerbroek en strak zittende witte T-shirt oefende ze een bijzondere aantrekkingskracht uit. Hij merkte dat hij op haar reageerde, en ze waren nog niet eens aan de scène begonnen. Het was niet moeilijk om in te zien waarom ze zo voordelig uitkwam voor de camera; waarom ze zo'n veelgevraagde filmster was geworden.

Maar dat deed er allemaal niet toe.

Hij kon alleen maar aan Katy Hart denken, en aan het feit dat hij haar over een klein uur weer zou zien. Het was eigenlijk niet eerlijk tegenover Kelly, maar ze had zelf om de auditie gevraagd. Hij had er alleen maar mee ingestemd omdat ze met elkaar bevriend waren. En eigenlijk ook omdat er een kleine kans bestond dat Katy niet aan de eisen voldeed of, erger nog, dat ze om de een of andere reden de rol niet zou willen hebben.

'Goed, laten we van start gaan.' Mitch klapte twee keer in zijn handen. 'Dayne en Kelly, neem je plaats in.'

'Je wilt dat we vanaf de linkerkant van de verhoging een paar stappen doen en dan het trapje naar de veranda op lopen?' Kelly wees naar de kant van de verhoging die het verst bij haar vandaan was.

'Ja, precies.' Mitch liep met Dayne mee en nam zijn plaats in de buurt van de cameraman in. 'Laat maar eens zien wat je in huis hebt, Kelly.'

'Dayne weet wat ik in huis heb.' Met opgetrokken wenkbrauwen keek ze over haar schouder.

'Ja.' Mitch wierp Dayne een afkeurende blik toe. 'Dat zal best.'

Dayne negeerde de opmerking. Hij haalde Kelly in, liet zijn hand in die van haar glijden en boog zich naar haar toe. 'Houd daar nu mee op. Mitch is op zoek naar een onschuldig plattelandsmeisje, niet naar een verleidster.'

Ze keek hem met haar beroemde ogen aan en glimlachte. 'Ik kan onschuldig overkomen. Wacht maar af.'

Ze waren nog niet bij de verhoging aangekomen. 'Gaat het goed met je? Hoe staat het ervoor met de paparazzi?'

Haar ogen werden donker. 'Ik doe mijn best. Ik heb geen roddelblaadje meer gelezen sinds we elkaar voor het laatst hebben gesproken.'

'Mooi.' Hij liep de paar treetjes naar de verhoging op een voerde haar mee naar een plek naast hem. 'Je kent de tekst?'

'Moet je dat nog vragen, Dayne?'

Ze werkten de scène af zonder ook maar één keer te haperen. Kelly had gelijk gehad; ze kende haar tekst en deed haar best om overtuigend over te komen als onschuldig dorpsmeisje. Toen het tijd werd voor de kus, nam Dayne haar gezicht tussen zijn handen en drukte zijn lippen op die van haar. Ze reageerde op een manier die even natuurlijk was als ademhalen.

De chemie was geen probleem wat Kelly Parker betrof.

Binnen vijf minuten was de scène gespeeld en vanuit het halfdonker riep Mitch: 'Mooi, dat is voldoende.'

Daynes arm lag nog om Kelly's middel, en hij trok haar naar zich toe, zodat zijn mond slechts een paar centimeter van haar gezicht verwijderd was. Ze rook naar iets exotisch, iets kruidigs en even vergat hij waar hij was, en ook dat Katy Hart over een halfuur hier zou zijn. 'Je bent goed, meisje.'

'Dank u wel, meneer.' Ze gaf hem een vluchtige zoen. 'Jij ook.'

Mitch kuchte. 'Het is voldoende, zei ik.'

Dayne legde zijn arm nog iets vaster om Kelly's middel. 'Bedankt dat je hiernaartoe bent gekomen.'

'Ik wil de rol heel graag hebben, Dayne.'

'Weet ik.' Er kwamen opeens weer beelden van Katy bij

hem boven. 'We zullen zien hoe het loopt.'

Hand in hand stapten ze van de verhoging en liepen naar Mitch toe. Hij kwam hem halverwege tegemoet en lachte breed naar Kelly. 'Dat was fantastisch. We nemen weer contact met je op zodra we meer weten.'

Ze bedankte hem, en Dayne liep met haar mee naar de deur van de studio. Voordat ze vertrok, keek ze hem recht aan. 'Kom je vanavond langs?'

'Nee, vanavond niet.' Hij drukte een kus op haar voorhoofd. 'Ik heb andere plannen.' Dat was niet zo, maar hij hoopte dat het wel het geval zou zijn. Hij had aanvankelijk gedacht dat het beter was dat Katy en hij niet samen werden gezien, maar dat vond hij nu opeens niet meer zo belangrijk. Katy kende hier verder niemand. De paparazzi zouden hen niet lastigvallen als zij een auto huurde en ze zich daarin verplaatsten.

Kelly keek de halfdonkere ruimte rond. 'En, is mevrouw Beginneling er al?'

Dayne grinnikte. 'Nee, dat duurt nog even.'

'Jammer,' zei ze met een pruimenmondje. 'Ik had de concurrentie wel even willen zien.'

Pas nadat Kelly voor de tweede keer afscheid had genomen en wegliep over het terrein van de studio, dacht Dayne na over deze opmerking. Ze moest concurrentie voor de rol hebben bedoeld, maar ze had hem aangekeken op een manier dat hij zich dat afvroeg. Was hij echt zo doorzichtig? Had ze aan hem kunnen zien dat haar auditie hem niet snel genoeg kon gaan, zodat ze konden doorgaan met die van Katy? Dat hij vanaf het moment dat ze was vertrokken, ernaar uitgekeken had haar terug te zien?

Als dat het geval was moest hij voorzichtig zijn, want dan zou het ook Katy snel duidelijk worden. Ze zou er overigens vast niet van onder de indruk zijn dat Dayne Matthews niets anders kon doen dan aan haar denken. Hij had het idee dat ze niet veel ophad met Hollywood, de glamour en al het andere vertoon in zijn leven.

Dat was de reden dat ze opgehouden was auditie te doen; naar wat hij erover gelezen had in ieder geval. Nee, Katy Hart zou het niet opwindend vinden als ze wist wat hij voor haar voelde.

Ze zou waarschijnlijk op de vlucht slaan alsof haar leven ervan afhing.

ଓ

Katy wist pas dat er gekust moest worden toen ze in de studio was aangekomen.

Ze had het kunnen verwachten; het ging in de film om een romantisch verhaal, en ze had juist terug moeten komen voor een tweede auditie met Dayne om te kunnen beoordelen hoe zij voor de camera samen overkwamen. Maar toen Mitch haar meenam naar een kleine kamer en tegen haar zei dat ze een kwartier de tijd had om de scène te bestuderen, had hij niets over de kus gezegd.

Pas toen ze de scène van begin tot eind had doorgelezen, drong het tot haar door wat er aan het eind stond te gebeuren. In het bijzijn van Mitch Henry, een cameraman en wat voor personeelsleden van de studio er verder nog bij aanwezig waren, moest ze zo dadelijk met Dayne Matthews een kusscène spelen.

Ze herinnerde zich wat Rhonda twee dagen geleden had gezegd: *'Hier heb je dat het eerst gehoord.'* Katy drong de gedachte naar de achtergrond. Ze moest tekst uit haar hoofd leren. De auditie was niet meer dan een kans om in een film te acteren. Katy had er jarenlang over gedroomd, in de tijd dat ze op de middelbare school zat en aan de universiteit studeerde, en nu kreeg ze de kans.

Gisteravond had ze in haar eentje op haar hotelkamer gebeden. Ze had God gevraagd haar de rol te geven, als Híj haar deze kans bood als een manier om weer te gaan acteren lang nadat ze Tad Thompson had verloren. Als dat niet het geval was, als dit ertoe leidde dat ze nooit meer zou werken met de kinderen van het CKT of dat ze op de een of andere manier zou veranderen, dan hoefde ze de rol niet.

Ze had gevraagd of God er dan voor wilde zorgen dat ze in het eerste het beste vliegtuig zou zitten dat haar uit Hollywood kon laten verdwijnen.

Keer op keer was ze in gebed geweest over deze dag, dit moment, en had ze God om wijsheid gevraagd. En ze had naar haar idee telkens hetzelfde antwoord gekregen: WACHT. WEES GEDULDIG EN VERLAAT JE OP MIJ. Dat vond Katy prima. Het betekende dat ze vandaag nog niet alle antwoorden op haar vragen hoefde te weten. Ze mocht auditie doen en kijken of ze haar de rol zouden aanbieden. Daarna kon ze er dan over praten met Rhonda en de Flanigans, die niet thuis waren geweest die zondagavond, zodat ze niet de kans had gekregen hun te vertellen hoe het precies zat met die vliegreisjes van haar naar Californië.

De wijsheid waarom ze had gevraagd, zou haar geschonken worden, op wat voor manier dan ook.

Ze richtte haar aandacht op de tekst voor haar neus. Het waren eigenlijk maar weinig regels tekst. Ze praatte even over haar werk terwijl ze naar haar voordeur liepen, maakte een paar bedeesde opmerkingen terwijl ze op de veranda stonden, en hij waagde het er ten slotte op haar te kussen. Zij moest daarop eerst verbaasd reageren en er vervolgens blijk van geven dat ze er wel mee ingenomen was. Zo ingenomen zelfs dat ze overwoog hem te vragen mee naar binnen te gaan, voordat ze bedacht wie ze was en met wat voor kleinsteedse normen en waarden ze was opgevoed.

Katy kende de tekst binnen vijf minuten uit haar hoofd.

De rest van de tijd leefde ze zich in in het personage. Hoe zou ze zich voelen? Overweldigd doordat ze hier nu in de grote stad naast een knappe collega liep en merkte dat ze een klik met hem had? Zijzelf zou verlegen, opgewonden en zenuwachtig tegelijk zijn geweest.

Ze keek even hoe ze eruitzag, al ging dat niet zo gemakkelijk zonder spiegel. Ze had een nette, zwarte broek aan, een getailleerde, crèmekleurige blouse en zwarte schoenen met een klein hakje. Haar lange, blonde haar droeg ze gewoon in een paardenstaart. Ze nam haar tekst nog een keer door en toen klopte Mitch op de deur. 'Wij zijn zover, Katy.' Hij glimlachte vriendelijk naar haar. 'Heb je meer tijd nodig?'

'Nee, meneer.' Haar hart sloeg over. Nu was het zo ver; ze stond echt op het punt om met Dayne auditie te doen voor de vrouwelijke hoofdrol in een echte speelfilm, terwijl ze dat nog nooit had gedaan. Ze haalde een keer diep adem en stond op. 'Ik ben zo ver.'

Samen liepen ze naar de opnamestudio. Bij iedere stap herinnerde Katy zichzelf eraan dat ze moest doorgaan met ademhalen om kalm te blijven en zich te kunnen ontspannen. Ze was actrice, of was dat in elk geval geweest. Auditie doen was voor haar ooit de gewoonste zaak van de wereld geweest.

Maar al die gedachten vervlogen toen ze de studio binnenging en daar Dayne zag zitten. Hij las een document, het script waarschijnlijk, het ene been over het andere been, een potlood achter zijn oor. Tot haar eigen verbazing zag ze hem nu niet als een beroemde acteur, maar als vriend, als iemand met wie ze vertrouwd was.

Op het moment dat zij binnenkwamen, pakte hij het potlood en de stapel paperassen en legde dat alles op een tafel die vlak bij hem stond. Toen kwam hij naar hen toe. 'Katy.' Hij schudde haar de hand. 'Bedankt dat je bent komen. Ik weet dat al dat gereis behoorlijk slopend voor je is.'

'Geeft niet.' Ze had het idee dat ze kleurde, en was blij dat het hier halfdonker was. 'Bedankt dat je me hebt gevraagd terug te komen.'

Dayne stak zijn handen in zijn zakken en zag er zo tien jaar jonger uit dan hij was. 'Heb je het script gekregen?'

'Ja.' Ze moest even lachen. 'Ik denk dat ik de tekst ken. Ik ben een beetje nerveus.'

Hij raakte even haar schouder aan en glimlachte. 'Dat is nergens voor nodig. Je zult het fantastisch doen.'

Mitch was in gesprek met een andere man, maar op dat moment draaide hij zich om en kwam naar hen toe. 'Laten we beginnen.'

Iedere gedachte waarmee Katy haar zelfvertrouwen had opgevijzeld, verdween. Ze leek wel gek dat ze hiernaartoe was gekomen, dat ze dacht dat het haar goed recht was om auditie te doen voor een belangrijke rol tegenover Dayne Matthews. En hoe kwam ze erbij dat ze die rol wilde hebben, vooral na wat er met Tad was gebeurd? Ze hoorde in deze wereld niet thuis; ze had niet in huis wat er nodig was om...

'Katy?' Dayne pakte haar hand. 'Kom mee naar de linkerkant van de verhoging. Daar is het beginpunt.'

De opwinding was zomaar ineens weer terug. Ze had nog nooit van haar leven een rol zo graag willen hebben als deze. Ze leefde zich weer in in het personage zoals ze dat in het kleine kamertje had gedaan, en binnen enkele seconden speelde ze de rol niet alleen, ze wás ook echt het personage dat een hoofdrol speelde.

Het voelde goed, helemaal niet ongemakkelijk, dat Dayne haar bij de hand hield. Zo hoorde het ook te voelen, als ze werkelijk op het werk vriendschap met hem had gesloten en kon merken dat ze verliefd op hem begon te worden. Ze bevond zich niet meer in een holle studio, maar in een straat in New York City, waar de lucht rond haar gezicht koud was.

Ze ademde diep in, en toen Mitch riep: 'Oké, actie!', stond de scène haar levendig voor de geest.

'Ben je nog steeds blij dat je naar New York gekomen bent?' Dayne bleef langzaam lopen, op zijn gemak, toen ze op weg gingen, over het trottoir naar de veranda.

'Ik geloof van wel.' Ze keek naar hem op en stelde zich voor dat de lantaarns van de stad zich weerspiegelden in haar ogen. 'Het is hier drukker dan ik had gedacht. Het tempo is hoger.'

Dayne grinnikte. 'Ja, dat kun je wel zeggen.'

Katy keek omhoog en denkbeeldige gebouwen torenden hoog boven haar uit. 'Weet je, ik heb er mijn hele leven van gedroomd dat ik in de stad zou werken, maar nu...' Ze haalde haar schouders op. 'Ik mis het plaatsje waar ik woon, mijn familie.'

Ze klommen het trapje op en Dayne liet haar voorgaan. Toen zij op de veranda stond en hij op de bovenste tree van het trapje, bleef ze staan en keek hem aan.

'Ik weet zeker dat zij jou ook missen.' Na een korte stilte voegde hij eraan toe: 'Ik zou je in ieder geval wel missen.'

Ze sloeg haar ogen neer, maar keek ook meteen weer met grote ogen naar hem op. 'Waarom ben je eigenlijk zo aardig voor me? Je zou toch mijn rivaal moeten zijn? Dat is toch het spel dat wij, topverslaggevers, spelen?'

Volgens het script dat Mitch haar had gegeven, had Daynes personage inderdaad een dubbele agenda. Hij wilde zich haar bronnen toe-eigenen over wat volgens hem het belangrijkste artikel van het jaar zou worden. Maar op dit punt in de film begon hij tegen beter weten in verliefd op haar te worden. Eén moment was aan zijn gezicht zien dat hij zich ervan bewust was dat hij vals spel speelde. 'Het kost geen enkele moeite om aardig voor jou te zijn.' Hij kwam naast haar staan. 'Ik weet eigenlijk niet of ik het wel tegen jou kán opnemen.'

Ze keek hem onderzoekend aan; zo koket en dankbaar als ze zich net had gevoeld, zo verlegen was ze nu. 'Ehm... Ik kan nu waarschijnlijk maar beter...'

'Ik denk dat ik nu maar beter...'

Ze zeiden dit tegelijkertijd, precies zoals het script het hun voorschreef. Ze moesten er allebei om lachen, en zodra hun gelach wegstierf, legde Dayne zijn vingers aan weerskanten van haar gezicht en woelde ermee in haar haar. Voorzichtig haalde hij het elastiekje uit haar paardenstaart en liet haar haar los rond haar gezicht en over haar schouders vallen. 'Je bent mooi.'

Katy viel niet uit haar rol. Waar was hij mee bezig? Dat gedoe met haar haar stond niet in het script. En ook niet dat hij moest zeggen dat ze mooi was. Ze slikte. 'Ik weet niet of...' Ze slaagde er niet in de zin af te maken.

Hij trok haar naar zich toe en kuste haar. Het was een warme, echte kus die haar meevoerde op een golf van emotie en hartstocht wakker liep. Precies zoals het script voorschreef. Ze trok zich los en zag de begeerte in zijn ogen. 'Ik...' Ze legde haar hand op de deur. 'Ik moet naar binnen.'

Zijn ogen stonden vol vragen. 'Nu meteen?'

Deze keer drukte zij haar lippen op die van hem en sloeg hij zijn vrije arm om haar middel. Deze kus duurde langer dan de eerste, en Katy besefte heel goed dat ze graag wilde dat hij met haar mee naar binnen ging. Maar toen ze een stap achteruit deed, wist ze weer wie ze was en wat ze aan het doen was. Ze wreef met de rug van haar hand over haar mond en merkte dat er verandering kwam in haar gezichtsuitdrukking. 'Ik moet gaan. Het spijt me.' Met die woorden draaide ze zich om en duwde de deur open.

'Cut.' Mitch Henry klonk blij. 'Het staat erop.'

Op dat moment liet Katy pas de fantasiewereld die ze had opgeroepen, vervagen. Daynes arm lag nog steeds rond haar middel en ze draaide haar gezicht weer naar hem toe. 'En?'

Zijn ogen werden groot. 'Katy...' Hij liet haar los. 'Je was sensationeel. Wauw.'

'Echt?' Ze wilde hem vragen hoe hij erbij gekomen was om haar haar los te maken, maar dat durfde ze niet. Het was waarschijnlijk alleen maar zijn manier om te improviseren.

Mitch kwam naar hen toe en gebaarde dat ze van de verhoging moesten stappen. 'Heel goed, Katy. Ik ben onder de indruk.'

Ze liep achter Dayne aan het trappetje naar de veranda en vervolgens dat naar de verhoging af naar Mitch toe. 'Dank u.'

'Zeg,' Hij keek Dayne argwanend aan, 'weet je zeker dat je nog nooit een afspraakje met haar hebt gehad? Dit was heel overtuigend.'

Dayne lachte. 'Ik ken haar nauwelijks.' Hij keek haar aan. 'Maar het was ook naar mijn gevoel heel overtuigend.'

'Ja.' Katy sloeg haar ogen neer. Toen kruiste haar blik die van Dayne. 'Ja, zo voelde het wel, hè?'

'Jullie moeten echt even zien hoe het op de camera is overgekomen.' Mitch voerde hen mee naar de monitor. Hij richtte zijn aandacht op de cameraman. 'Wil je het nog een keer voorbij laten komen?'

De man drukte op een toets en de monitor sprong uit zijn slaapstand. Katy en Dayne stonden zo dicht naast elkaar dat ze zijn aftershave kon ruiken, en de warmte van zijn arm kon voelen. Nu de auditie achter de rug was, was ze niet nerveus meer.

Ze was stomverbaasd toen ze op de monitor zag hoe Dayne en zij het gedaan hadden. Ze wekten de indruk dat ze allang vrienden waren, zoals ze hand in hand in de stad over straat liepen. En in de scène op de veranda kwamen hun gevoelens op het scherm luid en duidelijk over, vooral toen ze elkaar kusten.

Toen er niets meer te zien was, grinnikte Mitch. 'Dit staat me wel aan.'

'Mij ook.' Dayne stootte haar licht aan met zijn schouder. 'Je bent steengoed, Katy.'

'Bedankt.' Ze glimlachte en had het gevoel dat ze weer het personage was. 'Jij ook.'

'Ik stel voor dat je met een van de gastvrouwen meegaat om iets te drinken.' Dayne wees naar een jonge vrouw die in de buurt van de toegangsdeur van de studio stond. 'Mitch en ik moet een paar minuten met elkaar praten.'

Ze moesten met elkaar praten? Katy verbloemde dat ze even naar adem snakte. Het was zover. Het belangrijke moment was aangebroken. Er hadden vast ook nog andere mensen auditie gedaan en casting directors lieten zelden tijdens een auditie blijken hoe ze er echt over dachten. Mitch Henry's reactie betekende niet dat zij de rol kreeg. Ze knikte en wierp Dayne nog gauw even een blik toe. 'Ik zit aan de andere kant van de gang, neem ik aan.'

'Ja, ik zie je daar wel weer.' Dayne zwaaide en keerde zich om, om met de casting director te praten.

Katy liep de studio door, en pas toen ze aankwam bij de vrouw bij de deur besefte ze dat ze zich er helemaal niet van bewust was geweest dat ze naar haar toeliep. Ze zweefde omdat ze om meer redenen blij was dan ze kon tellen. De auditie was bijvoorbeeld achter de rug en ze had het er zo goed als maar mogelijk was afgebracht. Niet één keer was ze de mist in gegaan.

En ze moest ook denken aan haar gebed van de vorige avond. Ze had gevraagd of God het haar wilde laten zien als ze hier niet thuishoorde, en tot nog toe had het er alle schijn van dat Hij deuren wagenwijd openzette. Maar het allerbeste was misschien nog wel dat niemand zich had afgevraagd of

Dayne en zij op camera samen een klik hadden. Als de onbewerkte opnamen die ze zojuist had gezien al ergens op wezen, was het niet alleen dat zij inderdaad samen een klik hadden.

De vonken spatten ervan af.

18

Katy was nog niet eens bij de deur toen Dayne zich omdraaide en Mitch Henry toefluisterde: 'Háár wil ik hebben. Ze is precies zoals ze zijn moet.'

'Wacht even.' Mitch trok een stoel naar zich toe en gaf Dayne met een knikje te kennen dat hij hetzelfde moest doen. Toen ze allebei zaten, boog Mitch zich naar voren. 'Ik maak me zorgen over haar.'

'Zorgen?' Dayne haalde zijn vingers door zijn haar en keek de geluidsstudio rond, zoekend naar een reden. 'Heb je naar de band gekeken? Dit meisje is precies wat we nodig hebben. Fris, nieuw, een uiterlijk dat kenmerkend is voor onschuld... En weet je waarom dat is?'

'Jazeker.' Mitch bleef rustig. Hij wierp Dayne een veelbetekenende blik toe. 'Omdat ze onschuldig ís. Dat begrijp ik wel, Dayne. Ze is knap en fris en ze kan acteren. En het lijdt geen twijfel dat jullie voor de camera iets hebben samen.' Zijn enthousiasme nam nog verder af. 'Maar er is nog iets anders waar jij misschien niet aan hebt gedacht.'

'En dat is?' Dayne hief zijn handen op. 'Waaraan heb ik niet gedacht?'

'Als ze zo onschuldig is als ze eruitziet, dan is dit leven misschien niets voor haar. Dan zal ze niet opgewassen zijn tegen alles wat er komt kijken bij het spelen van een hoofdrol in een grote speelfilm. Heb je daar wel over nagedacht?'

Dayne wuifde de opmerking weg. 'Dat is belachelijk. Het gaat maar om één film, Mitch. En wat is nou één film? Haar leven zal er niet door veranderen. Niet voorgoed, in ieder geval.'

Mitch keek hem een moment alleen maar aan. Toen grinnikte hij, maar vrolijk klonk het niet. 'Weet je het niet meer, Dayne? Jóúw leven is ook door één film veranderd. Je speelde de hoofdrol in *Mountain High* en je kon niet meer terug. Je kreeg zo veel aanbiedingen dat ze niet te tellen waren.' Hij lachte weer. 'Daar is maar één film voor nodig.'

Dayne tuitte zijn lippen en keek naar zijn schoenen. Hij vond het afschuwelijk dat Mitch gelijk had, maar hij was zo vastbesloten dat hij zich niet liet afschepen. 'Ze is toch hiernaartoe gekomen? Misschien kan het haar niet schelen als ze een ander leven krijgt.'

Mitch schudde zijn hoofd. 'Ze is niet bekend, Dayne. Ik ben het in veel opzichten met je eens, maar als je bedenkt dat het welslagen van de film van haar afhankelijk zal zijn, terwijl er vele miljoenen mee gemoeid zijn... Ik weet niet of we dit wel kunnen doen.' Na een korte stilte voegde hij eraan toe: 'Kelly Parker was ook fantastisch.'

Hiermee was het gesprek afgelopen. Dayne stond op en gaf Mitch een klapje op zijn knie. 'Ik wil haar. Geef me een dag. Als ik dan denk dat ze de rol graag genoeg wil hebben, zal ik hem haar aanbieden. En dan komen we gauw genoeg te weten of ze ervoor wegloopt.' Hij aarzelde even. 'Goed?'

Mitch wreef over zijn nek en zuchtte. 'Goed. Ga je gang.' Hij stak een vinger op. 'Oefen geen druk op haar uit, Matthews. Kelly kan de rol ook prima aan.'

Dayne voelde enthousiasme in zich opborrelen. Hij had groen licht gekregen. Nu hoefde hij alleen Katy nog maar over te halen. Misschien kon hij dat wel in een gesprek van vijf minuten voor elkaar krijgen, maar hij wilde er de tijd voor nemen om haar ook beter te leren kennen. Ze zou pas over een paar dagen terugvliegen en voor zover hij wist had ze verder niets op haar programma.

Hij trof haar aan in de kantine waar ze aan een tafeltje een slokje nam uit een flesje water. 'Hé.'

'Hallo.' Ze keek vragend aan. 'En… hoe luidt het oordeel?'

Haar ogen waren zo blauw, zo zuiver. Hij probeerde zich te herinneren waar hij eerder zulke ogen vol licht, liefde en goedheid had gezien. Opeens wist hij het weer. Luke Baxter had net zulke ogen gehad. Luke én Elizabeth. Hij richtte zijn aandacht weer op het hier en nu. 'Laten we het niet over oordelen hebben.'

'Niet?' Haar gezicht betrok. 'Betekent dat dat ik eerder terug kan vliegen naar huis?'

Ze hadden afgesproken dat ze tot donderdagavond zou blijven, voor het geval de casting director van haar verlangde dat ze het hele script nog eens goed bekeek. Zij zouden dan voldoende tijd hebben om een contract op te stellen, als ze haar er een wilden aanbieden. Hij liet een gemoedelijke lachje horen. 'Nee, Katy. Er wordt vandaag niet eerder gevlogen.'

Haar ogen waren groot; er sprak verwarring uit. 'Maar… Hoe gaat het nu dan verder?'

'Hoe het nu verdergaat?' Hij pakte haar hand vast en hielp haar overeind. Toen ze stond, liet hij haar hand los. 'Jij en ik gaan op zoek naar een plek waar we kunnen lunchen, en waar we ondertussen met elkaar kunnen praten.'

Ze zag er grappig uit toen ze haar gezicht zo vertrok dat er rimpels in haar voorhoofd verschenen. 'Over de film?'

'Over de film.' Hij wilde haar vragen of ze wist hoe schattig ze eruitzag, maar hij hield zijn gedachten voor zich. Hij wilde vandaag niet al te hard van stapel lopen en alles informeel en professioneel houden. Wat hij verder ook voelde, het zou moeten wachten tot een volgende keer. De kans bestond dat hij dat alles vergoed zou moeten inslikken. Hoe dan ook, hij wilde dat ze de rol in zijn film speelde. Hij grinnikte. 'Kun je daarmee instemmen?'

'Ja, goed. Weet je zeker dat je er tijd voor hebt?'

'Ik heb alle tijd van de wereld.' Hij dacht even na. 'Jij beschikt toch over een huurauto?'

'Ja, dat klopt.' Ze keek weer alsof ze benieuwd was wat hij van plan was.

'Laten we dan jouw auto nemen.' Hij trok een lang gezicht. 'Ik wil niet dat iemand foto's van jou neemt. Nu nog niet in ieder geval.'

Er daagde begrip in haar ogen. 'Paparazzi?'

'Karrenvrachten.'

ଓଃ

Katy liet Dayne rijden en vanaf het moment dat ze de studio achter zich lieten, was het alsof ze een dag uit een film beleefden. De zon stond hoog aan de hemel toen ze over Santa Monica Boulevard reden en uiteindelijk over de kustweg.

'Ben je ooit naar Malibu Beach geweest?'

'Nee. Is het daar mooi?' Ze ging verzitten, zodat ze hem beter kon zien.

'Niet echt.' Hij lachte. 'Niet in vergelijking met de stranden van een aantal eilanden waar ik ben geweest.' Hij haalde zijn schouders op. 'Maar het kan ermee door.'

'Gaan we daar naartoe?'

'Niet meteen.' Hij keek haar grijnzend aan. 'Ik rij eerst met je langs het afhaalloket van een Kentucky Fried Chicken.'

'Je meent het. Tjonge, dat zou ik nooit geraden hebben.' Ze merkte dat haar ogen begonnen te sprankelen. Ze reed nu met Dayne Matthews over de kustweg en niets ter wereld had naar haar gevoel vanzelfsprekender kunnen zijn. Hij had humor en zelfspot, want hij beweerde dat hij overschat werd en maakte meermalen grapjes over het feit dat hij zo veel succes had.

Toen ze bij het afhaalloket kip met aardappelpuree bestelden, zorgde Dayne ervoor dat hij met zijn gezicht naar Katy toe bleef zitten. Dat deed hij ook toen hij bij het volgende afhaalloket hun maaltijd in ontvangst nam, en hij bleef met haar in gesprek tot op het moment dat het meisje achter het loket hem het eten aanreikte.

'Bedankt.' Hij nam de doos van haar over en draaide zich onmiddellijk weer naar Katy toe om hem aan haar te geven.

'Hé, wacht eens even. Ben jij niet...?'

Dayne was al doorgereden voordat ze haar zin kon afmaken. Schouderophalend zei hij tegen Katy: 'Wat suf, zeg. Alleen omdat ze in Malibu werken, denken ze dat het hier wemelt van de filmsterren.'

Ze lachte en nam een meer ontspannen houding aan. 'Ja, heel suf.'

Nadat ze een paar minuten rechtdoor hadden gereden, maakte Dayne een bocht naar rechts, bij het water vandaan.

'Ik dacht dat we naar het strand gingen.' Katy keek om zich heen. Hij nam haar mee naar de campus van een universiteit, leek het.

'Ik heb zo'n idee dat het veel te druk zal zijn op het strand.'

Omdat het nog niet eens middag was op een doordeweekse dag, wilde ze ertegen ingaan, maar toen moest ze denken aan wat er bij het afhaalloket was gebeurd. Ging hij soms ergens anders naartoe omdat hij niet herkend wilde worden? Het was een ontnuchterende gedachte. Dag in dag uit moest hij zijn best doen om situaties te vermijden, waarin hij achtervolgd zou kunnen worden door fans en fotografen.

Dat begreep ze wel, maar ze had er niet echt over nagedacht.

Ze reden tegen een heuveltje met keurig gemaaid gras op, langs een hokje met een bewaker. 'Waar zijn we nu?'

'Op de campus van Pepperdine University.' Hij boog zich over het stuur heen en keek tegen de heuvel op. 'Mooi is het hier, hè?'

'Ja.' Ze keek uit zijn raampje naar de oceaan in de verte. Hoe hoger ze kwamen, hoe adembenemender het uitzicht werd. 'Ik heb van deze universiteit gehoord; een van mijn vriendinnen op de middelbare school is hiernaartoe gegaan.'

Ze reden linksaf de parkeerplaats op, vonden een plekje om te parkeren en liepen met hun lunch een pad af in de richting van een eindeloze, met gras begroeide helling. Er was niemand te bekennen en Dayne liep langzaam, op zijn gemak. 'Het is hier altijd zo leeg.' Met half dichtgeknepen ogen keek hij over het terrein in de richting van het water. 'Al dit gras en dit uitzicht... De studenten hebben het te druk met het volgen van colleges om ervan te genieten.'

'Je krijgt hier het gevoel dat je alleen op de wereld bent.'

'Ja, beter kun je het nergens treffen.' Hij liet haar plaatsnemen op het ene uiteinde van een bank; hij ging zelf op het andere uiteinde zitten en zette de bakjes met eten tussen hen in. Nadat ze ieder een bakje gepakt hadden, strekte Dayne zijn benen en zei: 'Vertel me dan nu maar eens iets, Katy Hart, over je baan in Bloomington.'

Hij overviel haar met deze vraag. Ze had verwacht dat hij over de film zou beginnen, of over de verwachtingen die Mitch Henry en hij van haar zouden hebben als ze haar de rol aanboden. Ze vroeg zich af of hij er echt in geïnteresseerd was, of dat dit onderdeel uitmaakte van een informeel sollicitatiegesprek. Met haar bakje eten in haar handen keek ze naar een paar ganzen die naar een kleine vijver waggelden. 'Ik neem aan dat je de naam van het gezelschap kent. Het Christelijke KinderTheater. Kortweg gezegd het CKT.'

'Ja.' Hij keek op met een gezicht waarvan was af te lezen dat hij uiterst geconcentreerd was. 'Theater door kinderen en voor kinderen, als ik het me goed herinner.'

'Klopt helemaal.' Ze glimlachte. 'We doen momenteel *Tom Sawyer*; ik geloof dat ik je dat al heb verteld.'

'Ja, ja.' Hij nam een grote slok van zijn cola light. 'Ik werd uitgenodigd om te helpen met het schilderen van de decors.'

Ze lachte. 'Dat heb je goed onthouden.' Ze nam de tijd om langzaam in te ademen. 'Ik houd van alles wat met het CKT te maken heeft.' Haar ogen richtten zich op een vast punt: de blauwe lucht boven haar hoofd. 'De kinderen, de voorstellingen, de ouders. Het is erg veel werk, maar als je in dat theater zit en een productie tot leven ziet komen, een voorstelling die zonder jou niet tot stand zou zijn gekomen...' Ze keek hem aan. 'Niets schenkt meer voldoening.'

Hij nam haar een moment op. 'Maar waarom ben je dan hier?'

'Om auditie te doen?'

'Ja, goed.' Zijn blik was niet veroordelend. 'Maar waarom ben je erop ingegaan als het zo bevredigend is?'

'Omdat...' Ze wist niet goed hoeveel ze hem wilde vertellen. Maar de combinatie van het zoele windje vanaf de oceaan en de stilte om hen heen maakte haar bereidwilliger om opening van zaken te geven. 'Omdat ik lang geleden niets liever wilde dan deel uitmaken van deze... jouw wereld.' Ze lachte. 'Je weet dat ik proefopnamen heb gemaakt.'

'Ik weet ook dat het daarna niet lang heeft geduurd of je deed helemaal geen audities meer.' Dayne keek haar onderzoekend aan. 'Wat is er gebeurd?'

Onverwacht werd ze overspoeld door een golf van emotie. Ze keek naar het zandpad onder haar voeten. 'Dat is een lang verhaal.' Toen ze niet meer het gevoel had dat ze een brok in haar keel had, probeerde ze het kort samen te vatten. 'Laten we maar zeggen dat ik gedesillusioneerd raakte.'

'Kwam dat door de filmindustrie?'

'Door de manier van leven. Het nachtleven, zeg maar.'

Dayne knikte langzaam. 'Ja, dat is ook de kritiek die we krijgen. Dat wij allemaal wilde, waanzinnige feestvierders zijn.' Zacht kreunend leunde hij achterover. Toen hij haar weer aankeek, had hij een smekende blik in zijn ogen. 'Je moet niet alles wat je hoort geloven, Katy.' Zijn gezicht stond opeens ernstig. 'Ja, voor sommige mensen is dat een probleem. Ze worden zo beroemd en hebben zo veel geld dat ze gemakkelijk aan drugs kunnen komen. Maar de meesten van ons houden zich verre van dat goedje.'

Ze kende hem niet goed genoeg om die bewering in twijfel te trekken, maar ze had een paar keer een van de Hollywood-bladen gelezen en zij hadden Dayne bijna altijd in een of andere nachtclub of danstent gesignaleerd. 'Jij waagt je niet in het nachtleven?'

'Jawel, af en toe.' Hij zette zijn bakje met eten tussen hen in, greep de rand van de bank vast en leunde achterover; de spieren in zijn schouders bolden onder aan zijn nek op. 'Ik ga uit met een paar vrienden, drink een paar glazen en de bladen noemen mij een feestbeest.' Hij hield zijn hoofd schuin en keek haar weer recht in de ogen. 'Ik zit 's avonds meestal in mijn eentje thuis films te kijken.'

Katy nam hem op. Hij wekte de indruk dat hij eerlijk was, en ze had geen reden om daaraan te twijfelen. Toch vond ze het ongeloofwaardig dat Dayne Matthews, Hollywoods playboy, 's avonds alleen thuis naar films zat te kijken. Dat was wel het laatste wat ze verwachtte dat hij zeggen zou. Ze begon hem daardoor aardiger te vinden en het werd gemakkelijker om een band met hem te krijgen.

Het bracht overigens ook nog iets anders teweeg. Het bracht haar kijk op het leven in Hollywood aan het wankelen.

Dayne onderbrak haar gedachtegang. 'Om kort te zijn, je bent niet gestopt met auditie doen omdat je opzag tegen alle aandacht die je zou krijgen als je beroemd werd?'

Katy nam de tijd voordat ze antwoordde: 'Nee, dat denk ik niet. Er... er gebeurde iets met een vriend van me, maar het probleem werd niet veroorzaakt door roem. In ieder geval niet direct.'

Dayne wachtte, en Katy had het gevoel dat hij wilde dat ze er meer over vertelde, maar daar was ze nog niet aan toe. Ze kende hem nog nauwelijks, en ze had nog niemand deelgenoot gemaakt van wat er met Tad was gebeurd, sinds ze uit Chicago was vertrokken. Ze nam een hap kip en hield een kippenpoot omhoog. 'Lekker. Proef zelf maar.'

Hij ontspande zijn schouders en pakte het bakje met eten weer op. Daarna aten ze in een gemoedelijke sfeer en maakten ze alleen af en toe nog een opmerking over de mooie campus, de heerlijk zonnige middag en de ganzen.

'Die ganzen zijn eigenlijk niet te vertrouwen. Ze kunnen in de aanval gaan.' Dayne at het laatste restje aardappelpuree op en veegde zijn mond af met een papieren servetje. Hij wees naar de vijver achter hen. 'Echt waar. Kijk maar.'

Katy keek even over haar schouder naar het groepje ganzen. Ze zwommen naar de oever, klommen uit het water en kwamen rechtstreeks op hen af. Ze slaakte een gilletje en schoof een klein stukje naar hem toe. 'Meen je dat nou?'

'Ja,' hij haalde twee koekjes uit de zak, 'maar daarom hebben we deze bij ons.' Hij stond op en liep de ganzen tegemoet. Toen hij de koekjes in stukjes brak en die tien meter de andere kant op gooide, vielen de ganzen erop aan. Om de grootste stukken te pakken te krijgen duwden ze elkaar aan de kant en pikten ze naar elkaar.

'Zie je wel.' Hij veegde zijn handen af en kwam weer naast haar zitten. 'Zodra ze in de gaten krijgen dat het allemaal op is, laten ze ons met rust.'

'Mooi.' Ze huiverde even. 'Houd jij ze in de gaten? Ik zou het vreselijk vinden als ik werd aangevallen door een Pepperdine gans.'

Dayne lachte. 'Ik geloof niet dat ze tanden hebben.'

Katy lachte met hem mee en toen zeiden ze allebei een tijdje niets. Totdat Dayne haar een peinzende blik toewierp en zei: 'Zeg, waar waren we ook alweer gebleven?'

Ze glimlachte. 'Wil je daarmee zeggen dat je genoeg weet van mijn voorgeschiedenis?'

'Mmm-hmm. Wat voor dromen heb je, Katy? Wat beweegt jou?'

Ze kreeg opeens last van maagkramp. Daar kon ze hem ook geen deelgenoot van maken, althans niet tot in de kleinste bijzonderheden. Ze tuitte haar lippen en probeerde een antwoord te bedenken dat hem tevreden zou stellen. 'De laatste vraag is makkelijk te beantwoorden. Ik ben christen. Had ik je dat al verteld?'

'Nee, maar daar was ik al achter.' Hij trok een raar gezicht, alsof hij iets aan het uitrekenen was. 'Eens even kijken... Christelijke KinderTheater...' Hij grinnikte. 'Ja, dat kon niet missen.'

'Nee, dat zal wel niet.' Ze lachte en voelde zich zo licht als een veertje.

Alle spanningen over de voorstelling, Heath Hudson en de oudercommissies vielen van haar af. Ze keek Dayne weer aan. 'Mijn geloof is in ieder geval mijn drijfveer. Ik denk dat ik kan zeggen dat God mijn grote Vriend is.'

Er veranderde iets in Daynes gezichtsuitdrukking, maar de verandering was te miniem om hem te kunnen interpreteren. Wat er ook de oorzaak van was, Katy had het gevoel dat hij op de een of andere manier geen goede herinneringen had aan het geloof of aan christenen. Hij streek over zijn kin; er zweemde een glimlach om zijn mond. 'Vertel me dan maar eens wat de God in Wie jij gelooft, zegt over naar Hollywood gaan en auditie doen voor een rol in een grote speelfilm.'

'Ik heb Hem die vragen voorgelegd in gebed.' In de verte zag ze een stelletje tegen de met gras begroeide helling oplopen; ze gingen ergens zitten. Het was al vreemd geweest dat ze met Dayne Matthews zat te lunchen op een helling met uitzicht op Malibu Beach, maar nu ze het over haar geloof hadden, werd de situatie domweg surrealistisch. Ze tilde haar hand een stukje op en liet hem weer op haar knie vallen. 'Ik heb gevraagd of God me dat duidelijk wil maken. Hij kan een deur dichtdoen of hem openzetten. Ik wil het alleen maar doen als Hij wil dat ik het doe.'

'Goed.' Zijn glimlach werd breder. 'Nou, misschien is dit dan een teken.'

'Wat?' Enkele overvliegende zeemeeuwen maakten veel lawaai. 'Wat voor teken?'

'Nou, de auditie is om te beginnen heel goed uitgepakt. Waarmee ik maar wil zeggen dat de vonken ervan afspatten en zo.' Dayne grijnsde naar haar en voor het eerst had ze het idee dat hij met haar flirtte. Zijn ogen schitterden, maar toen werd hij toch ernstiger. 'De rol is voor jou, Katy. Mitch en ik willen allebei dat je hem accepteert.'

'Wat zeg je nou?' Haar hoofd tolde, haar hart sloeg op hol. Ze wist niet wat ze zeggen moest, had geen idee of dit nu echt gebeurde of niet. Hij wachtte op haar antwoord; dat kon ze merken, maar ze kon geen woord uitbrengen. Hij bood haar de rol aan! Hij was voor haar! En opeens deed ze het enige wat ze kon doen, iets wat voor haar gevoel heel bizar en heel natuurlijk tegelijk was: ze slaakte een vreugdekreet en sloeg haar armen om Daynes nek.

Ze kon haast niet wachten om het Rhonda vertellen! En de Flanigans en de andere CKT-families! Die zouden het allemaal fijn voor haar vinden, of niet soms? Als ze de rol accepteerde, legde ze zich alleen maar vast voor één film. Ze zou kunnen terugkomen bij het CKT als ze dat wilde. Maar terwijl ze Dayne omhelsde en hij ook zijn arm om haar heen sloeg, kwam ze op een andere gedachte. Deze drong zich nog meer op dan alle andere ongelofelijke dingen die gebeurd waren sinds ze vanochtend in de studio was aangekomen.

Afgaande op hoe ze zich nu voelde, ging ze misschien helemaal niet terug.

ଓ

Chloe kookte van woede.

Wat dit ook voor nieuw meisje was, Chloe en Anna hadden haar nooit eerder gezien. Het was een blondine met een lief gezicht en een aantrekkelijke glimlach. Weer een sletje, natuurlijk, al zag ze daar niet naar uit. Chloe's verrekijker liet haar ieder detail meebeleven van de lunch in de openlucht van Dayne en het meisje. Ze had haar auto niet naast die van het meisje neergezet, maar een paar plaatsen verderop. Ze had geweten welke auto van haar was, omdat Dayne niet één keer in de drie maanden dat ze samen geweest waren, in een sedan had gereden.

Niet samen, getrouwd.

Ze zou hem over het hoofd hebben gezien, als ze niet had besloten alle auto's die aan kwamen rijden en weer vertrokken, na te gaan, zodra ze weer op haar plek op de heuvel vanwaar je uitzicht had op de studio, was gaan staan. Op die manier kon ze zien welke vrouwen meedongen naar de rol die eigenlijk alleen voor Chloe bestemd had moeten zijn. Ze had de blondine niet het terrein van de studio op zien komen, maar toen de zilverkleurige vierdeurs sedan wegreed van de parkeerplaats, zat Dayne achter het stuur en de blondine naast hem.

De sloerie.

Háár gezicht herkende Chloe niet. Het was dus waarschijnlijk iemand die nog onbekend was. En dat betekende dat ze Dayne nog maar pas had ontmoet, maar dat ze toch al bereid was met hem mee te gaan. Misschien wilde ze zelfs wel met hem mee naar huis gaan.

Ze liet een vinger langs het geslepen lemmet van het mes glijden. Het zat niet meer in haar zak, omdat ze het nu ieder moment nodig kon hebben.

Ze voelde nattigheid aan haar vinger en keek omlaag. Ze

bloedde. Het mes moest in haar vinger hebben gesneden toen ze aan het lemmet voelde. Ze grinnikte zachtjes. Het was maar goed dat het scherp was. Misschien kreeg ze maar één keer de kans om een meisje als Kelly Parker te grazen te nemen.

Of de blonde sloerie die daarginds op de bank zat.

Ze had al een besluit genomen, en ze had tegen Anna gezegd dat ze ervan zou lusten als ze zich niet gedeisd hield. De competitie was te sterk, te strijdlustig. Ze moest van haar rivales af zien te komen, als ze nog wilde bereiken dat Dayne zijn rechtmatige plek naast haar innam en met haar samenleefde als haar echtgenoot.

Een golfkarretje draaide de parkeerplaats op en Chloe bekeek het zorgvuldig. Ze vloekte. Het was natuurlijk een bewaker. Haal een verrekijker tevoorschijn en iedereen denkt dat je niet deugt. Ook goed.

Ze keek nog één keer naar Dayne en de blondine. Toen gooide ze het mes en de verrekijker op de stoel naast zich en startte. Ze kon op klaarlichte dag op een voor iedereen toegankelijk campus toch niets uitrichten, maar ze zóú haar rivales uit de weg ruimen. Voorgoed.

Het golfkarretje kwam dichterbij. Ze reed achteruit, maakte een bocht de andere kant op en scheurde weg. De blondine kon maar beter van haar lunch genieten, want als ze met Dayne Matthews bleef omgaan zou het een van haar laatste maaltijden zijn.

19

Katy belde Rhonda het eerst, maar ze kreeg niet de reactie waarop ze had gehoopt.

'Dat is fantastisch, Katy. Echt waar.' Haar stem had een enigszins trieste ondertoon. 'En je accepteert hem natuurlijk?'

'Rhonda, ik verwachtte dat je zou gillen, met de telefoon zou gaan smijten of een rondedansje zou maken. Dayne Matthews wil dat ik zijn tegenspeelster word in een film!' zei Katy opgewonden. 'Dat is toch niet te geloven!'

'Ik vind het echt geweldig voor je.' Rhonda aarzelde even. 'Verhuis je dan naar LA?'

'Nee, natuurlijk niet.'

Opeens was het haar duidelijk waarom Rhonda zo terughoudend reageerde. Ze dacht dat ze een vriendin kwijtraakte. En die kans zat er toch ook dik in, afgaande op wat ze had gevoeld bij Pepperdine University? Ze hield haar gedachten voor zich. 'Ik zal hooguit zes weken weg zijn. Jij kunt de eerstvolgende voorstelling voor me regisseren, en dan ben ik weer terug en zal alles weer precies zo zijn als het was.'

'Als jij er zo over denkt, zal het wel goed komen, Katy.' Rhonda leek niet overtuigd. 'Maar hé, wat doet het er ook verder toe. Ik ben blij voor je. Iedereen zal in de wolken zijn als ze het horen.'

'Je hebt het toch nog aan niemand verteld, hè?'

'Natuurlijk niet.' Er klonk verontwaardiging door in de Rhonda's stem. 'Je had me toch gevraagd om dat niet te doen.'

'Ja, dat is zo.' Het speet Katy dat ze erover begonnen was. 'Ik wilde het alleen maar even zeker weten.'

Het gesprek wilde daarna niet meer vlotten en Katy brak het af.

Ze liep heen en weer in haar luxueuze suite op de zeventiende verdieping van het Sheraton Universal en vroeg zich af aan wie ze het verder nog zou kunnen vertellen. Omdat haar ouders zelfs niet van de eerste keer dat ze auditie was gaan doen, afwisten, zou ze veel uit te leggen hebben. Het was bovendien in Chicago al elf uur 's avonds. Ze zou het hun later vertellen, als ze meer tijd had.

Ze ging op de rand van het bed zitten. Het was een dag geweest die wel wat weg had van een droom. Na de lunch had Dayne met haar rondgereden langs het strand en haar daarna teruggebracht naar de studio. Daar namen ze de eerste helft van het script door en aten er 's avonds in de kantine. Even na zevenen hadden ze afscheid van elkaar genomen, en nu had ze van de zenuwen zo veel energie dat ze wel de kamer rond had kunnen vliegen.

Ze stond weer op en bleef heen en weer lopen.

Ze zat zo met zichzelf in de knoop dat ze geen wijs meer kon worden uit haar gevoelens. Ze betrapte zichzelf erop dat ze om de haverklap de filmscène opnieuw beleefde: de paar stappen die ze op hun gemak hand in hand hadden gezet, zijn kussen. Telkens riep ze zichzelf een halt toe. Het was een acteerprestatie, verder niets. Dayne was een professional, en dat betekende dat hij af en toe een romantische scène moest spelen.

Ze liep naar het raam, trok de luxaflex op en keek neer op miljoenen lichtjes. Daar was toch niets mis mee, zolang het ingehouden gebeurde? Als actrice moest je nu eenmaal romantische scènes spelen.

God, help me om te weten wat ik moet doen. Ze werd gebiologeerd door de verkeersstroom op Hollywood Drive. *Wat ik vandaag heb gedaan was toch goed?*

DOCHTER, WAAK VOORAL OVER JE HART.

Moest ze over haar hart waken? Ze had het zo duidelijk gehoord dat ze in de verleiding kwam op te kijken naar het plafond om te zien of daar ergens een verborgen microfoon was. Eerst was ze eraan herinnerd dat ze heilig moest zijn, en nu dat ze over haar hart moest waken.

Nou, dat deed ze al. Ze was in ieder geval niet verliefd aan het worden op Dayne. Ja, hij was aantrekkelijk en ze hadden plezier samen, maar hij was niet iemand op wie ze verliefd zou worden, terwijl haar geloof alles voor haar was.

'God,' fluisterde ze tegen de koele ruit van getint glas, 'bent U daar?'

DOCHTER, WAAK OVER JE HART.

Ze kreeg op beide armen kippenvel. Ze was er af en toe absoluut zeker van dat ze de Stem van God haar antwoord hoorde geven. Dat gebeurde niet in hoorbare woorden, zoals ze in het begin had gedacht, en zeker niet op luide, duidelijke toon, maar als een fluistering diep in haar hart. Heel stil moest ze dan zijn om Hem te kunnen horen.

Zoals nu.

Als God wilde dat ze waakte over haar hart, dan betekende dat dat Hij wilde dat ze op haar tellen paste. Maar Hij stond het haar toch wel toe Dayne te kussen voor een filmscène en ze mocht dan toch in ieder geval de rol accepteren? Ze pakte de vensterbank vast en keek omhoog. De sterren waren niet zichtbaar, in tegenstelling tot al die lichtjes van de stad. Toch stelde ze zich voor dat ze ze even goed zag als thuis in Bloomington.

God, ik meen nog steeds wat ik gisteren heb gezegd. Ik wil dit niet als het niet naar Uw wil is. Als ik erdoor verander of ik er een slechter leven door krijg, verder bij U vandaan, sluit U deze deur dan alstublieft. Laat me zien wat U wilt dat ik doe, Vader.

Ze had haar gebed net beëindigd toen haar mobiel ging. Ze klapte hem open. 'Hallo?'

'Hoi. Met Rhonda,' zei haar vriendin op schaapachtige toon. 'Ik bel om te zeggen dat het me spijt. Toen je belde, kon ik alleen maar denken dat nu alles anders zou worden.' Haar stem klonk triest en een beetje angstig. 'Je bent mijn beste vriendin, Katy. Ik wil je gewoon niet kwijtraken.' Ze zuchtte. 'Toch had ik enthousiaster moeten reageren. Vergeef je het me?'

'Ja, natuurlijk.' Katy ging weer op de rand van het bed zitten. 'Ik begrijp het wel. Het is ook om bang van te worden. Ik weet niet waar dit op uitdraait en ook niet of ik de rol wel accepteer, maar ik heb er dezelfde gevoelens bij. Alsof alles gaat veranderen. En dat is niet altijd een goede zaak. Vooral niet als je eigenlijk vindt dat het in je leven juist de goede kant op gaat.'

'Je haalt me de woorden uit de mond.' Rhonda liet een triest klinkend lachje horen. 'Ik wist dat je het zou begrijpen. Je hebt me daarin nog nooit teleurgesteld.'

Katy glimlachte. 'Bedankt voor je belletje. Ik was niet boos.'

'Toch moest ik even sorry zeggen. Ik kon niet slapen voordat ik dat tegen je had gezegd.'

'Je bent een goede vriendin, Rhonda.' Katy liet zich achterover tegen het kussen zakken. Ze dacht terug aan het moment dat Dayne haar het nieuws had meegedeeld, en hoe zij zich toen had gevoeld. Meteen daarop bedacht ze hoe haar leven in Bloomington eruitzag. 'Maak je geen zorgen; ik blijf zitten waar ik zit.'

Er viel een stilte. 'Ehm... Je hebt me verder niets verteld. Ook niet over de auditie samen met Dayne.'

'Het was een soort liefdesscène.' Katy giechelde. 'Ik vroeg me al af of je me nog zou vragen of het leuk was geweest.'

'Een liefdesscène? Katy Hart, wat probeer je te zeggen?' Rhonda deed haar best om verontwaardigd te klinken, maar ze kon het niet volhouden. Ze lachte. 'Vertel gauw, ik barst bijna van nieuwsgierigheid.'

'Nou, het was gelukkig geen ingewikkelde scène. Het personage dat door Dayne wordt gespeeld, loopt met me mee van het werk naar huis, en wij worden allebei verliefd op elkaar en...'

'Jullie allebei?'

'Rhonda! Niet Dayne en ik! De personages!'

'O, ja.' Ze moest weer lachen. 'Sorry. Ga door.'

'We lopen dus naar huis, komen aan bij de deur van mijn appartement en daar kust hij me.'

'Heeft hij jou gekust?' gilde Rhonda. 'Heeft Dayne Matthews jou gekust?'

'Twee keer.' Katy lachte deze keer harder. Het was leuk om er met Rhonda over te praten. Zo'n gesprek had ze graag de eerste keer dat ze haar aan de telefoon had, met haar gevoerd.

'Hij heeft jou twee keer gekust? Stond dat in het script?'

'Ja, wat dacht je dan?' Ze ging rechtop zitten en plantte haar ellebogen op haar knieën. Ze overwoog haar ook te vertellen wat hij met haar haar had gedaan, en dat hij toen tegen haar had gezegd dat ze mooi was. Maar op dat moment was niet Dayne, maar zijn personage aan het woord geweest. Het was gewoon zijn manier geweest om een beetje te improviseren in een scène die hij door en door kende.

'Je weet natuurlijk al wat ik nu ga vragen.'

Katy fronste. 'Nee, hoor.'

'Kan hij goed kussen?'

'Rhonda!' Katy snoof van verontwaardiging. 'Het was gespeeld!'

'Tuurlijk!' zei Rhonda sarcastisch. 'Schei toch uit, Katy! Je hebt vanmorgen een romantische scène met de man gespeeld. Kan hij goed kussen, of niet?'

'Ehm, laten we zeggen dat hij veel ervaring heeft.'

'Ja, maar daarmee zeg je dan toch eigenlijk dat hij er goed in is?'

'Wil je het echt weten?' Katy stak haar voeten onder de

koele beddensprei en legde haar vrije hand onder haar hoofd.

'Ja, natuurlijk.'

'Het was fantastisch, Rhonda. Ongeveer drie seconden lang vergat ik helemaal waar ik was en waar ik mee bezig was. Echt waar.'

'Wat vond de casting director ervan?'

'Die gaf aan dat het in één keer goed was. Of we samen goed overkomen op het witte doek zal bij ons tweeën geen probleem zijn, dacht hij.'

'Geen wonder dat ze je de rol hebben aangeboden.' Rhonda's stem kreeg een dromerige klank. 'Ik kan maar niet geloven, Katy, dat jou dit echt overkomt.'

'Weet ik.' Katy's glimlach verflauwde. Ze zou haar later vertellen hoe de rest van de dag was verlopen, nadat ze in de gelegenheid was geweest uit te maken wat dit alles gevoelsmatig met haar had gedaan. 'Maar het betekent niet dat er voor mij en voor ons samen van alles verandert.'

'Fijn. Ik ben blij dat je dat zegt.'

Het gesprek werd beëindigd en Katy maakte zich gereed om naar bed te gaan. Omdat ze niet meteen in slaap viel, begon ze zich af te vragen of ze echt graag wilde weten of het naar Gods wil was. In dat geval zou ze heel goed moeten luisteren, want ze was zo opgewonden dat ze Hem er anders niet bovenuit zou horen.

Hoe opgewonden ze feitelijk was bleek die nacht. Ze kon nauwelijks slapen doordat ze keer op keer in gedachten de scène uit de film doornam, en ze zich probeerde voor te stellen hoe het zou zijn om zes weken lang met Dayne samen op locatie te zijn. Wat ze een paar dagen geleden tegen Rhonda had gezegd, geloofde ze nog steeds. Al was hij de laatste persoon op aarde, ze zou niet verliefd op hem worden. Ze wist niets van hem, behalve dan wat iedereen van hem wist.

Maar ze hadden het leuk gehad samen, en daaruit kon ze

niet alleen opmaken dat de zes weken samen binnen een mum van tijd om zouden zijn, maar ook dat ze voorzichtig zou moeten zijn.

Heel voorzichtig.

ൽ

De volgende morgen stuurde Dayne een auto naar Katy's hotel om haar op te halen. Ze ontmoetten elkaar in de kamer tegenover de geluidsstudio.

'We zullen de tweede helft van het script doornemen. Ben je er klaar voor?'

'Absoluut.' Ze voelden zich nu bij elkaar op hun gemak, alsof ze de afgelopen dagen een zodanige band met elkaar hadden gekregen dat ze zich er allebei goed bij voelden. Ze wees naar een van de tafels. 'Moeten we hier blijven?'

'Nee.' Hij grinnikte. 'Het wordt hier te vol. Kom maar mee.'

Hij gaf haar eerst een rondleiding door het studiocomplex. Terwijl ze erdoorheen liepen, raakten hun schouders elkaar af en toe even. Hij liet haar zien waar verschillende praatprogramma's en films waren opgenomen, en hij vertelde dat er voor *Dream on* waarschijnlijk op twee verschillende locaties gefilmd zou worden: in New York City en in Thousand Oaks, een buitenwijk van Los Angeles.

'Waarom?' Ze liepen er even rustig en achteloos rond als ze gisteren tijdens de scène hadden gedaan.

'Thousand Oaks kan doorgaan voor een dorp, vooral als je het landbouwgebied in trekt dat tussen Thousand Oaks en Moorpark in ligt.'

Er schoot haar opeens iets te binnen. Dit was haar kans om het met hem te hebben over zijn bezoek aan het theater in Bloomington. 'Hé, ik heb een idee.'

'Wat?' Ze liepen langs een heel mooie bloementuin. Dayne bleef staan, plukte een bloem van een petunia en stak hem haar toe. 'Vertel.'

'Dank je wel.' Ze pakte de bloem aan, en raakte er even zo door van de wijs dat ze zich niet eens meer herinnerde dat ze een idee had gehad, laat staan wat voor idee het was. Maar ze wist het algauw weer. 'Je zou Bloomington moeten nemen. Daar krijg je echt de sfeer van een plattelandsgemeente. De omgeving daar is precies wat je zoekt.'

Hij hield zijn hoofd een beetje schuin toen hij peinzend zei: 'Dat is het overwegen waard.'

Ze bleef staan en keerde zich naar hem toe; de zon scheen op haar gezicht. 'Je bent toch al een keer in Bloomington geweest, Dayne?'

'Ik?' Het had er alle schijn van dat hij het zou ontkennen, maar dat duurde maar een fractie van een seconde. Toen haalde hij zijn schouders op. 'Ja, het is een leuk plaatsje.'

'Wat was de reden?' Met half dichtgeknepen ogen probeerde ze te peilen wat er achter de beroemde glimlach schuilging. 'Je bent tien minuten binnen geweest voordat je het theater weer uit liep. Waarom deed je dat?'

'Ik was op doorreis.' Hij sloeg zijn ogen neer en liep verder. 'Het was lang geleden dat ik een amateurgezelschap bezig had gezien.' Hij keek om en grinnikte. 'Kom op, zeg. Zo belangrijk was het niet.'

Ze geloofde hem niet, maar ze haalde hem in en stemde haar looptempo af op dat van hem. 'Was dat de reden dat je wilde dat ik auditie deed voor de rol? Omdat je me daar had gezien?'

Dayne gaf niet meteen antwoord. Hij wekte de indruk dat hij zijn woorden zorgvuldig koos.

'Ja, dat klopt.' Hij maakte een nonchalant gebaar. 'Zo gaat het vaak, Katy. Je ziet iemand enkele minuten, en de eerstvolgende keer dat er een besluit moet vallen over een rolverdeling schiet die persoon je te binnen.' Hij glimlachte naar haar. 'Heel veel vrouwen hebben auditie gedaan voor deze rol, heel veel getalenteerde actrices, maar ik bleef voor me zien hoe jij er die avond op het toneel had uitgezien.'

'Het kwam dus niet door mijn televisiefilm?' Dat was informatie die insloeg. Dayne had haar gezien en had dat onthouden, en nu was zij zijn eerste keus als zijn voornaamste tegenspeelster in de film.

'Er hebben een paar dingen meegespeeld.' Hij leek een binnenpretje te hebben. 'Ik heb je achtergrond laten natrekken om te zien of je acteerervaring had. Zij kwamen op de proppen met de proefopnames en nadat ik die had gezien, wist ik dat je de rol aankon.' Hij schonk haar een scheef lachje. 'Daar is het verder bij gebleven.'

De stukjes vielen op hun plek. 'Maar waarvoor was je in Bloomington?'

Voor het eerst lichtte er in Daynes ogen iets op dat zweemde naar paniek. Hij stak zijn handen in zijn zakken en schopte tegen een losliggend steentje op het trottoir. 'Ik was op doorreis, zoals ik net al zei.'

'En dat moet ik geloven?' Ze hield de bloem onder haar neus en deed haar uiterste best om op luchtige toon te blijven praten. 'Waar was je ervóór dan geweest?'

Deze keer kwam het antwoord meteen. 'Op de universiteit. Een vriend van me doceert daar drama.' Om haar te plagen keek hij haar met opgetrokken wenkbrauwen aan. 'Ik mocht die middag tijdens de colleges optreden als gastspreker. Ik was op de terugweg naar Indianapolis, vanwaar ik de volgende ochtend terug zou vliegen, toen ik jullie theater zag.'

Ze wachtte tot het lawaai van een laag overvliegend vliegtuig was weggeëbd. Het was een geloofwaardig verhaal, en ze kende hem niet goed genoeg om nu nog door te vragen. Maar het leed geen twijfel dat er iets was weggelaten. Waarom had hij de avond niet met zijn vriend doorgebracht?

En waarom was hij dwars door landelijk gebied gereden? Vanaf de universiteit kon je heel gemakkelijk op de snelweg komen.

Maar hij wilde het niet meer over Bloomington hebben; dat kon ze duidelijk merken.

Toen het vliegtuig verdwenen was, gebaarde hij in de richting van een caravan niet ver van het hoofdgebouw van de studio. 'Als ik hier ben, is dat mijn verblijf.' Hij liep weer verder. 'Ik sta voor mijn eerstvolgende vier films onder contract bij deze studio. Die caravan was een van de extraatjes.'

'Mooi.' Ze had een gevoel alsof ze buiten adem was. Zou ze zo dadelijk alleen met Dayne in zijn caravan het script doornemen? Ze wist dat ze hem kon vertrouwen, al kende ze hem nog maar kort, maar was dat nu wel verstandig?

Hij ging haar voor en wees binnen naar een stoel, een tafel en een bank. 'Daar ligt het script. Begin het maar vast door te lezen, terwijl ik iets te eten voor ons klaarmaak.'

De caravan was ruim voorzien van pasteitjes, bagels en muffins. In de koelkast stonden onder andere sapjes en minstens twintig eieren. Dayne bewoog zich gemakkelijk door het keukentje, en Katy herinnerde zich dat hij gisteren had gezegd dat hij 's avonds meestal in zijn eentje thuis films zat te kijken. Hij maakte waarschijnlijk ook meestal zijn eigen eten klaar. Hij begon steeds meer op een doodgewone man te lijken die helemaal niet anders was dan alle andere mannen.

Ze pakte het script op en bladerde erin tot ze ongeveer halverwege was. Het was fijn om even de gelegenheid te hebben om het door te nemen. Als er een situatie in voorkwam waarin ze zich liever niet liet filmen, zou ze dat op deze manier te weten komen voordat ze de rol accepteerde.

De verhaallijn was goed, grappig en ook sterk, omdat er wendingen in zaten die de toeschouwers niet zouden verwachten. Ze was er helemaal in verdiept toen Dayne twee borden met roerei en stukjes fruit op de tafel neerzette. Hij ging tegenover haar op de stoel zitten en ze merkte dat ze zich begon te ontspannen. Hij had haar meegenomen naar zijn eigen caravan, maar dat wilde nog niet zeggen dat het zijn bedoeling was de scène die ze gisteren samen gespeeld hadden, te herhalen. Hij was niet op die manier in haar geïnteresseerd, punt.

Ze hield het script omhoog. 'Dit staat me wel aan.' Met een bedachtzame blik in haar ogen voegde ze eraan toe: 'Het is perfect voor zo'n soort verhaal.'

'Ja.' Hij schoof naar voren, tot op de rand van zijn stoel, en hield even haar blik gevangen. 'Als jij de rol accepteert zal het inderdaad een perfecte film worden.' Hij reikte naar een dossiermap die op een tafeltje naast zijn stoel lag. Hij haalde er een document uit en stak het haar toe. 'Dit is het contract, Katy. In de derde alinea staat hoeveel we jou ervoor willen betalen.'

Ze schoof het script aan de kant. Haar handen beefden toen ze het contract aanpakte. Ze durfde bijna niet te kijken, maar deed het toch. Het hoge bedrag bestond uit zes cijfers en benam haar bijna de adem. Dat zou ze bij het CKT nooit kunnen verdienen, al bleef ze er haar hele leven producties regisseren.

Hoofdschuddend keek ze hem aan. 'Dayne, dit is ongelooflijk.'

'Als je over drie jaar vijf miljoen dollar krijgt voor een film, zal iedereen dat beamen.' Met een voldane glimlach om zijn mond leunde hij achterover. 'Ze zullen allemaal willen weten hoe wij jou hebben weten te strikken voor zo'n gering bedrag.'

Haar hart bonsde zo hard dat ze zich afvroeg of hij dat aan de andere kant van de tafel kon horen. Ze wilde graag volmondig ja zeggen. Ja, ze accepteerde deze ongelooflijke kans. Ja, ze zou een paar weken werken voor een salaris waar ze haar hele leven genoeg aan zou hebben. Ja, ze wilde samen met hem een film maken die zowel grappig als sterk was, én fatsoenlijk genoeg om haar reputatie hoog te houden.

Maar een geluidloos stemmetje in haar binnenste zei iets, en Katy kalmeerde lang genoeg om ernaar te luisteren. WACHT, DOCHTER... WACHT OP DE HEER.

Ze sloot haar ogen en ademde langzaam in door haar neus. *Goed, God, ik zal wachten, maar het antwoord is ja. Dat weet ik gewoon.* Ze deed haar ogen open, legde het contract naast het script op de tafel en lachte naar Dayne. 'Mag ik eerlijk zijn?'

'Ja, graag.' Hij sloeg zijn benen over elkaar; zijn ogen schitterden.

'Ik zou er het liefst meteen mijn handtekening onder zetten, maar...' Ze riep zichzelf op door te gaan met ademhalen. 'Geef me een week de tijd. Ik wil erover bidden, gewoon om er zeker van te zijn dat ik het juiste besluit neem.' Ze rilde. 'Is dat goed?'

'Ja, hoor.' Zijn antwoord kwam snel, en in zijn ogen was slechts een moment teleurstelling waar te nemen. 'Maar Mitch zal er niet mee instemmen als het antwoord langer uitblijft.'

'Dat begrijp ik helemaal.' Ze was het liefst snel op hem af gestapt om hem weer te omhelzen, maar ze bedwong zich. In de weken die volgden, zouden zich nog vaak genoeg kansen voordoen om elkaar te omhelzen.'Ik weet het waarschijnlijk wel eerder.'

'Mooi.' Hij beet op zijn lip en nam haar op. 'Hoe gaat het dan met het CKT en je leven in Bloomington? Ben je bereid dat allemaal op te geven?'

'Nee.' Ze lachte geforceerd. 'De opnames voor de film duren maar een paar weken. Ik zal hooguit een van de CKT-voorstellingen mislopen. Ik wil niet uit Bloomington vertrekken.'

Er veranderde iets in zijn ogen. 'Ik heb je, geloof ik, nog niet gevraagd of je daar iemand hebt. Of je een vriend hebt, bedoel ik.'

'Nee.' Ze merkte dat haar wangen begonnen te gloeien. Was ze er verlegen mee dat ze op haar leeftijd geen serieuze relatie had, of hoopte ze eigenlijk dat hij er om andere redenen naar vroeg? Ze wist het niet goed. 'Nee, daar gaat het niet om. Wat ik er doe, vind ik gewoon leuk. Ik wil hen niet in de steek laten.'

'Katy...' Hij stond op om in het keukentje twee glazen sinaasappelsap te gaan halen. Hij gaf er een van aan haar en ging met zijn eigen glas in de hand weer tegenover haar zitten. 'Voordat je ja zegt, moet je bereid zijn dat allemaal op te geven.'

Ze keek hem onderzoekend aan. Meende hij dat nou? Ja, dat kon ze zien. 'Ik...' Ze schudde haar hoofd. 'Ik geloof dat ik het niet begrijp. Ik mag toch wel zelf weten of ik die keus maak?'

Hij grinnikte. 'Je beseft kennelijk niet hoe goed je bent.' Hij wees naar het script. 'Dat is nog maar het begin, Katy. Je zult zo veel aanbiedingen krijgen dat je er geen weg meer mee weet.' Zijn gezicht verzachtte. 'Dit was je ideaal, weet je nog? Daarnet zei je dat je plezier hebt in je werkzaamheden voor het KinderTheater. Maar hoe zit het dan met het acteren, Katy? Dat vond je vroeger heerlijk, vertelde je me gisteren. Dan heb ik toch gelijk als ik zeg dat acteren je ideaal was?'

Haar hoofd tolde. Hij had gelijk; dat had ze gezegd. Maar hoe moest het dan verdergaan met het CKT? Vanaf het begin had ze zichzelf voorgehouden dat ze terug kon gaan, dat ze na een korte periode van roem haar oude leventje gewoon weer kon oppakken. Maar nu...

Ze keek hem aan. 'Ja, dat was voor het grootste gedeelte van mijn leven mijn ideaal.'

'Zou het dan niet zo kunnen zijn, mevrouw Hart, dat dit,' hij pakte het contract en overhandigde het haar nog een keer, 'het teken van God is waarnaar je uitkijkt?'

ଓ

Toen Katy later met dezelfde chauffeur achter het stuur die haar die ochtend had opgehaald, het studioterrein verliet, kwamen ze bijna in botsing met een andere auto. Omdat het voertuig vlak voor hen invoegde, moest Katy's chauffeur uitwijken naar de andere rijbaan.

Katy ving een glimp op van de persoon die bijna een aanrijding had veroorzaakt, en ze kreeg koude rillingen toen ze zag hoe de vrouw keek. Met grote, starende ogen keek ze Katy recht aan. De vrouw was waarschijnlijk boven de veertig en ze had geel, droog haar. Ze deed haar denken aan een waanzinnige.

De chauffeur mompelde: 'Waardeloze paparazzi.'

'Paparazzi?' Katy keek recht voor zich uit toen de chauffeur naast de vrouw ging rijden. 'Ze ziet er eigenlijk niet als een verslaggever uit.'

'O, maar die heb je in allerlei maten en soorten. Maar deze staat hier bijna iedere dag. Parkeert telkens op een andere plek.' Hij wees met zijn duim over zijn schouder naar de auto die ze passeerden. 'Maar het is altijd diezelfde oude, gele Honda.'

Katy luisterde eigenlijk al niet meer. Ze waren niet met elkaar in botsing gekomen; dat was het enige wat telde. En ze kon er nu trouwens ook alleen nog maar aan denken dat ze vanavond samen met Dayne zou eten in de studio; dat was Daynes idee geweest omdat ze morgen vertrok. De bedoeling daarvan was waarschijnlijk dat ze nog konden doorpraten over wat hij eerder op de dag allemaal tegen haar had gezegd.

De auditie en het feit dat ze haar de rol en een contract hadden aangeboden, waren niet alleen maar geweldige, recente gebeurtenissen. Ze waren ook de tekenen van God waarom ze steeds had gebeden.

20

Het verffestijn was Ashleys idee geweest; ze had iets leuks willen organiseren om samen met Landon, Kari en Ryan te doen. Landon en zij hadden de taak toebedeeld gekregen de achtergrond van *Tom Sawyer* te ontwerpen. Het moest iets worden met bomen, een kronkelende rivier en gebouwen in de verte, zoals die waarschijnlijk in de 1800 in Hannibal, Missouri te zien waren geweest. Ze had sinds maandag gewerkt aan het ontwerp voor het enorme stuk schilderslinnen. Inmiddels was het woensdagavond en kon het tafereel in verf worden uitgewerkt.

Ze reden met zijn allen in één auto naar het Community Theater, nadat ze onderweg nog cheeseburgers en popcorn hadden ingeslagen. Ze hadden allemaal oude werkkleren aan, en Ryan vermaakte hen tijdens de rit met verhalen over de eerste training van de honkbalploeg.

'Jim Flanigan kan echt goed met kinderen omgaan.' Ryan zat op de achterbank, met zijn arm om Kari heengeslagen. 'Hij zou een dezer dagen zijn ideaal om weer coach van de nationale honkbalploeg te worden moeten opgeven om eerste coach van Bloomingtons middelbare school te worden. Dan zou ik het geluk kunnen hebben om zijn plaats in te nemen als parttime vrijwilliger.' Hij tikte Ashley op de schouder. 'Na vanavond kan ik misschien wel schilder van beroep worden.'

Ze keek grinnikend naar hem om. 'Je weet maar nooit. Misschien moeten we wel alle vier met onze decors de theaters langsgaan.' Ze maakte een weids gebaar. 'Ik zie het al helemaal voor me. Beschilderde decors voor theaters in kleine plaatsjes, verspreid door Amerika.'

Kari lachte en gaf haar een duwtje tegen de andere schouder. 'Misschien moet je eerst maar eens zien wat we in onze mars hebben.'

'Dat is waar.' Ashley keek naar Landon. 'Ik weet dat mijn lieve man het moment om zijn mouwen op te rollen en aan de slag te gaan nauwelijks kan afwachten.' Ze boog zich naar hem toe om hem een kus op zijn wang te geven. 'Zo is het toch, schat?'

'Jazeker.' Hij wierp Kari en Ryan via de achteruitkijkspiegel een sarcastische blik toe. 'Picasso in eigen persoon.' Hij liet zijn blik naar Ashley dwalen. 'Ik heb nog zo gezegd dat je Cole moest meenemen in plaats van mij. Die jongen kan veel beter binnen de lijntjes blijven.'

Lachend parkeerden ze en staken over naar het oude theater. Kari bleef naast Ashley lopen, en toen ze bij de deuren aankwamen, vertelde ze hoe fijn hun vader het vond dat hij die avond op de kinderen mocht passen.

'Hij had weer dat vonkje in zijn ogen dat er ook altijd was toen mam nog leefde.' Kari droeg een korte broek en een oud T-shirt. De kleren verhulden niet dat ze er nog zo goed uitzag dat ze nog steeds als model kon fungeren voor catalogi.

'Ik heb Cole gevraagd een handje toe te steken met de kleintjes.' Ashley trok een lelijk gezicht terwijl ze voor de anderen uit het theater binnenging. 'Je denkt toch niet dat het voor pap een te zware opgave zal zijn?'

'Nee.' Kari bleef naast haar lopen, terwijl de mannen enigszins achterbleven en het nog steeds over honkbal hadden. 'De kleine Ryan is moe. Cole en Jessie mogen een uurtje met hem spelen en dan valt hij wel in slaap.'

Ashley deed het licht in de zaal aan en ging op het podium af. 'Beginnen jullie maar vast aan de burgers, jongens.

Ik ga alles klaarzetten op het podium.'

Het Community Theater in Bloomington was meer dan honderd jaar oud en aan bijzonderheden in de architectuur was ook te zien dat het in een andere eeuw gebouwd was. Het had hoge plafonds en het rook er naar muf cederhout, precies zoals het op een zolder in een eeuwenoud huis kon ruiken. Lange, dikke, zwartfluwelen gordijnen scheidden in het intieme theater het podium van de zaal met zitplaatsen. Achter in de zaal waren twee gedeelten met balkons die aan nog eens zestig mensen plaats boden. Alles bij elkaar genomen kon het theater ongeveer vierhonderd mensen bergen, en dat was prima voor het type voorstellingen dat het CKT op de planken bracht.

Ashley vond het theater prachtig.

De eigenaars van het theater hadden het goedgevonden dat ze deze week iedere avond op het podium decors vervaardigden. Overdag werden de bovenverdiepingen door een stuk of tien zakenlieden gebruikt als kantoor, maar 's avonds konden dorpsbewoners er ruimte huren.

Het mooie aan het feit dat ze het verffestijn in het theater konden houden was, dat alleen het grote podium voldoende ruimte bood om aan de decors te kunnen werken.

Ashley duwde een lok van haar donkere haar achter haar oren en rende het trapje op naar het podium. Het was er koel en het tochtte er, maar dat was een verademing na de drukkende hitte buiten. Ze deed het licht aan, trok aan de koorden om het gordijn open te trekken en spreidde toen het schilderslinnen uit op het podium.

Ryan legde zijn broodje neer en kwam naar de rand van het podium toe. Hij zette grote ogen op. 'Vertel me nu niet dat we dat hele geval moeten beschilderen.' Hij stak zijn handen in de zakken van zijn korte broek. 'Ik moet morgenochtend trainen.' Hij wierp Ashley een plagerige blik toe. 'Dan zijn we toch zeker allang klaar?'

'Ik zei nog tegen haar,' Landon liep op zijn gemak over het middenpad om naast Ryan te gaan staan, 'dat er een hele ploeg nodig is om dat geval te beschilderen, en dat ze er dan nóg drie dagen over zullen doen. Maar je weet hoe Ashley erover denkt: waar een wil is, is een weg.'

Ashley schonk hun een veelbetekende glimlach en liep lichtvoetig het trapje af, terug naar Kari en de cheeseburger die ze voor haar hadden achtergehouden. 'Over tien minuten beginnen we, en dan zullen jullie zien dat het sneller gaat dan jullie nu denken.'

Voordat Ashley aan haar broodje begon nam ze een moment de tijd om God ervoor te danken dat ze zo'n hechte band had met haar zus Kari, en dat zij allebei getrouwd waren met mannen die al vanaf de middelbare school van hen hielden. Omdat dat bijzonder was, kon ze op dit soort avonden niet dankbaar genoeg zijn.

Onder het eten bleven de mannen plagerige opmerkingen maken over de werkzaamheden die ze zo dadelijk gingen verrichten. Toen ze uitgegeten waren, trokken ze hun schoenen uit en liepen naar de plek, halverwege het stuk schilderslinnen, waar Ashley de verf en de kwasten had klaargezet. Het was de bedoeling dat ze vanuit het midden naar de zijkanten toe werkten. Ze verdeelde de taken. De mannen zouden met vrij grote kwasten op het bovenste gedeelte een rij dikke bomen met bladeren schilderen.

'Ik heb de omtrek van de bomen en takken al geschilderd.' Ze wees naar het bovenste gedeelte van het decor. 'Jullie hoeven alleen maar binnen de lijntjes te blijven. Kari en ik zullen de gebouwen en de rivier voor onze rekening nemen.'

Landon pakte zijn kwast en een bus groene verf. 'Neem maar van mij aan dat je nog zult wensen dat je Cole had meegevraagd.'

Ze gingen aan de slag en kletsten onder het schilderen

over de andere Baxters. Ryan vroeg of iemand recent nog een van de anderen had gesproken.

'Ik heb Luke gesproken.' Ashley was bezig het dak van een warenhuis bruin te schilderen. 'Reagan en hij komen met Kerst hiernaartoe. Dat zijn ze in ieder geval van plan.'

'Ik wou dat ze hiernaartoe verhuisden.' Kari stak haar kwast in bleekblauwe verf en gaf meer kleur aan de rivier waaraan zij werkte. 'Het is lastig dat Reagan en hij zo ver weg zitten. Onze kinderen kennen elkaar niet eens.'

'Heeft iemand nog iets van Erin gehoord?' Landon lag languit op het podium en de hem toebedeelde bomen werden in een snel tempo groen. 'Hoe is het het afgelopen jaar met de meisjes gegaan?'

Kari glimlachte. 'Ik heb haar vorige week gesproken.' Met de kwast in haar hand helde ze op haar hielen achterover. 'Het is niet allemaal op rolletjes gegaan, maar Erin vindt dat niet erg. De twee baby's zijn ziek geweest, en de meisjes zitten op een kinderdagverblijf waar ze het alfabet leren en meer van dat soort dingen. Ik kan me niet voorstellen hoe het is om eerst helemaal geen kinderen te hebben en dan binnen een paar weken vier dochters, zoals Erin en Sam.' Ze blies een pluk haar voor haar gezicht vandaan en begon weer te schilderen. 'Ik vind dat ze het geweldig doen.'

Landon stak zijn kwast in de bus met verf. 'Hebben de oudste meisje het ooit over hun moeder?'

'Clarisse aanvankelijk wel.' Kari's glimlach vervaagde. 'Haar moeder schreeuwde altijd tegen haar en ze wilde weten waarom Erin dat niet deed.'

'Wat triest.' Ryan kwam overeind, rekte zich uit en bewonderde ondertussen zijn bomen. 'Alleen God kan die meisjes gebracht hebben waar zij moesten zijn, bij Erin en Sam.'

'Ja, maar hoe is het eigenlijk met Sam? Hechten de kinderen zich aan hem?' Landon keek niet op van zijn werkzaamheden.

'Ja, hoor.' Kari ging weer aan de slag. 'Wat de baby's betreft is dat nooit een probleem geweest, maar de oudere meisjes hadden er ongeveer acht maanden voor nodig. Zij hadden alleen maar boze, gewelddadige mannen gekend. Het mag een wonder heten dat zij zich überhaupt hechten.'

Ashley overzag het stuk schilderslinnen. Het was al voor ongeveer een vierde deel bedekt met verf. 'Moet je kijken, jongens, hoe goed jullie zijn!' Ze stond op en bewonderde hun werk. 'Ik had gelijk. We moeten hiermee de theaters langsgaan.'

'Ja, mijn opmerking dat je eerst maar eens moest zien wat we in onze mars hadden, was maar toneelspel.' Kari knipoogde naar Ryan. 'Wij hebben hier al jaren ervaring mee, nietwaar, Ryan?'

Landon moest lachen. 'Weet je dat ik soms denk dat Ashley en jij een tweeling zijn? Jullie zien er hetzelfde uit en jullie doen de dingen ook op dezelfde manier, en niemand kan zo goed anderen in het ootje nemen als jullie tweeën.'

Iedereen had plezier in dit verffestijn, en Ashley werd er opnieuw aan herinnerd hoe veel zij allemaal hadden. Ze kon zich nu nauwelijks nog voorstellen dat ze nog maar zeven jaar geleden zwanger en alleen teruggekomen was uit Parijs, het zwarte schaap van de familie Baxter. Destijds hadden Kari en zij misschien ook wel op elkaar geleken, maar ze hadden niets gemeen gehad. Ze had toen niet kunnen bedenken dat ze nu bijzonder op elkaar gesteld zouden zijn.

'Gisteren op de training zag ik Brooke en Peter in het park bij de school spelen met Maddie en Hayley.'

Ryan liet zich op zijn knieën vallen en begon weer te schilderen. 'Ik kan niet geloven dat Maddie na de zomervakantie naar groep drie gaat.'

'Met Hayley gaat het beter, vinden jullie niet?' Ashley was bezig met de deur van het warenhuis; zorgvuldig schilderde ze de scharnieren en de deurknop, zodat ze net echt leken.

'Brooke werkt nog steeds drie dagen per week met patiënten, en Peter en zij laten voor Hayley van maandag tot vrijdag een fysiotherapeut aan huis komen.'

'Weet ik.' Ryan keek met glanzende ogen op. 'Ik heb op het honkbalveld even een pauze ingelast en ben in die tijd naar hen toe gerend om hun gedag te zeggen.' Zijn stem klonk schor. 'Hayley keek grijnzend naar me op en zei: "Hoi, oom Ryan!" Ik begon bijna ter plekke te huilen.'

Ze zwegen allemaal een poosje om te bedenken hoe ver Hayley was gekomen, sinds ze twee jaar geleden bijna was verdronken. Ze zat nog steeds in een rolstoel, maar ze kon van de ene naar de andere kant van de kamer kruipen en zichzelf optrekken. Volgens Brooke verwachtten Hayleys fysiotherapeuten dat ze ooit weer zou kunnen lopen.

'Niemand vraagt er ooit naar.' Ryan trok een ernstig gezicht. 'Maar denken ze dat het ooit weer helemaal goed komt met haar? Dat ze alles weer terugkrijgt, zowel haar verstandelijke als haar lichamelijke vermogens?'

Kari keek op van de blauwe rivier waarmee ze nog steeds bezig was. 'Dat weet niemand. Alleen God weet dat.' Ze haalde haar schouders op en schudde haar hoofd. 'Ze had eigenlijk dood moeten zijn. Elk stukje vooruitgang is eigenlijk weer een wonder.'

Daar waren ze het allemaal mee eens, en ze schilderden een tijdje in een saamhorige stilte.

Een hele poos later vroeg Landon aan Ryan hoe het ging met zijn honkbalteam, hoe het er de komende herfst voor hen uitzag. Terwijl zij daarover doorpraatten, moest Ashley terugdenken aan wat er zich gisteren tussen haar en hun vader in zijn inloopkast had afgespeeld.

'Heb ik je verteld dat ik in paps inloopkast ben geweest?' Ashley ging verder met het postkantoor, het gebouw naast het warenhuis.

Kari giechelde. 'Heb je in paps inloopkast gezeten?'

Ashley moest ook lachen, maar ze onderdrukte het. 'Ik ging er niet zomaar in kijken.' Ze stak haar tong uit naar Kari. 'Ik was bezig de ramen in de slaapkamer van pap en mam open te zetten, toen ik iets hoorde ritselen in hun kast. Ik ging kijken, en het was afkomstig van een doos vol brieven die op de bovenste plank stond.'

'Brieven?' Kari hield op met verven en keek Ashley aan. 'Van wie?'

'Van een heleboel mensen. Vrienden en familieleden, kerstkaarten en een heleboel brieven van pap aan mam, of van haar aan pap.'

'Waarom heb ik daar nog nooit eerder iets over gehoord?' Kari speelde met haar verfkwast. 'Je zou toch denken dat mam ze aan ons zou hebben laten zien.'

'De doos stond bijna helemaal achteraan op de planken. Ik geloof niet dat ze ze aan iemand heeft laten zien.' Ashley merkte dat haar schouders enigszins afzakten. 'Misschien heeft ze daar geen tijd meer voor gehad.'

'Dat zou kunnen.' Kari zuchtte; het klonk verdrietig. 'Nou ja, vertel maar wat er verder is gebeurd.'

Ashley stak het uiteinde van haar kwast in een bus gele verf en ging met snelle halen over de wanden van het postkantoor om structuur aan te brengen in wat eruit moest zien als oude houten latten. Toen ze met een gedeelte ervan klaar was keek ze Kari aan. 'Ik haalde een brief uit de doos en die bleek van pap te zijn. Hij had hem aan mam geschreven nadat Luke geboren was.'

'Ja, zo attent is pap altijd geweest.' Kari's haar hing voor één kant van haar gezicht toen ze donkerder blauwe verf gebruikte om de rivier beter te doen uitkomen.

'Nou, ik was hem aan het lezen. Er stonden dingen in als hoe Lukes geboorte het gezin compleet maakte, en ik was juist aan het sentimentele gedeelte toe, toen pap binnenkwam en min of meer hysterisch reageerde.'

Kari keek haar even van opzij aan en veegde haar haar uit haar gezicht. 'Hè? Hoe bedoel je dat?'

'Nou, hij keek me zo vreemd aan dat ik er bang van werd, snap je? Tja, wat wil je, ik was helemaal alleen in huis en hoorde hem niet binnenkomen. De brief valt uit mijn handen en ik raap hem op.' Ze liet haar kwast nog een beetje gele verf opzuigen en keek Kari aan. 'Hij pakt me de envelop af, maakt hem open, haalt de brief eruit, werpt er een blik op, vouwt hem weer op en stopt hem terug in de envelop.'

'Dat kan ik wel begrijpen. Die brieven waren mam dierbaar. Misschien was hij zo verbaasd dat hij jou daar lezend aantrof, dat hij niet heeft bedacht dat jij de brief misschien nog had willen uitlezen.'

'Nee, dat denk ik niet.' Ashley bracht structuur aan in de andere kant van het postkantoor. 'Daarna begint hij me namelijk te vertellen dat ik mams brieven niet hoor te lezen, dat wij ze geen van allen horen te lezen, maar dat hij misschien wel een keer kopieën maakt van de mooiste brieven om er een brievenboek van samen te stellen dat we allemaal mogen inzien.' Ze trok haar wenkbrauwen op. 'Ik had graag willen zeggen: "Dat is goed, maar laat me toch eerst nog even de brief uitlezen die u in uw hand houdt." Maar voordat ik iets kon zeggen, pakte hij de doos en stopte de brief midden tussen de stapel.' In de korte stilte die nu viel, kruiste haar blik die van Kari. 'Ik had echt het gevoel dat hij niet wilde dat ik die brief uitlas.'

'Hmm. Vreemd.' Kari ging rechtop zitten en schoof een eindje achteruit, zodat ze aan het volgende stuk rivier kon beginnen. 'Ik zou nu wel graag willen weten wat erin stond.'

'Ja, ik ook.' Ashley legde de laatste hand aan de sierlijsten van het postkantoor en kroop een paar meter opzij. Nu was de gevangenis van het plaatsje aan de beurt. 'Het zou natuurlijk ook zo kunnen zijn dat het hem niet om de inhoud van de brief ging. Misschien heb jij gelijk en wil hij alleen maar niet dat we in mams spullen neuzen zonder dat hij ervan weet.'

'Dat zou kunnen.'

'Maar er gebeurde die dag nog iets wat me dwarszit.' Ze verfde nu eerst de muren van de gevangenis bruin. 'Pap was zaterdagochtend niet de hele tijd in de kerk.'

'Niet?' Kari hield haar gezicht dicht bij het schilderslinnen om goed te zien waar precies Ashley met potlood had aangegeven dat er een andere kleur verf gebruikt moest worden. 'Waarom niet?'

'Pap ging eerder weg dan anders, omdat hij op stap zou gaan met een paar vrijwilligers met wie mam bevriend was.' Ashley ging op haar knieën zitten om de rij gebouwen waarmee ze bezig was geweest te overzien. Ongeveer vier meter bij hen vandaan waren de mannen bezig. Zij maakten iets moois van de bomen en letten er daarbij op dat ze niet over de details en takken die Ashley al geschilderd had, heen kladderden. Ze keek Kari aan. 'De vrijwilligers met wie mam bevriend was... Gaat er nu bij jou geen belletje rinkelen?'

'Nee, niet echt.' Kari hield op met verven en legde haar kwast dwars over de verfbus. 'Moet dat dan?'

'Weet ik niet, maar dat gebeurde bij mij wel.' Ashley veranderde van houding en spreidde haar benen zo, dat ze aan weerskanten van het gebouw dat ze aan het schilderen was, lagen. 'Ik vermoed dat pap vaak dingen onderneemt met een groepje van die mensen. Afgelopen zaterdag zijn ze een wandeling gaan maken bij Lake Monroe.'

'Dat is goed, denk ik.' Kari hield haar hoofd schuin. 'Wie zitten er in dat groepje?'

'Voornamelijk mensen die met pensioen zijn. De eerste keer dat mam tegen kanker moest vechten, kwamen deze mensen vaak langs met cadeautjes en bemoedigden haar. De een kwam op maandag, twee anderen kwamen op woensdag, enzovoorts.'

'Ja, dat weet ik nog. Toen ze beter was, ging ze een keer per week met hen mee om ergens bij te springen.'

'Ja, klopt.' Ashley pakte een andere kwast. 'Het waren allemaal mensen van wie een geliefd persoon overleden was aan kanker.'

'*Hoop doet leven,* noemden zij zichzelf niet zo?'

Ashley knipte met haar vingers. 'Dat is het. Ik kon het me niet herinneren.' Ze boog zich dichter naar het schilderslinnen toe en bekeek de gevangenis waarmee ze bezig was. 'Zeg, weet je wie deel uitmaakt van dat groepje?' Ze wachtte niet op antwoord. 'Elaine Denning.'

'Mams vriendin die af en toe thee kwam drinken?'

'Ja.' Ashley tuitte haar lippen. 'Ik heb die vrouw nooit aardig gevonden.'

'Waarom niet?' Kari keek niet op. 'Ze leek best sympathiek.'

'Omdat ze weduwe is.' Ashley had luider gesproken dan daarnet en dwong zichzelf om weer zachter te praten. 'Ze is al tien jaar weduwe.'

'Nou en?'

'Nou en?! Ik vond altijd al dat ze te familiair omging met pap, weet je.'

Kari legde haar kwast weer over de bus heen en ging op haar knieën zitten. 'Denk je dat pap in haar geïnteresseerd is?'

'Ik heb hem ernaar gevraagd.' Ze keek schuldbewust. 'Dat vond hij niet zo prettig. Hij zei dat hij niet geïnteresseerd was, en dat hij ook helemaal geen vriendin had.'

'Ashley.' Kari klonk als een ouder die een standje uitdeelt. 'Dat had je niet mogen vragen. Het spreekt voor zich dat hij geen vriendin heeft. Er is voor hem nooit iemand anders geweest dan mam.'

'Dat zal best.' Ashley stak haar kwast in een donkerder kleur verf en begon aan de tralies van de gevangenis. 'Het hele gebeuren voelde gewoon niet goed.' Ze maakt dat gedeelte van het gebouw af. 'Denk jij dat pap ooit zal hertrouwen?'

'Pap?' Kari pakte haar kwast en begon weer te verven. 'Nog in geen miljoen jaar. Wat mam en hij samen hadden was te bijzonder.'

Ze schilderden een paar minuten in stilte verder. Ashley wilde haar ook nog vertellen dat hun moeders stoel in de kast stond, maar ze schoot vol. Haar blik werd troebel van de tranen, en ze moest drie of vier keer met haar ogen knipperen om het schilderslinnen goed te kunnen zien. Uiteindelijk ging ze op haar hurken zitten en haalde haar neus op. 'Ik mis haar ontzettend.'

Kari sloeg haar arm om Ashleys schouders en boog haar hoofd dicht naar haar toe. 'Ik ook, en dat geeft niks. Het is logisch dat we haar missen, Ash.'

Ryan en Landon krabbelden overeind en kwamen naar Kari en Ashley toe. Aan hun ogen was te zien dat ze iets in hun schild voerden. 'Zeg, het is nu officieel.' Landon tikte met zijn kousenvoeten die van Ashley aan.

'Wat zei je?' Ze snufte en haalde haar vingers onder haar ogen door. Er zweemde een glimlach om haar mond. Het was onmogelijk om lang verdrietig te blijven als Ryan en Landon het op hun heupen hadden. 'Wat is officieel?'

'Op dit moment,' Ryan stak zijn borst naar voren en grijnsde, 'hebben de mannen meer schilderslinnen onder handen gehad dan de vrouwen.' Hij sloeg zijn arm om Landon heen. 'En volgens mij is ons gedeelte vrolijker.'

'Beter,' verbeterde Landon.

'Ja.' Hij maakte een buiging in Kari's richting. 'Beter.'

'Echt waar?' Kari kroop terug naar haar werkplek en wierp de mannen een sceptische blik toe.

'Jazeker,' zeiden ze allebei tegelijk. Eerst keken ze elkaar daarbij aan en daarna wierpen ze een blik over hun schouder, zogenaamd om hun werk te controleren. Landon stak zijn duim naar hen op. 'Er is geen twijfel over mogelijk.'

'Eens even kijken.' Ashley knipoogde naar Kari. Ze kwam overeind en overzag de beschilderde gedeelten van het decor. Toen keek ze Kari aan en zei: 'De jongens hebben gelijk. Ze zijn sneller en beter.'

'Dat is me nou ook wat.' Kari fronste in een poging het spelletje mee te spelen. 'Wat moeten we eraan doen?'

Ashley legde haar kwast neer en veegde het stof van haar handen. 'Ik denk dat we maar het beste een ijsje kunnen gaan kopen. De jongens maken het decor dan wel af. Waarom zouden we proberen beter te zijn dan zij?'

'Goed idee.' Kari legde haar kwast neer en stond op.

Terwijl ze het podium afliepen wierp Ashley even een blik over haar schouder. Ryan keek met een boos gezicht in Landons richting, waarop Landon Ryan een por tussen zijn ribben gaf en geluidloos zei: 'Als je nog eens wat weet.'

Ryan schraapte zijn keel en deed een paar passen in hun richting. 'Hé, dames...' Hij lachte geforceerd. 'Zeiden wij daarnet dat we sneller en beter waren?' Hij keek eerst Landon aan en daarna Ashley en Kari. 'Wat we daarmee wilden zeggen was, dat we niet aan jullie kunnen tippen, zelfs niet als we op ons best zijn.'

'Wilden jullie dat er echt mee zeggen?' Kari zette haar handen in haar zij.

'Ja,' viel Landon hem bij, 'zelfs niet als we op ons best zijn.'

Lachend haakten Kari en Ashley bij elkaar in en keerden zich om, om terug te lopen naar hun werkplek. 'Maak je niet druk. Jullie zijn waarschijnlijk inderdaad sneller en beter.' Ze keek Kari glimlachend aan. 'Maar daar staat tegenover dat wij ondertussen fijne gesprekken met elkaar hebben.'

Er kwam gerinkel uit Ashleys handtas die een eindje verderop stond. Ashley haastte zich ernaar toe, pakte haar telefoon en klapte hem open. 'Hallo?'

'Ash, met Luke.' De stem van haar broer klonk hartelijk en

zo dichtbij dat hij best in het gebouw had kunnen zijn. 'Hoe is het met je?'

'Luke! Wat fijn om je stem te horen.' Ze keek om beurten de anderen aan, die alle drie waren blijven staan om zich even heerlijk uit te rekken, voordat ze weer aan de slag gingen. 'Goed. Ik ben momenteel in het theater om samen met Landon, Kari en Ryan een decor te schilderen.'

'Dat lijkt me leuk.' Luke lachte even. 'Bij jou weet je maar nooit wat je aan het doen bent, Ash.'

De andere drie zwaaiden en mompelden een groet.

'Hoorde je dat iedereen je gedag zei, Luke? Hoe is het met jou?'

'Prima. Tommy kletst ons de oren van het hoofd en Reagan voelt zich fantastisch.' Hij zweeg een moment. 'Ze vroeg mij jullie te bellen om jullie ons nieuwtje te vertellen.'

'Een nieuwtje?' Ashleys mond viel open en hij bleef openstaan. Ze hield haar adem in. Waren ze...?

'We gaan een kindje adopteren!' Hij lachte zo hard dat Landon, Kari en Ryan dichterbij kwamen; aan hun gezichten was te zien dat ze barstten van nieuwsgierigheid. 'De biologische moeder zal in februari bevallen.'

Ashley schreeuwde het uit en maakte een rondedansje. Toen zwaaide ze met de telefoon naar de anderen. 'Nog meer Baxter-kinderen!' Toen moest ze opeens ergens aan denken. 'Maar jullie kunnen dan toch nog wel met Kerst hiernaartoe komen?'

Luke grinnikte. 'Ik had al bedacht dat jij daaraan zou denken. Ja, daar rekenen we wel op, want de moeder heeft op dat moment als het goed is nog zes weken te gaan.'

'Jippie!' Ashley stond al te trappelen van ongeduld. 'Ik ben heel blij voor jullie, Luke. Zeg maar tegen Reagan dat we wildenthousiast zijn. Waren we nu maar bij jullie, dan zouden we jullie allebei een dikke knuffel geven.'

Het gesprek duurde nog een paar minuten. Nadat Ashley

had opgehangen, vertelde ze de anderen wat Luke allemaal had gezegd. Vrolijk en blij als ze waren, veranderde het gesprek steeds van onderwerp. Nadat ze het over hun kinderen hadden gehad, ging het over de cruise die Ashley en Landon in juli zouden gaan maken.

Kort na negenen waren ze klaar met het decor. Ze waren het er allemaal over eens dat het een kunstwerk was geworden, en Ashley kon het moment bijna niet afwachten dat Katy Hart er een blik op zou kunnen werpen.

Terwijl Landon die avond zijn tanden poetste, liep Ashley Coles donkere kamer binnen en ging op de rand van het bed zitten. Het gesprek met Kari kwam weer bij haar boven, over de inloopkast en haar vader en hoe ontzettend zij allemaal hun moeder misten.

Ze haalde haar vingers voorzichtig door Coles sprieterige blonde haar. Het leven ging zo snel. Hoelang was het eigenlijk al geleden dat ze zwanger was geweest van de kleine Coley? En hoeveel langer geleden waren zij en Luke nog maar kinderen geweest die een hechtere band met elkaar hadden dan met de andere kinderen uit het gezin? Ze zuchtte.

En nu kreeg haar broertje binnen afzienbare tijd een tweede kind.

Er welden tranen op in haar ogen en ze biggelden over haar wangen. Het was zo'n fijne avond geweest, dat het onbegrijpelijk was dat ze nu moest huilen. Ze boog zich voorover en wreef met haar natte wang langs die van Cole. Hij was nu al zo groot! Hij praatte en gedroeg zich als een schooljongen, niet als het boefje dat hij de eerste jaren was geweest.

Hij draaide opeens zijn hoofd om, zodat hij met zijn andere wang op het kussen lag.

'Oma hield heel veel van je, Cole,' fluisterde ze. 'Jammer dat ze niet meer meemaakt dat jij opgroeit tot zo'n geweldige jongen.'

Hij zuchtte en er zweemde een glimlach rond zijn mond.

Ashley sloot haar ogen. 'Maak dat hij haar nooit vergeet, God. Alstublieft.'

Omdat ze achter zich iets hoorde, deed ze haar ogen open. Landon stond in de deuropening; het licht van de overloop viel op zijn rug. Ze kon zelfs in het halfdonker aan zijn ogen zien dat hij met haar meeleefde.

'Gaat het een beetje?' vroeg hij.

'Ja, hoor.' Ze gaf een klapje op de plek naast zich.

Landon kwam naast haar zitten en sloeg zijn arm om haar heen. 'Wat is er, schatje?'

'Ik weet het niet.' Ze maakte een nauwelijks hoorbaar, klaaglijk geluidje. 'Ik zat er alleen maar even over na te denken dat Luke en Reagan een kindje adopteren, en dat het leven doorgaat.' Ze raakte Coles haar weer even aan. 'En dat Cole zo snel groot wordt. Dat alles bij elkaar maakt me een beetje onrustig, denk ik.'

Hij gaf haar een kus op haar wang. 'Ik hoorde Kari en jou eerder op de avond samen praten. Over je moeder.'

'Ja.' Ze drukte haar gezicht tegen dat van hem. 'Daar heeft het ook mee te maken, denk ik.' Ze barstte opnieuw in tranen uit. 'Ik had zo graag gewild dat ze Cole zou zien opgroeien, dat ze zou meemaken hoe de kleine Ryan zijn eerste tandjes krijgt en Hayley mensen zal kunnen herkennen.' Een zachte snik bleef in haar keel steken. 'En... en dat Luke nog een baby'tje krijgt.'

'Ach, lieverd toch.' Hij hield haar steviger vast.

'We hebben haar nog steeds nodig, Landon.' Er ontglipten haar weer een paar snikken. 'Waarom heeft God haar uit ons leven weggerukt?'

'Dat weet ik niet,' fluisterde hij, terwijl hij met zijn vrije hand de tranen van haar gezicht veegde. 'En dat zullen we aan deze kant ook nooit te weten komen.'

Ze bleven nog een tijdje zo zitten, totdat Ashley zich naar

hem omkeerde. 'Als ik jou toch niet had!' Ze was inmiddels rustiger geworden en haar tranen waren goeddeels opgedroogd. Ze keek hem onderzoekend aan. 'Het heeft niet veel gescheeld of wij waren helemaal niet samen geweest. Dan zou ik je voorgoed zijn kwijtgeraakt.'

'Nee, hoor.' Hij haalde zijn knokkels langs de zijkant van haar gezicht om de laatste traan weg te vegen. Daarna liet hij zijn duim langzaam omlaag glijden, totdat hij er de omtrek van haar mond mee volgde. 'God zou dan vast wel een manier hebben gevonden om ervoor te zorgen dat ik bleef.' Zijn ogen straalden vertrouwen uit. 'In elk geval totdat jij bedacht had hoe veel je van me hield.'

Ze reageerde er niet op. In plaats daarvan begon ze hem te kussen. De intensiteit daarvan nam toe en ze lieten zich allebei meevoeren door een golf van hartstocht.

Hij trok zich terug, buiten adem, zijn ogen donker van verlangen. 'Weet je waar ik blij om ben?'

'Vertel.' Ze kuste hem nog een keer, eerst zijn bovenlip, toen zijn onderlip en ten slotte zijn kin. Cole sliep als een blok, toch deed ze zo zachtjes mogelijk.

'Ik ben blij dat we hebben gewacht tot we getrouwd waren.' Hij raakte met zijn lippen haar hals aan en keek haar toen weer aan. 'Ik denk dat dat de reden is dat het zo heerlijk is om jou lief te hebben, en dat dit nog met de dag beter wordt.'

'Ik ben ook blij dat we hebben gewacht.' Ze glimlachte; het verdriet bleef aanwezig, maar was weer naar de achtergrond verdrongen, zoals het hoorde. 'Maar zal ik jou nu eens wat vertellen?'

'Wat?' Hij kuste haar aan de andere kant van haar hals.

Ze liet haar hoofd achterover zakken om voluit te kunnen genieten van zijn liefkozingen. Met schorre stem fluisterde ze: 'Nu hoeven we niet meer te wachten, meneer Blake.'

Zijn mond vond die van haar weer. 'Nee, zeker niet.' Hij stond op, nam haar bij de hand en voerde haar mee de gang door naar hun slaapkamer, waar ze de hele nacht genoten van de liefde, het leven en het huwelijk.

Het huwelijk zoals God het bedoeld heeft.

21

De lessen van het CKT leken die donderdagavond geen enkele structuur te hebben en niet beheersbaar te zijn. Katy had daardoor het gevoel dat ze een hele maand weggeweest was. Onderdeel van het CKT-programma was dat er iedere keer lessen in acteren, zingen en dansen werden gegeven, en dat die allemaal in de Community Church van Bloomington plaatsvonden, net als de repetities voor de voorstellingen. Kinderen moesten ingeschreven zijn voor de lessen, voordat ze auditie konden doen voor een voorstelling. Normaal zouden ze nu tijdens de lessen werken aan de details van wat ze op de open avond op de planken zouden brengen. Alle leerlingen mochten dan namelijk ieder tien minuten optreden.

Deze keer hadden echter drie van de tien klasjes geen flauw idee wat ze op de open avond zouden laten zien, en van het klasje waarin de jongsten leerden acteren, hadden vier kinderen afgehaakt omdat ze de lessen niet boeiend genoeg vonden.

Toen rond zes uur de lessen waren afgelopen, had Katy het afschuwelijke voorgevoel dat alles aan het instorten was. Op het moment dat zij haar leerlingen naar huis stuurde, kwam Rhonda opdagen. Zij greep met beide handen haar eigen haar beet. 'Oudercommissies hebben me gevraagd om houten appels, schorten en hengels, Katy.' Ze liet haar haar los. 'Volgens mij lopen we op zijn minst een week achter op het repetitieschema.'

'Ik snap er niets van.' Katy leunde tegen de rand van het bureau en staarde naar haar voeten. 'Heb ik iets over het hoofd gezien? Dat moet haast wel, want ik was hier op elke datum dat er gerepeteerd werd en lessen gegeven werden.' Ze keek op. 'Toch is het een chaos.'

Op dat moment liep Jenny Flanigan langs. Ze liep met een moeder door de gang en bleef niet even staan om de zaal in te kijken. Misschien zat het hem daarin. Misschien kreeg ze wel het gevoel dat alles beter ging, als ze opening van zaken had gegeven aan de Flanigans. Ze wees naar Rhonda. 'Kun jij een mededeling doen? Nog voordat iedereen is vertrokken?'

Rhonda zette haar handen in haar zij. 'Ik neem aan van wel.' Ze keek over haar schouder. 'Maar dan moeten we wel opschieten. Er zijn al ouders binnen om hun kinderen op te halen.'

'Vertel dan maar gauw aan iedereen dat de repetitie morgen een uur eerder begint. Op die manier kunnen we wat tijd inhalen.'

'Goed idee.' Rhonda's gezicht klaarde op. Ze draaide zich om en rende de zaal uit. 'Hé, jongens,' riep ze. 'Wacht even allemaal. Ik moet iets...' Haar stem werd minder goed hoorbaar naarmate ze verder wegliep.

Katy liet alles voor wat het was en haastte zich de deur uit in de richting waarin ze Jenny Flanigan had zien lopen. Ze had geluk. Jenny stond een eindje verderop in de gang nog met de andere moeder te praten.

Ze liep snel op hen af en begroette hen. De andere moeder zwaaide en ging op de uitgang af, zodat zij tweeën alleen achterbleven.

'Katy!' Jenny reageerde niet gereserveerd of afstandelijk; ze was blij haar te zien. 'Hé, je bent terug!'

'Ik ben rechtstreeks van het vliegveld hiernaartoe gekomen.'

'En, hoe was het?' Als Jenny al iets afstandelijks in haar blik had gehad, was dat nu verdwenen. Ze leek enthousiast. 'Veel research kunnen doen?'

Katy kon niet liegen, zeker nu niet, omdat ze al min of meer had besloten dat ze de rol zou accepteren. 'Jenny...' Ze merkte dat haar glimlach zwakker werd. 'Kunnen we straks thuis met elkaar praten? Jij, Jim en ik?'

Van het ene op het andere moment keek Jenny bezorgd. 'Is er iets mis?'

'Nee, dat geloof ik niet.' Ze beet op de binnenkant van haar lip. 'Ik moet gewoon even met jullie praten, goed?'

'Natuurlijk is dat goed.' Ze keek op haar horloge. 'Zullen we zeggen over een halfuur?'

'Ja. Bedankt, Jenny.' Er klonk opluchting door in haar stem.

Bailey en Connor kwamen achter hen aan; ze liepen snel en lachten ergens om. Aan het eind van de gang, achter hen, kwam Tim Reed opeens tevoorschijn. 'Hé, Bailey.'

Ze draaide zich om, keek hem flirtend aan en zei poeslief: 'Ja, Tom Sawyer?'

'Wat zou je ervan vinden om morgen met mij, Huck en Joe Harper naar het eiland te gaan?'

Toen kreeg Tim Katy pas in de gaten. Ze trok haar wenkbrauwen op en zwaaide met haar vinger naar hem. 'Ik ga morgen met je mee naar het eiland, als je dan je tekst nog niet kent, Tim.' Ze wilde glimlachen, maar bedacht zich. 'Begrepen?'

Hij rechtte zijn rug en toonde geen verliefd lachje meer. In plaats daarvan keek hij haar met grote, bezorgde ogen aan. 'Ja, Katy. Begrepen.'

Bailey smoorde een giechelbui en zwaaide nog even naar Tim, voordat hij zich omdraaide en wegstoof. Katy had Tim deze dag niet één keer samen gezien met Ashley Zarelli, en ze kwam in de verleiding Bailey ernaar te vragen. Gewoon omdat ze graag op de hoogte wilde blijven van de verliefdheden en vriendschappen die binnen het CKT ontstonden.

Maar ze zei niets. Ze had nog te veel te doen voordat ze het kerkgebouw verliet. Ze nam afscheid van de Flanigans, liep terug naar haar lokaal en pakte haar spullen. Het gesprek met Jenny en Jim kwam met iedere wegtikkende minuut dichterbij.

Tegen de tijd dat Katy thuiskwam, tien minuten te laat, en de Flanigans aantrof in hun woonkamer, was ze buiten adem en had ze het idee dat ze nat haar had. Haastig liep ze naar de stoel tegenover hen en ging zitten. Ze wist niet goed of haar hart zo snel klopte omdat ze zich zo had gehaast om hier te komen, of vanwege alles wat ze hun te vertellen had.

'Het spijt me dat ik later ben dan afgesproken.' Ze keek Jenny en Jim om beurten aan. Met een vriendelijk, open gezicht zaten zij rustig tegenover haar. Had ze vanaf het begin een verkeerde indruk van hen gehad? Bestond de spanning die ze had gevoeld, alleen maar in haar eigen fantasie? Om tot rust te komen ademde ze een paar keer in en uit. Ze glimlachte. 'Bedankt dat jullie hiervoor tijd hebben gemaakt.'

'Ik had de kinderen al naar boven gestuurd om huiswerk te maken.' Jenny sloeg haar benen over elkaar en leunde tegen Jim aan. 'Wat heb je op je hart?'

Katy sloot even haar ogen. Waarmee moest ze beginnen? Ze wist het antwoord zodra de vraag door haar hoofd schoot. 'Om te beginnen,' ze knipperde met haar ogen en keek Jenny aan, 'moet ik jullie de waarheid vertellen over Los Angeles.'

Jim boog zich dichter naar haar toe. 'De waarheid?' Hij legde zijn handen op zijn knieën. 'Daar ging je toch naartoe om research te doen?'

'Nee.' Katy ademde weer normaal. Ze liet zich naar het puntje van haar stoel glijden. Wat wilde ze graag dat ze het begrepen! 'Ik kreeg een paar weken geleden een telefoontje van een casting director in Los Angeles.'

'Dat weet ik nog.' Jenny had haar ogen van nieuwsgierigheid half dichtgeknepen. 'Je dacht dat het iets te maken had met Sarah Jo Stryker.'

'Dat klopt.' Katy liet een nerveus lachje horen. 'Dat had ik niet goed gezien. Ze wilden dat ik naar LA kwam voor een auditie. Een auditie voor een romantische komedie.'

Jim leunde achterover. Ze kon aan zijn gezicht zien dat hij deze informatie schokkend vond. 'Waarom heb je ons dat niet eerder verteld?'

'Ik ging ervan uit dat het niets zou worden.' Ze schudde haar hoofd. 'Daar kwam nog bij,' ze richtte haar aandacht nu op Jenny, 'dat ik dacht dat jij boos op me was. Ik wist niet goed wat ik daarmee aan moest.'

Jenny knikte nauwelijks waarneembaar. 'Ik heb het er een poosje moeilijk mee gehad.'

'Je was echt boos?' Katy sloeg haar ogen neer. Als ze had kunnen verdwijnen door de spleet in de bank, zou ze dat hebben gedaan.

'Waar was je dan boos om?' Jim begreep er duidelijk niets van.

Jenny wendde zich tot hem. 'Dat Bailey de rol van Becky Thatcher in de musical niet had gekregen. Ze heeft er auditie voor gedaan, maar Sarah Jo kreeg de rol.' Jenny klonk kalm en vol begrip. Als je iets mocht opmaken uit de manier waarop ze dit zei, dan was het wel dat ze totaal niet meer gefrustreerd was over de situatie.

'Daar was je boos om?' Er verschenen rimpels van verbazing in Jims voorhoofd. Hij was een forse man, een voormalige beroepshonkballer die assistent-coach van Ryan Taylor was op de middelbare school. Maar zoals hij daar nu zat, verloren en beduusd, leek hij op een kind op zijn eerste schooldag.

'Niet echt boos.' Jenny sloeg haar armen over elkaar. 'Ik had er in het begin moeite mee.' Haar blik kruiste die van Katy. 'Als we nu toch eerlijk tegen elkaar zijn, moet ik dat tegen je zeggen.' Na een korte stilte voegde ze eraan toe: 'Het spijt me. Ik had ongelijk. Ik had tegen je gezegd dat je niemand moest voortrekken, en dat heb je ook niet gedaan. Het lag aan mezelf dat ik boos was. Sarah Jo doet het fantastisch.'

'Als we nu toch eerlijk tegen elkaar zijn, dan moet ik zeggen dat ik het daar niet mee eens ben.' Katy schonk haar vriendin een scheef lachje. 'Bailey zou het beter hebben gedaan. Sarah Jo wordt zo zenuwachtig van het voortdurende gecoach van haar moeder, dat ze zich niet kan ontspannen en er geen plezier in heeft. En dat moet wel, want anders zullen we niet te zien krijgen met hoeveel inzet zij deze rol kan spelen.'

Jim wierp zijn handen in de lucht. 'Ik begrijp er helemaal niets meer van.' Hij keek eerst even zijn vrouw en toen Katy aan. 'Ik wil graag meer weten over die komedie.'

'Ja, goed, maar ik wil eerst nog even zeggen,' Katy boog zich naar voren, 'dat het ook aan mij lag, Jenny. Ik wist dat je teleurgesteld was, maar ik stelde me gereserveerd op.' Ze ging weer rechtop zitten. 'Dom, natuurlijk, en ik heb er spijt van. Dat wilde ik eerst nog even kwijt.'

Jenny stond op en overbrugde de afstand tussen hen. 'We houden van je, Katy Hart. Je bent in onze ogen een familielid. Ik was dan misschien wel teleurgesteld, maar dat mag nooit een reden voor je zijn om weg te blijven, zoals je hebt gedaan.' Ze boog zich voorover en omhelsde Katy. 'Laten we zorgen dat het nooit meer zover komt, goed?'

'Goed.' Katy voelde tranen prikken in haar ogen. Ze had dit twee weken geleden al moeten doen.

Jim was blijven zitten en had nu een geamuseerde uitdrukking op zijn gezicht. Hij stak zijn hand op. 'Ik zit hier nog geduldig te wachten.'

Jenny en Katy begonnen te lachen en Jenny ging weer naast haar man zitten.

Katy haalde een keer diep adem. 'Goed. Tja, hoe zal ik het zeggen...' Opwinding nam bezit van haar. De volgende woorden kwamen dan ook in een snel tempo uit haar mond.

'Ik vond dat het geen kwaad kon om auditie te doen voor een film. Een paar jaar geleden was dat nog mijn ideaal, en misschien heb ik jullie dat nog nooit verteld, maar ik heb ooit proefopnames gemaakt voor een tv-serie.'

Jim floot. 'Ik trappel van ongeduld om te horen of onze huisgenote nog meer verrassingen voor ons in petto heeft.' Hij krabde op zijn hoofd en keek op zonder zijn blik op een vast punt te richten. 'Eens even kijken, misschien is ze in opleiding om astronaut te worden? Of is ze misschien ooit getuige geweest in een proces en staat ze nu onder bescherming van de regering? Het is vast het laatste.'

Katy lachte een beetje van verlegenheid en sloeg haar handen voor haar gezicht. 'Ik weet het... ik weet het. Wees niet boos op me.' Ze keek boven haar vingertoppen uit en liet haar handen teruggevallen op haar knieën. 'Nou, om kort te gaan, toen ik daar aankwam bleek dat het om een echte speelfilm ging. Een lange film waarin Dayne Matthews de hoofdrol speelt.'

Jenny hapte naar lucht. 'Wat?'

'O, geweldig.' Jim rolde op een plagerige manier met zijn ogen. 'Ik ben hier vanavond in het gezelschap van een paar dweperige fans.'

Deze keer moesten Jenny en Katy allebei lachen. Jenny boog zich voorover. 'Hé, ik barst bijna van nieuwsgierigheid. Wat gebeurde er? De auditie verliep goed, neem ik aan?'

'Die verliep fantastisch.' Katy had wel willen dansen van vreugde. Jenny's eerste reactie was weer een teken dat dit Gods plan met haar was. 'Dayne vroeg me om terug te komen, en dat was de reden dat ik voor de tweede keer op reis ging. Toen speelde ik samen met Dayne een scène voor de camera.'

'Wacht eens even!' Jenny stak haar handen op. 'Wil je daarmee zeggen dat het geen kleine rol is? Is het een rol met tekst?'

Katy balde haar vuisten en sloeg ze een paar keer tegen elkaar. Het kostte haar grote moeite om te blijven zitten. 'Het is de hoofdrol, Jenny. De vrouwelijke hoofdrol met Dayne Matthews als tegenspeler.'

'Nee!'

'Ja!' Katy tikte met haar voeten op de grond. 'Ik ging dus nog een keer terug naar LA, speelde de scène op dinsdag,' haar stem schoot uit, 'en ze boden me de rol aan!'

Er kwam een geluid uit de buurt van de trap en Jim keek in die richting. 'Jongens? Wie is er uit bed gekomen?'

'Sorry, pap.' Het was Bailey. 'Ik wil een glas water halen. Is dat goed? Ik weet dat jullie met elkaar in gesprek zijn.'

'Tuurlijk, schat. Gauw dan.'

Bailey kwam de trap af, en Katy kon aan de grote ogen in haar gezicht zien dat ze hun gesprek had afgeluisterd. Ze zou ook nog een keer met haar moeten praten, om haar uit te leggen dat ze niet voorgoed wegging, maar slechts voor een paar maanden.

Al de tijd die Bailey nodig had om haar glas water te pakken, wierp Jenny Katy opgewonden blikken toe. Op een gegeven moment pakte ze Jims knie vast en zei geluidloos: 'Dayne Matthews!'

Jim grinnikte alleen maar en schudde zijn hoofd.

Toen Bailey weer naar boven was, moest Jenny zich inhouden, want anders had ze luidkeels geroepen: 'Ik kan het niet geloven, Katy. En, heb je de rol geaccepteerd?'

'Ik heb het contract in mijn bezit. Daarover wilde ik het nu juist met jullie hebben. Ik heb nog nooit zoiets belangrijks gedaan en ik heb geen agent. Ik heb iemand nodig die het voor me doorneemt.' Opeens realiseerde ze zich dat ze haar adem had ingehouden, en ze ademde uit. Nu ze de waarheid had verteld, ging het stukken beter met haar. Het werd feitelijk steeds aanlokkelijker om het aanbod te accepteren.

Jenny reageerde voor het eerst iets minder opgewonden. 'Je hoeft toch niet daar naartoe te verhuizen?'

'Nee, natuurlijk niet.' Katy leunde achterover en legde haar handen ontspannen op haar knieën. 'De opnamen duren waarschijnlijk een paar maanden. Ik mis dan wel de voorstelling van van de winter, maar daarna ben ik weer terug.'

'En wat staat er dan in het contract?' Jim had ervaring met dit soort dingen, niet in de amusementsindustrie, maar in de sportwereld.

Katy haalde het uit haar tas en gaf het aan hem. 'Je zult versteld staan van wat ze me ervoor willen betalen.'

Hij bladerde het door en knikte. 'Niet slecht.' Hij grijnsde naar haar. 'Iets meer dan je verdient als CKT-regisseur.'

'Ja, wel iets meer.'

Jenny keek over de schouder van haar man en haar ogen werden groot toen ze halverwege de eerste pagina was. 'Katy, dat is fantastisch! Kun je wel geloven dat dit jou overkomt?'

'Niet echt.' Ze liep bijna over van blijdschap. Nu ze de Flanigans in vertrouwen had genomen, had ze pas het gevoel dat ze het allemaal echt had meegemaakt. Maar het was nog steeds meer dan ze volledig kon verwerken. Het was belangrijk voor haar dat de Flanigans het fijn voor haar vonden. Nu kon ze geen enkele reden meer bedenken waarom ze de rol niet zou accepteren.

Jim keek haar over het contract heen aan. 'Heb je het script gezien?'

Ze knikte, ernstiger nu. 'Het ligt op mijn kamer. Ik heb het helemaal doorgelezen. Er staat niets in waar ik iets op tegen kan hebben, niets waarvoor ik me zou moeten schamen.'

Jim tuitten zijn lippen. 'Geen seksscènes of grove taal?'

'Nee, het is allemaal heel onschuldig, op een scène na waarin we elkaar op het trapje naar de veranda kussen.' Ze kleurde. 'Dat is de scène die we samen speelden tijdens de tweede auditie.'

Jenny keek haar met een grijns op haar gezicht aan, maar Jim richtte zijn aandacht weer op het contract en sloeg de eerste pagina om. 'Het blijft bij kussen?'

'Ja.' Ze had waardering voor Jims opstelling en was blij dat ze hem om zijn mening mocht vragen. Hij behandelde haar zoals haar vader gedaan zou hebben als hij hier was. Ze nam zich voor nog voor het weekend haar ouders te bellen, en ze verwachtte dat haar vader op dezelfde manier zou reageren. 'Daar heb ik goed naar gekeken.'

'Ik moet zeggen,' Jim liet het contract zakken, 'dat het er goed uitziet. Ik heb alleen een keer iets gehoord over een clausule waarover jij je misschien nog zou moeten laten informeren. Het is een clausule die bepaalt dat de regisseur geen uitgebreidere liefdesscène kan invoegen, nadat is begonnen met de opnames. Je kunt van hen verlangen dat ze die clausule opnemen in het contract.'

'Prima idee.' Katy had weleens gehoord van zo'n soort clausule, maar het was nog nooit nodig geweest om die in een contract te laten opnemen. Ze kon zich niet voorstellen dat ze haar handtekening zou zetten onder een contract, als ze dacht dat het script niet vastlag. Ze moest er niet aan denken dat ze halverwege de opnames opdracht zou kunnen krijgen om iets te doen wat inging tegen haar geloof of haar reputatie.

Ze praatten nog een poosje over de verhaallijn en over de mogelijke locaties waar de opnames voor de film gemaakt zouden kunnen worden. Katy vertelde hun dat ze Bloomington had aanbevolen, en Jim en Jenny vonden allebei dat het plaatsje er uitstekend geschikt voor zou zijn.

'Dat zou me een klapper zijn!' Jenny kneep Jim even in zijn arm. 'Een Dayne Matthews-film die hier in Bloomington wordt opgenomen, met onze eigen Katy Hart in een van de hoofdrollen.'

De opgewonden stemming ebde uiteindelijk weg en Katy

bedankte hen allebei. 'Ik heb behoefte aan jullie steun.' Haar blik ging van Jim naar Jenny. 'Die is heel belangrijk voor me.'

Toen ze ten slotte naar bed ging, was het te warm om in slaap te vallen. Ze zette haar raam open en schopte al het beddengoed van zich af, behalve haar bovenlaken. Ze lag daar met haar ogen open. Ze had al heel vaak gedroomd dat ze in een film zou spelen, en nu zouden al die dromen binnenkort waarheid worden. Het deed denken aan een verhaal uit een sprookjesboek, maar dit was echt waar en het overkwam haar.

God, U hebt tot nog toe duidelijk gemaakt dat dit Uw wil is. En daar ben ik zo dankbaar voor.

DOCHTER... WACHT OP DE HEER.

Katy trok in het donker een scheef gezicht. WACHT OP DE HEER? Waarom kwam dat Bijbelvers nu weer bij haar boven? Of waarschuwde God haar misschien dat ze zich niet te veel moest opwinden? Het duurde nog bijna vier maanden voordat de opnames zouden beginnen. Misschien werd dat bedoeld met dat wachten.

Het zou natuurlijk ook kunnen zijn dat ze zich alleen maar dingen inbeeldde. Ze sloot haar ogen. *Dank U, God. Dank U dat ik open kaart heb kunnen spelen met de Flanigans. Ik ben zo blij dat ze zo met me meeleven. Daardoor wordt het allemaal reëler. Ik kan niet snel genoeg Dayne opbellen om hem te vertellen...*

Op dat moment gebeurde het. Terwijl ze nog aan het bidden was, kreeg ze opeens het gezicht van Tad Thompson voor ogen. Hij was het zo duidelijk en zo levensecht dat het haar even de adem benam.

Nadat Tad was overleden, had ze er nooit meer van gedroomd dat ze actrice zou worden. Dat had ze ieder geval gedacht tot de afgelopen paar weken. Wat zou er zijn gebeurd als Tad niet was gestorven, als hij er in geslaagd zou zijn een manier te vinden om uit die wereld van wilde feestjes te stappen? Zouden zij dan nu samen films maken en als acteur en actrice steeds hoger op de ladder uitkomen? Zou zij dan een even grote doorbraak hebben meegemaakt als hij?

Het was jaren geleden dat ze zo specifiek over Tad had nagedacht. Al die tijd had ze het zichzelf niet toegestaan om terug te gaan in de tijd en voor de zoveelste keer terug te denken aan wat er was gebeurd. Maar nu het op deze zomeravond zo warm was dat ze de slaap niet kon vatten, mocht Katy van zichzelf terugdenken aan de tijd met Tad.

Tad en zij waren op de middelbare school al met elkaar bevriend geweest en dat was zo gebleven toen ze op de universiteit zaten. Hij was grappig en vol zelfvertrouwen en hij koesterde dezelfde idealen als zij. Ze gingen naar dezelfde universiteit, en omdat ze allebei ongeveer hetzelfde wilden bereiken in de filmwereld, waren ze van mening geweest dat het leuker zou zijn om samen hun doel na te jagen.

Tad was op hoofdrollen uit geweest en had daarvoor vanaf het begin van alles ondernomen. Uiterlijk gezien was hij niet direct geschikt voor een hoofdrol, maar je kon wel zeggen dat hij een geestige, leuke vent was, en alles wat hij zei maakte haar aan het lachen. Het kon Katy niet schelen wat voor rol ze kreeg. Ze acteerde altijd met veel plezier, of ze nu een hoofdrol kreeg of een rolletje als figurant, als ze maar op het podium of voor een camera stond en Tad in de buurt was om haar aan het lachen te maken.

Ze waren nog eerstejaarsstudenten geweest, toen ze in de herfst auditie deden en Katy Tad voor het eerst hoorde zingen. Ze raakte er diep door ontroerd en haar knieën begonnen ervan te knikken. Die middag werd ze halsoverkop verliefd op hem, maar ze wist niet hoe ze dat ter sprake moest brengen. Daar kwam nog bij dat ze eigenlijk niet wist of Tad dezelfde gevoelens voor haar had.

Ze wist nog precies wanneer alles wat ze samen hadden, anders was geworden. Dat was op de laatste avond van hun eerste voorstelling op de universiteit, *The Sound of Music*. Ze gingen met iedereen die bij de voorstelling betrokken was geweest naar een plaatselijke hamburgertent om te vieren dat het een succesvolle voorstelling was geweest, en na afloop wilde Katy's auto niet starten. Iedereen ging weg, maar Tad bleef bij haar, en omdat het koud was wachtten ze in haar auto op de sleepwagen.

Ze had destijds voorin een bank in plaats van twee stoelen, en daarop zaten ze naast elkaar lachend scènes uit de voorstelling na te spelen. Katy was de oudste dochter van de familie Von Trap geweest en Tad zei plagerig dat ze het lied *Sixteen going on seventeen* misschien wel een beetje te leuk had gevonden.

'Geef het nu maar toe.' Tad gaf haar een por tussen de ribben een kietelde haar zelfs, totdat ze zijn hand wegduwde. 'Je vond het een aardige jongen.'

Terwijl hij heen en weer gleed over de bank, begon Tad het lied te zingen op een manier die Katy naar lucht deed happen. Het was bedoeld als een plagerijtje, maar toen zij mee begon te zingen, veranderde de sfeer tussen hen. Toen het lied uit was bevonden hun gezichten zich maar een paar centimeter bij elkaar vandaan.

'Katy, waarom kijk jij nooit naar mij zoals je in die scène naar die jongen keek?'

'Omdat...' Ze slikte en haalde snel en oppervlakkig adem, '... omdat ik bang ben.'

Hij keek haar onderzoekend aan. Zijn adem kwam warm tegen haar gezicht toen hij fluisterde: 'Bang? Waarvoor?'

'Dat jij niet naar mij zou willen kijken zoals...'

'Zoals wat?' Hij schoof nog iets dichter naar haar toe.

Ze beefde inwendig. 'Zoals je op dit moment naar me kijkt.' Op dat moment had Tad haar gekust en was daar pas mee opgehouden toen een kwartier later de sleepauto arriveerde. En daarna was er geen weg terug meer geweest. Ze had vaak genoeg gedacht dat als Tad en zij van elkaar gingen houden, het nooit tot een breuk tussen hen zou kunnen komen, omdat ze geen van beiden ooit iets hadden ervaren dat sterker was dan hun vriendschap nu al was.

En zo was het ook geweest. In hun tweede studiejaar hadden ze het niet alleen al gehad over afstuderen en dan rollen in speelfilms in de wacht slepen; ze hadden het zelfs al over trouwen gehad. De beste tijd daarvoor zou de zomer zijn nadat ze waren afgestudeerd. Maar in hun eerste studiejaren begonnen ze al auditie te doen voor films, en het was lente toen Tad iets overkwam waarvan de meeste acteurs alleen maar kunnen dromen: hij brak door.

Het was een bijrol naast een man die niet alleen zeer bekend was maar ook helemaal losgeslagen. De opnames zouden plaatsvinden op een eiland aan de andere kant van de oceaan.

Vanaf het moment dat ze het nieuwtje hoorde, maakte Katy zich zorgen. 'Blijf jezelf, Tad. Bedenk wie je bent.'

Hij lachte haar uit. 'Ik word heus niet iemand anders. Ik weet wie ik ben, Katy. Je maakt je zorgen om niets.'

Maar gedurende de zes weken dat er op locatie werd gefilmd, belde hij steeds minder vaak op. Tijdens zo'n telefoongesprek was Katy ervan overtuigd dat ze op de achtergrond meisjes hoorde lachen. Toen ze hem ernaar vroeg, beschuldigde hij haar ervan dat ze jaloers was. De spanningen tussen hen namen toe en Katy bad iedere nacht dat hij over zijn hart zou waken.

Toen Tad thuiskwam, moesten er nog twee weken lang opnames gemaakt worden in Los Angeles, en toen hij daarmee klaar was had hij een heel studiesemester gemist. Ondertussen had zij de rol gekregen in de proefopnames voor een tv-serie, die een paar weken later in het centrum van Chicago en aangrenzende plaatsen gemaakt zouden worden. Tad vond het fantastisch voor haar, en op de avond dat de laatste hand werd gelegd aan Katy's tv-film, zei hij tegen haar dat hij ter ere daarvan een feestje zou bouwen.

De manier waarop hij dat zei, gaf haar een kil gevoel van eenzaamheid. Zijn film was zes dagen later klaar en die avond vroeg de acteur die de hoofdrol had gespeeld, Tad of hij nog een film met hem wilde maken.

'Ze vinden dat ik het goed doe, Katy. Is dat niet fantastisch?'

Ze had alle mogelijke moeite gedaan om hem glimlachend aan te moedigen, maar blij was ze niet. Ze had de indruk dat er iets niet klopte. Wanneer hij belde reageerde hij vaak een beetje te snel en klonk hij alsof zijn keel een beetje te droog was. Het praatje deed de ronde dat de acteur met wie hij goede maatjes was geworden, al een keer gearresteerd was omdat hij cocaïne in zijn bezit had.

Uiteindelijk kwam Katy er openlijk voor uit dat ze hem daar ook van verdacht. 'Vertel het me nu maar gewoon, Tad. Gebruik jij dat spul ook? Het is toch niet gek dat ik dat denk? Iedereen met wie je tegenwoordig omgaat, stort zich in het nachtleven. Daarom vraag ik je er maar ronduit naar.'

Hij werd voor de allereerste keer boos op haar. Hij beschuldigde haar ervan dat ze een huilebalk was, een spelbreker, iemand die er niet blij om kon zijn dat hij nu zo veel succes had. Zij ontkende dat en begon uiteindelijk te huilen. Toen kalmeerde hij pas een kon hij weer op redelijke toon verder praten.

Ze wist nog wat hij het laatst tegen haar had gezegd. 'Sorry, Katy. Ik weet dat alles momenteel een beetje anders is dan anders, maar het zal niet zo blijven. Ik kom naar huis en dan wordt het tussen ons weer helemaal zoals het was. Echt waar.'

'Het valt me zwaar om zo ver bij je vandaan te zijn,' fluisterde ze gesmoord. 'Ik houd van je, Tad. Ik mis je.'

'Ik houd ook van jou.'

Ze hingen op en daarna had ze hem nooit meer gesproken. De avond daarop ging hij met filmploeg van zijn tweede film uit en in de loop van de avond gebruikte hij een absurde hoeveelheid cocaïne. Op een gegeven moment keerde hij van de dansvloer terug naar zijn tafeltje en zakte daar in elkaar.

Enkele mensen probeerden hem te reanimeren, maar slaagden er niet in. In het ziekenhuis werd geconstateerd dat een hartstilstand hem noodlottig was geworden. Daarmee was hij het zoveelste slachtoffer van de onderwereld van de drugs.

Katy had gehuild, getreurd en geprobeerd te begrijpen waarom Tad was overleden. Het meest zat haar dwars dat hij haar niet de waarheid had verteld. Als hij eerlijk was geweest, had ze op het vliegtuig kunnen stappen om hem te helpen bij het zoeken naar de hulp die hij nodig had. Ze sprak een van de andere acteurs uit de film, en hij vertelde haar dat Tad altijd het middelpunt van elk feest was geweest. Van hem hoorde ze ook dat Tad aanvankelijk het aanbod van drugs van de filmploeg beleefd had afgeslagen, maar dat hij uiteindelijk meer gebruikte dan alle anderen.

Toen Katy over de ergste schrik heen was, deed ze wat ze altijd had gedaan. Ze deed audities. De derde keer was ze er getuige van dat twee casting directors achter in de geluidsstudio iets tegen elkaar fluisterden. Ze vroeg aan een actrice wat er aan de hand was.

Het meisje lachte en zei kortweg: 'Niets bijzonders. Een drugsleverantie.'

Katy was er opeens helemaal klaar mee. Ze keek nog eens naar de twee mannen en liep naar degene toe die haar gevraagd had auditie te doen. 'Schrap mijn naam van de lijst.' Ze wees naar zijn klembord. 'Ik heb geen belangstelling.'

Ze was de deur uit voordat hij de kans had gehad om iets te zeggen. Een paar maanden later stuitte ze toevallig op het Christelijke KinderTheater in haar omgeving. Ze verhuisde uiteindelijk naar Bloomington en had sindsdien nooit meer auditie gedaan.

Totdat Mitch Henry belde.

Daar bleef ze nog even aan terugdenken, voordat de herinnering opging in het zachte geruis van de zoele wind. Ze had het altijd een akelig idee gevonden dat Tad was overleden in een nachtclub in LA. Ze dacht liever dat hij was overleden kort nadat hij afscheid van haar had genomen en aan boord van het vliegtuig was gestapt dat hem naar het eiland had gebracht.

Omdat de amusementsindustrie zijn dood veroorzaakt had.

Dat hield ze zichzelf in ieder geval altijd voor, omdat dat haar manier was om vrede te krijgen met wat hem was overkomen.

Maar nu... nu ze te maken had met een nog grotere doorbraak dan die waardoor hij die wereld ingezogen was, realiseerde ze zich eindelijk dat dat helemaal niet waar was. De amusementsindustrie had zijn dood niet veroorzaakt. En ook Hollywood, de roem en meer van dat soort dingen was er niet de oorzaak van geweest.

De keuzes die hij zelf gemaakt had, waren er de oorzaak van dat hij was overleden.

Hij had ervoor gekozen om drugs te nemen, om alles waarvan hij wist dat het goed, juist en waar was, overboord te gooien en iemand te worden die heel anders was dan de jongen die met bepaalde waarden was opgevoed.

Dat was allemaal zijn eigen keus geweest.

Een vredig gevoel nam bezit van Katy. Opeens was ze niet meer zo verdrietig, maar voelde ze zich bevrijd doordat ze deze nieuwe kijk op de zaak had gekregen. Als het Tads eigen keuze was geweest, was er geen enkele reden om geen rol in een film te accepteren, alleen maar om wat er met hem was gebeurd.

Het was eigenlijk heel eenvoudig. Je kon er zelf voor kiezen om al dan niet deel te nemen aan het wilde leven in Hollywood, New York of waar dan ook. En het was absoluut uitgesloten dat Katy daarvoor zou kiezen. Daarom kon ze met een gerust hart een film gaan maken met Dayne Matthews. Daarom zou niets haar kunnen deren, hoeveel films ze ook zou maken. En daarom zou ze hem binnenkort bellen om hem te vertellen dat ze had gedaan wat hij zo graag wilde dat ze deed.

Haar handtekening zetten onder het contract.

22

Dayne wilde heel graag een avond thuis zijn.

Het laatste gedeelte van de week had hij met Mitch Henry in de studio gezeten om de rolverdeling voor *Dream on* door te nemen en een stuk of vijf belangrijke scènes te bespreken. Ze ontmoetten de regisseur, die hun vertelde wat voor muziek en camera-instellingen hij in gedachten had, en wat voor emoties Dayne moest laten zien om een succes te maken van de film.

Het analyseren van het script hoorde erbij, maar het was het onderdeel van het werk van een acteur waar Dayne het minst mee ophad. Hij leerde liever het script uit zijn hoofd en zag verder wel hoe het uitpakte. Omdat hij goed met mensen kon omgaan, had hij meestal niet veel coaching nodig, maar dit was een belangrijke film en hij had zich voor langere tijd aan deze studio verbonden. Zijn agent had hem verteld dat hij altijd in een gesprek met een regisseur moest toestemmen, hoe vaak deze hem ook wilde spreken.

Terwijl hij zich door gesprekken, beraadslagingen en informatieve vergaderingen heen worstelde had Dayne zijn mobiele telefoon altijd bij zich, maar Katy had nog steeds niet gebeld. Telkens wanneer zijn telefoon ging, keek hij even wie het was, in de hoop dat hij haar naam op het schermpje zou zien staan. Maar Dayne maakte zich geen zorgen; hij wist gewoon zeker dat ze zou bellen.

Mitch maakte zich er wel vreselijk druk om. Terwijl ze bezig waren een scène te analyseren, zweeg hij opeens even en riep toen: 'Waar wacht ze op? Ja, waar zit ze nu eigenlijk op te wachten, Dayne? We hebben haar een fantastisch aanbod gedaan.' Hij schudde zijn hoofd. 'Weet jij waarom ze nog niet heeft gebeld?'

'Ja.' Dayne trok een zo vroom mogelijk gezicht. 'Ze is over haar besluit aan het bidden.'

'Fantastisch.' Mitch maakte een wanhopig gebaar. 'Laat mij je dan vertellen dat ze de rol niet zal accepteren. Daar heb ik een voorgevoel van. Vooral als er gebed mee gemoeid is.'

Dayne lachte. Hij wist het een en ander van gebed af. Zijn ouders waren per slot van rekening zendelingen geweest. Dat je iets voorlegde in gebed betekende niet dat je je uiteindelijk zou terugtrekken uit de wereld. 'Het spreekt voor zich dat ze de rol accepteert.' Hij gaf de casting director grijnzend een klopje op de rug. 'Geloof me nu maar, ze accepteert hem.'

'Waarom weet je dat zo zeker?' Zijn gezicht was een en al zorgrimpeltjes. 'Deze film gaat veel geld kosten, Matthews, en we hebben nog steeds geen hoofdrolspeelster.'

'Relax. Ik heb de blik in haar ogen gezien, die dag dat ze bij mij in de caravan zat. Ze wil de rol dolgraag hebben, Mitch.' Dayne glimlachte om de man op zijn gemak te stellen. 'Het is prima dat ze er eerst over in gebed wil gaan. Als ze is uitgepraat met God, belt ze. En als ze dat doet, zal ze zeggen dat ze de rol accepteert, daar ben ik van overtuigd.'

'Dat zou ik graag op schrift willen hebben.'

'Het komt heus goed.'

Mitch had het daarna nog een paar keer ter sprake gebracht en Dayne was uitgeput toen het eindelijk vrijdagavond was. Voorheen zou hij dan een stelletje vrienden hebben gebeld om samen uit te gaan. Na een week als deze was het leuk om verhalen uit te wisselen over wie welke rol kreeg, en welke studio het best omging met alles wat met het produceren van een film te maken had.

Maar op deze vrijdagavond kon het hem absoluut niet boeien wat zijn collega's aan het doen waren.

Hij reed naar huis en onderbrak de rit even om de drogisterij binnen te lopen waar hij altijd de nieuwste roddelbladen kocht. Vroeger deed hij dat af en toe, maar de laatste tijd haalde hij ze iedere week. Een abonnement nam hij niet, omdat hij niet wilde dat algemeen bekend werd dat hij erin geïnteresseerd was.

Als het nu maar niet druk was in de drogisterij.

Hij werd geholpen door dezelfde oude man die de andere keren meestal ook achter de toonbank had gestaan. Hij herkende Dayne nu, niet omdat hij een beroemdheid was, maar omdat Dayne een gewaardeerde klant was.

'De Dodgers hebben ons vorige week teleurgesteld.' De man schudde zijn hoofd terwijl hij Daynes aankopen scande. 'U bent toch een fan van ze? Dat zei u toch?'

Een fan? Het was een woord dat Dayne raakte, en dat hem op de een of andere manier een goed gevoel gaf. In zijn wereld waren fans altijd de andere partij, maar in deze context was hij inderdaad een fan. Een grote fan. Hij glimlachte naar de man. 'Jazeker. En u hebt gelijk. De Dodgers zijn de afgelopen week flink onderuitgegaan.' Hij betaalde zijn bladen en een paar pakjes kauwgom en bedankte de man. 'Maar ze vinden de weg omhoog vast gauw terug.'

Er werden weer foto's van hem genomen toen hij de winkel verliet, maar het viel de oude man niet op. Met een glimlach op zijn gezicht reed Dayne het laatste stukje naar huis. Zijn collega's beklaagden zich er graag over dat ze nergens meer naartoe konden, dat ze geen enkel normaal moment meer kenden waarin ze niet door handtekeningenjagers of paparazzi werden lastiggevallen. Maar Dayne had niets te klagen. Hij kon zelfs nog naar een drogisterij gaan zonder dat hij werd herkend.

Hij zou vanavond een roerbakgerecht klaarmaken. Zijn

huishoudster had een boodschappenlijstje gekregen, en toen hij thuiskwam lagen de boodschappen voor hem klaar. Hij fruitte eerst de ui en de knoflook en voegde er daarna stukjes gesneden bamboescheuten, champignons, peultjes, waterkastanjes en broccoli aan toe.

Buiten op zijn patio zette hij zijn grill aan en legde er vier verse, gekruide stukjes kippenborst op. Er kwam langs de kust weer mist opzetten en het begon al te schemeren, terwijl het nog niet eens zeven uur was.

Dayne zette een radiostation aan dat countrymuziek uitzond, en merkte dat hij zich begon te ontspannen toen de muziek door zijn huis zweefde. Dit vond hij heerlijk: thuis eten klaarmaken en een poosje net doen alsof hij bijvoorbeeld een strandwachter was die een pauze inlaste, of een trainer in een fitnesscentrum. Een doodgewone man die een normaal leven leidde, zonder de hectiek waaraan voor een man in zijn positie bijna niet te ontkomen was.

Hij was bezig de stukjes kip om te draaien toen de telefoon ging. Het zou Katy Hart niet zijn. Hij had haar het nummer van zijn mobiele telefoon gegeven, niet van zijn vaste telefoon. Hij liep de keuken in, pakte de draadloze telefoon en nam op. 'Hallo?' Het klonk opgewekt, en dat was sinds Katy was vertrokken weleens anders geweest.

'Meneer Matthews?' De man aan de andere kant van de lijn klonk zakelijk.

'Ja?'

'Met brigadier Halley van het politiebureau. We hebben al een paar keer eerder contact met u opgenomen.'

Dayne rolde met zijn ogen en leunde tegen de bar die zijn eetkamer scheidde van zijn keuken. Hij haalde een keer diep adem en sloot zijn ogen. 'Wat kan ik voor u doen?'

'We hebben u eerder op de hoogte gesteld van het feit dat wij bepaalde brieven ontvingen, en we hebben er nu weer zo een gekregen. Deze keer is hij ondertekend door een zekere Anna Madden. Eerder zette de persoon in kwestie er nooit een naam onder.' Na een korte stilte vervolgde hij: 'Komt die naam u bekend voor?'

'Nee.' Dayne pakte een dienblad en liep ermee naar buiten, de telefoon nog steeds tegen zijn oor. 'Het is waarschijnlijk gewoon een geobsedeerde fan.'

'Ja, zou kunnen.' De brigadier was er zo te horen niet van overtuigd. 'Het probleem is dat ze in iedere brief dreigt u iets aan te doen, en dat het in deze brief om een heel ernstig dreigement gaat.'

Dayne wilde er niet naar vragen, maar zijn aarzeling gaf de brigadier reden om erop door te gaan.

'Ze vertelt ons dat ze uw vrouw is, en dat ze genoeg heeft van het wachten totdat u uw plek aan haar zijde inneemt.'

'Dit is te gek voor woorden.' Dayne mompelde dit binnensmonds terwijl hij de stukjes kip op het dienblad legde.

'Ja, maar daarna schrijft ze dat ze geen andere keus heeft dan iedere andere vrouw te vermoorden die haar in de weg loopt.'

Het dreigement trof doel. De adrenaline schoot door zijn aderen en bezorgde hem een knoop in zijn maag. Dayne slikte terwijl hij de stukjes kip mee naar binnen nam en in de keuken op het aanrecht neerzette. 'Meer hebben we niet? Alleen dat Anna Madden denkt dat ze mijn vrouw is en dat ze rivales wil vermoorden?' Hij grinnikte vol zelfvertrouwen, althans, zo moest het overkomen. 'Ik waardeer dat u mij hierover opbelt, brigadier, maar ik maak me geen zorgen. Bij een heleboel fans is een steekje los.'

'We beschikken over nog meer informatie.' Aan de andere kant van de lijn was geritsel van paperassen te horen. 'We hebben gisteren van iemand van DreamFilms Studio een rapportage ontvangen. Daaruit blijkt dat zij hebben waargenomen dat een vrouw in een gele Honda Civic al een hele tijd de studio in de gaten houdt. Ze dachten dat het om paparazzi ging, maar de studio gaat er nu van uit dat het een soort stalker is.'

Een gele Honda Civic? Dayne kneep zijn ogen dicht. Waar had hij dat eerder gehoord? Hij trommelde met zijn vingers op het aanrechtblad en het schoot hem te binnen. Hij deed zijn ogen open. 'Niet al te lang geleden heeft Kelly Parker voor haar huis een gele Honda Civic zien staan.'

De brigadier aarzelde even voordat hij vroeg: 'Zien jullie elkaar vaak?'

Dayne was eraan gewend dat verslaggevers en fans dat soort vragen stelden, en hij slaagde er altijd in een ontwijkend antwoord te geven. Maar dit was ernstig. 'Nee, af en toe, maar we zijn onlangs wel enige tijd bij haar thuis samen geweest.'

'Dan kunnen we dit niet zomaar als onbelangrijk afdoen.'

De stukjes vielen op hun plek. Als deze rare fan dreigde iedere vrouw die haar in de weg liep, iets aan te doen, dan kon het best zo zijn dat ze Kelly Parker als een rivale zag. Dayne vond dit afschuwelijk. Het telefoontje bedierf zijn avond, veranderde die in een scène uit een horrorfilm. 'Ehm, denkt u dat we dit serieus moeten nemen?'

'Jazeker.' De brigadier had aldoor op serieuze toon gesproken. Nu werd hij nog ernstiger. 'Haar taalgebruik, de frequentie van de brieven, die gele Honda... We nemen geen enkel risico.' Er viel een korte stilte. 'Beschikt mevrouw Parker over nog meer bijzonderheden, een beschrijving van de bestuurder misschien?'

Zuchtend haalde Dayne zijn vingers door zijn haar. 'Het was een vrouw en ze...' Opeens wist hij weer wat Kelly hem allemaal had verteld. Hij kreeg er pijn van in zijn buik. 'Kelly meende dat de vrouw een mes bij zich had.'

'We zullen contact moeten opnemen met mevrouw Parker om daar proces-verbaal van op te maken, gewoon om ervoor te zorgen dat alle informatie in het dossier zit.' Weer was het geritsel van paperassen te horen. 'Het lijkt erop dat deze vrouw een bedreiging vormt, meneer Matthews.'

'Daar zat ik nu net op te wachten.' Dayne zette het gas onder zijn roerbakpan laag. Had het nog zin om het gerecht warm te houden? Hij had eigenlijk geen trek meer. 'Wat wordt er nu van mij verwacht? Moet ik hier gaan zitten wachten tot deze mesjokke vrouw komt opdagen?'

'Laat ik het zo zeggen, we zullen uw huis in de gaten houden, en de studio als u daar bent. En als u naar de studio gaat en weer terug, zullen we u laten volgen door een onopvallende auto.'

Dayne liep heen en weer tussen de koelkast en het fornuis. 'Hoe lang blijft u dat doen?'

'In ieder geval een paar weken. Totdat we haar betrapt hebben. Als ze last heeft van waandenkbeelden, en het heeft er alle schijn van dat dat het geval is, dan zal ze zich er niet al te druk over maken of ze wordt betrapt. Ze zal denken dat ze het recht heeft om u te stalken. En het recht om iedereen die haar voor de voeten loopt, kwaad te doen.'

'Had u verder nog iets?' Dayne had inmiddels flinke maagpijn.

'Ja.' Er klonk bezorgdheid door in de waarschuwing van de brigadier. 'Wees op uw hoede voor een gele Honda Civic.'

23

Dayne zette al zijn wilskracht in om de waarschuwing uit zijn hoofd te zetten.

Het was verstandig geweest van de brigadier om contact met hem op te nemen; dat zorgde ervoor dat hij alert bleef. Maar hoe vaak kwam het voor dat ze werkelijk iemand iets aandeden? Hij dacht over de vraag na. Een jonge vrouw die had meegedaan aan een praatprogramma, was neergeschoten door een stalker toen ze haar voordeur opendeed; zoiets vergat je niet zo gauw. Ook waren een paar bekende personen lastiggevallen door geobsedeerde fans en nog maar net de dans ontsprongen. En verder ontving de politie voortdurend brieven van doorgedraaide mensen. Dat betekende nog niet dat ze door zijn raam naar binnen klommen, of dat ze zijn vriendinnen opspoorden om te proberen hen te vermoorden.

Daynes nekspieren begonnen zich te ontspannen. Hij pakte een van de stukjes kippenborst, sneed het in dobbelsteentjes en gooide die in de pan bij de roerbakgroenten. Toen draaide hij het gas hoog en legde de deksel op de pan. Twee minuten later was het gerecht warm genoeg om het over te hevelen op zijn bord.

Hij pakte de tijdschriften die hij had gekocht, en nam de bladen en zijn bord mee naar het tafeltje in zijn eetkamer dat bij de deur naar de patio stond. De zon was al bijna onder en er kwam weer een mistbank opzetten. Het was in deze tijd van het jaar bijna altijd mistig, vooral aan de kust. Overdag werden de mistflarden meestal weggebrand door de zon.

De bladen zaten nog in het tasje. Hij haalde er een uit en

bekeek de voorkant. Links onderaan stond iets wat hem niet eerder was opgevallen. Het was een foto van Kelly Parker en hem, met hun gezichten dicht bij elkaar. Eronder stond: *Weer samen?*

Dayne kreunde. Hij bladerde naar de pagina met de inhoudsopgave, keek waar hij het artikel kon vinden, en zocht het op. Het nam twee pagina's in beslag en bestond bijna geheel uit foto's. Op een van de foto's zaten ze met zijn tweeën in zijn auto te praten; op een andere kusten ze elkaar. Verder was er nog een foto waarop ze door het donker naar haar huis liepen en naar binnen gingen, en op de laatste foto vertrok hij de volgende ochtend heimelijk via haar achterdeur.

De begeleidende tekst luidde: 'Dayne Matthews, eeuwige playboy, brengt de nacht door met succesvolle actrice Kelly Parker. Volgens onze bronnen gaat het er tussen die twee hartstochtelijk aan toe, maar Matthews ontkent de geruchten dat ze het weer bijgelegd hebben.'

'Houden jullie dan nooit op,' fluisterde hij. Stel dat Katy Hart het artikel zag? Dan zou ze totaal geen respect meer voor hem hebben. Het zou zelfs van invloed kunnen zijn op haar besluit. Daar dacht hij even over na. Nee, die kans was niet groot. Ze was niet iemand die roddelbladen las. Hij tikte met zijn vingers op de rand van de tafel. Maar hoe zou het op Kelly overkomen? Zij was de paparazzi spuugzat. Als ze gevoelens voor hem had, en hij dacht dat dat waarschijnlijk nog zo was, zou dit ongetwijfeld pijnlijk voor haar zijn.

Hij smeet het blad op de tafel en richtte zijn aandacht op zijn avondmaaltijd. Het had een ontspannen avond moeten worden, in de privésfeer van zijn eigen huis. In plaats daarvan was hij gefrustreerd en gespannen, gewaarschuwd voor een gestoorde vrouw in een gele Honda en moest hij onder ogen zien wat uit de foto's in het blad bleek.

Hadden ze hem maar op enig ander moment gefotografeerd, bijvoorbeeld terwijl hij een Starbucks in en uit liep, over het strand slenterde of de studio verliet. Dat zou hem helemaal niets gedaan hebben. Maar foto's waarop hij vroeg in de ochtend Kelly Parkers huis verliet? Dat vond hij zo waanzinnig, dat hij er razend van werd.

Vreemd eigenlijk, maar hij kon nu alleen maar aan zijn ouders denken die achttien jaar geleden overleden waren. Ze hadden hem gesteund toen hij interesse kreeg in het acteren, en waren ervan overtuigd geweest dat hij zijn talenten zou kunnen gebruiken om God te dienen.

Dayne lachte zachtjes; het klonk sarcastisch.

Op die gedachte was hij zelf nooit gekomen. God had al op meer dan voldoende belangrijke delen van zijn leven beslag gelegd: de tijd van zijn ouders, hun aandacht en uiteindelijk ook hun leven. Zijn acteertalent opdragen aan God? Dat was wel het laatste wat Dayne ooit had overwogen.

Toch irriteerde hem de gedachte dat zijn ouders foto's van hem zouden hebben kunnen zien, waarop was vastgelegd dat hij het op seksueel gebied niet zo nauw nam. Hij nam vier hapjes van het roerbakgerecht. Zijn ouders kon hij nu maar beter uit zijn hoofd zetten. Sinds die brigadier hem had opgebeld, vond hij alles ergerlijk. Hij staarde naar zijn bord. De groenten waren slap en de kip koud geworden. Ook zijn avondeten was geen succes.

Hij duwde zijn bord van zich af en staarde uit het raam. De mist was intussen dikker geworden en omhulde zijn patio.

Kort nadat hij in Bloomington, Indiana was geweest, was hij een keer naar een cuppingtherapeut geweest. Een in een aangrenzende ruimte werkende visualisatietherapeut had hem bij die gelegenheid een gratis sessie aangeboden, waarin met behulp van verbeeldingskracht het hoofd wordt leeggemaakt om innerlijke vrede te vinden. De cuppingtherapie was een heel ander verhaal en één sessie kostte honderden dollars. Hij moest op zijn buik op een behandeltafel gaan liggen en de therapeute drukte dan een verhit waterglas tegen zijn rug om een vacuüm te creëren. Hoe harder ze drukte, hoe meer spierweefsel er de holle ruimte in werd gezogen.

De bedoeling ervan was dat zijn lichaam werd gereinigd, of iets dergelijks.

Hem was vooral bijgebleven wat de therapeute had gezegd: 'Als je op zoek bent naar innerlijke vrede, moet je iets holistisch zien te vinden om je op te concentreren, de kabbala bijvoorbeeld.'

De kabbala was een paar keer ter sprake gekomen.

Sommige van zijn vrienden in de amusementsindustrie waren heel ingenomen met deze leer. Een oudere actrice had een keer uitgelegd dat het een betere leer was dan het christendom, omdat je je eigen god mocht worden. Je moest namelijk op zoek gaan naar het middelpunt van je eigen bestaan, waar spiritualiteit en goedheid konden opbloeien, zonder de schuldgevoelens en de regels die normaal geassocieerd werden met godsdienst.

Het klonk goed.

Dat wil zeggen, voor zover het niet tegen zijn opvoeding inging. Doordat hij twaalf jaar op een christelijke kostschool voor kinderen van zendelingen had gezeten, kon hij onmogelijk over religie nadenken zonder daar Jezus Christus bij te betrekken. Toch had die kabbala wel iets, of het nu een juiste of een verkeerde leer was, maar dan moest hij wel eerst zijn schuldgevoelens te boven komen. Misschien had de therapeute gelijk gehad; als hij ontdekte waar het in zijn leven om draaide en wie hijzelf eigenlijk was, schonk dat hem misschien wel vrede.

Vooral op dit soort dagen.

Hij schoof zijn stoel achteruit en bracht zijn bord naar het aanrecht. Een visualisatie zou teveel tijd kosten. Hij waste af, droogde zijn handen af en haalde zijn mobiele telefoon uit zijn zak. Nee, ze had niet gebeld. *Kom op, Katy. Laat me weten wat je doet.*

Omdat hij per se wilde dat de telefoon ging, keek hij er even strak naar. Opeens kreeg hij een idee. Misschien kon hij de vrede die hij nodig had vinden door naar haar tv-film te kijken, naar de proefopnames waarin ze een paar jaar geleden een rol had gespeeld. Ja, dat was het. Hij had de film nooit helemaal afgekeken en telkens als hij naar haar keek, haar bestudeerde, raakte hij vervuld van het besef dat het leven goed was.

Als hij een man van gebed zou zijn geweest, had hij God gesmeekt haar ja te laten zeggen tegen de film. Maar met gebed deed je een vrouw die zich kilometers bij je vandaan bevond, niet van gedachten veranderen. Dat kon ze alleen zelf maar doen. Maar hij kon ondertussen naar haar film kijken.

Hij zette de countrymuziek uit en haalde de videorecorder naar de woonkamer. Hij wilde ondertussen naar buiten kunnen kijken, ook al hing er een dichte mist. Hij kon zijn vrije vrijdagavond niet in zijn eentje in zijn thuisbioscoop doorbrengen, en al helemaal niet nu zich buiten zo'n krankzinnig mens schuilhield. Hij drukte een knopje van de afstandsbediening in en zijn op gas werkende open haard floepte aan. Dat was het aardige aan zomers in Malibu Beach: het was er 's avonds nog fris genoeg om de open haard aan te steken.

De film moest teruggespoeld worden. In de paar minuten dat dat duurde, ging hij in de gemakkelijkste stoel in de kamer zitten. Toen drukte hij op *play*. Zodra de titelrol in beeld verscheen en de muziek begon, merkte hij dat hij weer rustig begon te worden. Ook als Katy niet belde, kon hij toch nog de avond met haar doorbrengen.

Hij had een kwartier naar de film zit te kijken toen er precies midden in een scène waarin Katy optrad, werd aangebeld. Een fractie van een seconde aarzelde Dayne. Zou het die psychopathische fan zijn? Hij dacht er even over om zijn pepperspray te pakken, maar riep zichzelf tot de orde.

Zij zou niet doodleuk bij hem aanbellen. Niet als ze hem al zo lang stalkte.

Hij zette de film op pauze en liep naar de voordeur. Toen hij opendeed, stond Kelly Parker op de stoep. Met een verlegen lachje om haar mond zei ze: 'Hoi.'

'Hoi.' Dayne deed zijn best om niet te laten merken hoe frustrerend hij dit vond. Hij wilde geen tijd doorbrengen met Kelly. Vanavond niet en niet alleen bij hem thuis. Hij leunde tegen de deur. 'Wat is er?'

'Ik voelde me eenzaam. Ik dacht al wel dat ik je thuis zou aantreffen.' Ze haalde haar schouders op. 'Laat je me niet binnen?'

'O, sorry.' Hij grinnikte geforceerd en deed de deur verder open.

Ze stapte naar binnen en trok de deur achter zich dicht. Voordat hij verder nog iets kon zeggen, sloeg ze haar armen om zijn middel, leunde tegen hem aan, keek omhoog en kuste hem. Dat deed ze op zo'n manier dat hij wist waarvoor ze gekomen was. Hij kuste haar terug, maar het deed hem helemaal niets. Zo voelde hij zich soms ook wanneer hij voor de camera iemand kuste. Hij was dan een professional die goed was in wat hij deed, maar er absoluut niet persoonlijk bij betrokken was.

'Dayne?' Ademloos stapte ze achteruit en keek hem onderzoekend aan. 'Je hebt geen zin om mij te kussen?'

Hij haakte zijn duimen door de lussen aan de band van haar broek. 'Natuurlijk wel.' Hij vond het afschuwelijk om te liegen, maar wat kon hij anders zeggen? Het zou naar zijn gevoel niet goed overkomen als hij op dit moment eerlijk was. 'Maar, vertel, wat heb je op je hart?'

Ze stak haar kin naar voren, waaruit bleek dat ze zelfs terwijl ze door twijfels werd geplaagd, vol zelfvertrouwen was.

In haar stem klonk een smeulend verlangen door. 'Ik kan er niets aan doen, Dayne, maar ik denk voortdurend aan je, aan hoe het die andere avond was.'

'O?' Hij nam haar van top tot teen op. Ze was oogverblindend, daar was geen twijfel over mogelijk. Waarom deed hij dan zo moeilijk? Waarom bleef hij haar vergelijken met...

'En ik wil natuurlijk ook weten of ik de rol heb gekregen.' Ze trok hem weer dicht naar zich toe en hield haar hoofd ver genoeg achterover om zijn reactie te zien. 'Ik kan me niet voorstellen dat dat niet zo is.'

Dayne lachte. 'Je doet me versteld staan, Kelly Parker. Ik maak me momenteel veel zorgen om jou, en dan duik jij hier op, brutaler en zelfverzekerder dan ooit.'

'Nou... heb ik hem gekregen?' Giechelend kuste ze hem opnieuw, maar ze had iets in haar ogen dat hem argwanend maakte. Waren haar pupillen niet abnormaal groot? En sprak ze ook niet te snel en te schor, alsof ze behoefte had aan een glas water? 'Vertel het me, Dayne, vertel het me. Ik wil het zo graag weten.'

Wat mankeerde haar? Hij weerstond de drang om haar van zich af te duwen. In plaats daarvan haalde hij zijn tong over zijn onderlip en bleef naar haar gezicht kijken. 'We weten nog niets zeker. Je hebt het fantastisch gedaan, Kelly, maar we wachten nu nog even het verdere verloop af.'

'Dat begrijp ik niet.' Kelly fronste. 'Ik loop al een tijdje mee in deze business, Dayne, weet je nog? Je bedoelt te zeggen dat jullie hem aan die beginnelinge hebben aangeboden, hè? Zeg het maar eerlijk.'

Dayne deed een stapje achteruit en leunde tegen de muur van de hal. 'Ja, we hebben hem haar aangeboden. Mitch vond haar geweldig.' Hij maakt een verontschuldigend gebaar. 'We hebben er geen flauw idee van of ze hem zal accepteren. Als dat niet het geval is, dan ben jij de volgende op de lijst.'

Aan haar wangen en mond was te zien dat zij erg teleurgesteld was, maar ze leek nu rustiger, meer zichzelf. 'Mitch vond haar geweldig... Moet je niet zeggen dat jíj haar geweldig vond?'

'Toe nou, Kelly. Vat het niet persoonlijk op. Je weet hoe het gaat in de showbizz. Wanneer een rol jou toevalt, accepteer je hem. Wanneer dat niet het geval is, maak je er geen probleem van. De rol is haar op het lijf geschreven.'

Ze keek hem grijnzend aan. 'Nu plaag je me zeker, Dayne? Ja? Vertel je me dit alleen maar om het opwindender te maken als ik de rol krijg?'

'Als ik ja zeg, zou ik liegen.' Hij kromp ineen. 'Sorry, Kelly. Het lag niet aan jou.'

Haar grijs verdween. 'Nou zeg, dat is echt waardeloos. Was mijn auditie dan niet goed? En hoe zit het dan met...?'

Hij legde een vinger op haar mond. Daar ging ze weer, in een achtbaan van emoties. Met iedere minuut dat ze hier was, was ze ook van stemming veranderd. 'Sst.' Deze keer boog hij zich naar haar toe en kuste haar, vooral om van onderwerp te veranderen. Toen hij zich terugtrok, keek hij haar grijnzend aan. 'Houd je nu maar rustig. De kans is groot dat het nieuwe meisje ons aanbod afwijst.'

'Bedankt.' Ze rolde met haar ogen, maar ze leek niet meer zo gekwetst als daarnet. 'Houd me op de hoogte, goed?'

'Goed.'

Ze drong zich langs hem heen, zette haar handtas op een plankje in de hal en liep naar zijn woonkamer. Dayne ging achter haar aan. Ze keek even strak naar de verstarde close-up van Katy, die op het scherm was blijven staan doordat hij een paar minuten eerder de pauzeknop had ingedrukt. Kelly fronste haar wenkbrauwen en wierp hem een verwarde blik toe. 'Wie is dat?'

Dayne ging tussen Kelly en het televisiescherm in staan. 'Dat is Katy... Katy Hart.' Hij pakte de afstandsbediening en zette het apparaat uit. 'Zij is de beginnelinge.' Hij wees naar de tv. 'Dat was een proefopname van een tv-film waarin ze paar jaar geleden een rol heeft gespeeld, maar dat is niet goed afgelopen.'

'Maar waarom zette je de televisie dan uit?' Ze liet zich neervallen op de bank en klopte op het plekje naast zich. 'Kom zitten en laten we er samen naar kijken.'

Dayne had het liefst tegen haar gezegd dat hij vanavond alleen met Katy bezig wilde zijn, en dan zou ze misschien wel gewoon zijn weggegaan. Omdat hij echter met Kelly bevriend was, liet hij zich inderdaad op het plekje naast haar neervallen en richtte de afstandsbediening op de televisie. Na het indrukken van een paar knopjes verschenen er weer beelden op het scherm. 'Zo, ben je nu blij?'

'Als ze goed is, anders niet.' Kelly sloeg haar armen over elkaar en glimlachte naar hem. Toen richtte ze haar blik op het scherm.

Zwijgend keken ze naar de film. Nu hij Katy springlevend en in kleur voor ogen had vergat Dayne dat er iemand naast hem zat. Waar kwam het door dat de regisseur van het kindertheater in Bloomington zo aantrekkelijk was en zo fris overkwam? Hij bleef naar haar kijken en begon te fantaseren. Wat zou het heerlijk zijn om samen met haar een film te maken! Het zou een heel nieuwe ervaring zijn, want zij was anders dan de meisjes uit Hollywood die hij kende. Die stemden erin toe een kop koffie met je te gaan drinken en belandden dan een paar uur later bij jou in bed.

Katy was een van de mensen die zich niet anders voordeden dan ze waren. Misschien kwam het daardoor.

Hij zat nog steeds aan haar te denken, in de ban van haar manier van optreden, haar stem, haar emoties voor de camera, toen Kelly de televisie uitzette.

'Hé,' hij pakte haar de afstandsbediening af, 'wat doe je nou?'

'Dayne Matthews, ik kan niet van jou op aan.' Ze leek

eerder verbaasd dan boos, alsof haar iets was overkomen dat ze niet helemaal kon begrijpen. 'Je bent verliefd op haar!'

'Wat?' Dayne schoof zo ver mogelijk bij haar vandaan. Toen ging hij zo zitten dat zijn gezicht naar haar toe gewend was. 'Waar heb je het over?'

Ze wees naar de televisie. 'Over die... hoe heet ze ook alweer? Katy nog wat.' Ze lachte, maar ze was zo te horen eerder geschrokken dan dat ze er de humor van inzag. 'Ik ben tijdens de laatste scène naar je blijven kijken en niemand hoeft mij te vertellen wat de blik die je in je ogen had, betekent.' Ze stond op en keek op hem neer. 'Je bent verliefd op haar, hè?'

'Doe niet zo raar, Kelly.' Dayne stond ook op en stopte zijn handen in de zakken van zijn spijkerbroek. 'Ik ken haar niet eens.' Hij knikte in de richting van het televisiescherm. 'Het was vooral mijn manier om research te doen dat ik ernaar heb gekeken.'

'Ja, dat zal wel.' Ze liep langs hem heen door de eetkamer de keuken in. 'Ik ga maar, Dayne, want ik heb het gevoel dat ik niet echt welkom ben.'

Hij liep langzaam achter haar aan, en terwijl zij voor zichzelf een glas water inschonk vroeg hij zich opnieuw af of ze iets gebruikte, cocaïne misschien of een middel dat stemmingswisselingen als bijwerking had. Hij onderdrukte zijn negatieve gevoelens, maar moest diep gaan om nog geduld met haar te hebben. 'Ik dacht dat we gewoon vrienden waren, Kelly. Die conclusie hadden we toch samen getrokken? Dat het tussen ons niet echt iets werd?'

Ze draaide zich bruusk om. 'Uit die nacht bij mij thuis had ik iets anders opgemaakt.' Ze zei het zachtjes, maar klonk gekwetst. Ze legde haar vingers gespreid op haar borst. 'Ik voelde er iets bij, Dayne. Heeft het voor jou dan geen enkele betekenis gehad?'

'Jawel.' Hij kwam op haar af, nam het glas water van haar

over, zette het op het aanrecht en pakte haar hand. 'Het betekende dat ik heel veel om je geef, Kelly.' Hij liet haar vingers los. 'Meer heb ik je niet te bieden.'

Haar schouders ontspanden zich enigszins, en ze trok hem naar zich toe en sloeg haar armen om hem heen. Het was een andere omhelzing dan de eerste keer. 'Sorry.' Ze keek naar hem op. 'Ik klink waarschijnlijk als een stapelgekke maniak.'

Hij wreef over haar rug. Dit was beter; nu was ze weer de Kelly Parker die hij kende en om wie hij gaf, niet de Kelly die iets van hem verlangde wat hij niet kon geven. Het kon niet waar zijn dat ze drugs gebruikte. Daartoe zou Kelly zich niet verlagen, zelfs niet als het helemaal niet goed met haar ging.

Hij moest opeens aan het telefoongesprek met de brigadier denken. 'Zeg, over stapelgekke maniakken gesproken,' zei hij op kalme toon. Hij wilde haar geen angst aanjagen. 'Weet je nog wat je me hebt verteld over die gele Honda Civic en die vrouw met het mes?'

Kelly huiverde en leunde zover achterover dat ze oogcontact met hem kon maken. 'Ja, natuurlijk weet ik dat nog.'

'Nou,' hij tuitte zijn lippen, 'de politie heeft mij vandaag gebeld. Die stalker die hun geschifte brieven over mij schrijft... Dat heb ik je toch verteld?'

'Ja.' Haar ogen waren groter geworden en haar mond stond een eindje open.

'De politie denkt dat ze in een gele Honda Civic rijdt.'

'Nou, dat kan er ook nog wel bij.' Ze stak haar handen boven haar hoofd en liet ze weer zakken. Toen pakte ze haar glas en goot het leeg in de gootsteen. 'Waar staat de wijn?'

Hij nam haar opnieuw het glas uit handen en zette het weer neer. 'Nee, Kelly, geen wijn. Ik ga vanavond vroeg naar bed. Ik wilde je alleen maar vertellen wat ik over die vrouw in de Honda had gehoord, zodat je de politie kunt bellen als je die auto weer ziet.'

Ze was zo geschokt dat ze een moment zwijgend bleef staan waar ze stond. Van haar gezicht was afwisselend angst en woede af te lezen. Toen keek ze opeens ergens naar en hij volgde haar blik. De bladen op de tafel in de eetkamer. 'Ik dacht dat jij zei dat je die beter niet kon lezen.' Ze liep langs hem heen naar de tafel en pakte er een op.

'Ik zei dat jij ze beter niet kon lezen.' Hij ging achter haar staan en probeerde haar het tijdschrift af te pakken.

Ze hield het buiten zijn bereik. 'Het geeft niet, Dayne. Ik kan ertegen.' Op datzelfde moment zag ze de foto van hen tweeën op de omslag. 'Fantastisch.' Ze sloeg het blad op bij het gedeelte waarin hun foto's twee pagina's in beslag namen.

Ze mompelde iets en bladerde door naar een ander artikel. Dat ging over de zes mensen in Hollywood die de onaangenaamste lucht verspreidden. Zij was nummer vijf. 'Wat?' Ze maakte een geluid dat meer op een kreet dan op en lachje leek. '*Kelly Parkers voorliefde voor Italiaans eten heeft haar in deze opiniepeiling hoog op de lijst terecht doen komen. Ons advies: kap met de knoflook!*'

Dayne wist niet goed wat ze nu zou doen: zich huilend laten neervallen op de vloer of zich overgeven aan een woedeuitbarsting. Ze rukte woest de pagina uit het blad en scheurde het aan stukken zoals hij in de nachtclub een tijdschrift had verscheurd, maar Kelly huilde erbij.

'Kelly, kom hier.' Hij stak zijn handen naar haar uit. 'Ik zei toch dat je die troep niet moet lezen. Er is niets van waar.'

'Nee, het is niet waar, hè? Wij komen niet weer bij elkaar!' Met heftige gebaren maakte ze een prop van de stukken papier. 'Omdat jij... mij... niet wilt hebben.' Ze haalde een hand langs haar ogen om de tranen weg te vegen, stormde terug naar de keuken en stopte het papier in de pedaalemmer onder zijn gootsteen.

Toen ze zich omdraaide om hem aan te kijken stonden haar ogen wanhopig. 'Ik vind dit afschuwelijk, Dayne.' Ze stond te trillen, maar niet meer van boosheid. Ze sloeg haar armen over elkaar en staarde naar de vloer. 'Ik vind het allemaal afschuwelijk.'

'Zo moet je niet denken, Kelly. Het komt allemaal goed.'

'Dat denk *jíj*.' Ze haalde haar sleutels uit haar zak en kwam op hem af. 'Het tijdschrift denkt dat we een stel zijn; vind je dat niet grappig?' Ze probeerde sarcastisch te lachen, maar het werd eerder een snik. Toen liep ze langs hem heen. 'Ze moesten eens weten.'

Voordat ze vertrok, keerde ze zich nog één keer naar hem om. 'Ik verlies mijn hoofdrol aan iemand die nog totaal onbekend is, de man die ik graag wil hebben wil mij niet hebben, iedereen is op de hoogte van mijn privéleven, en alsof dat nog niet genoeg is vinden ze dat ik naar knoflook stink. Het is jaren geleden dat ik Italiaans heb gegeten. Teveel calorieën.' Ze trok een scheef gezicht en stak een hand op. 'Kun je nagaan.' Ze glimlachte geforceerd. 'Maar de fans worden in ieder geval aangenaam beziggehouden. Vooral dat gekke mens in de gele Honda.' Ze beet op haar lip. 'Je moet het me maar niet kwalijk nemen,' ze fluisterde nu, 'dat ik niet kan geloven dat het allemaal goed komt.'

Met driftige stappen liep ze door de woonkamer en pakte haar handtas van het plankje bij de voordeur. Maar toen ze de knop omdraaide, ontglipte de handtas haar. Er viel een hele reeks kaartjes, pennen en munten uit, maar ook nog iets anders waardoor duidelijk werd waarom Kelly Parker de hele avond zulke vreemde dingen had gezegd en gedaan.

Een flesje pillen zonder etiket.

24

De cast van *Tom Sawyer* was bezig met de scène in het schoollokaal, en Katy merkte dat het geleidelijk aan ergens op begon te lijken. De bedoeling van dit gedeelte van de voorstelling was te laten zien dat Tom steeds meer belangstelling kreeg voor Becky, en dat het groepje waarmee Tom omging, niet bestond uit de slimste leerlingen.

Ze probeerden de scène te spelen met rekwisieten. Die zouden pas de week voor de première in het theater van Bloomington allemaal op hun plek staan, maar in deze scène kon je het niet zonder rekwisieten stellen. Een ervan was een appel die Toms luidruchtige vrienden over het middenpad naar elkaar toe gooiden, telkens wanneer de juf zich omdraaide.

Midden in de chaos moest Tom, die aan de ene kant van het lokaal zat, snel naar de andere kant van het lokaal vliegen om naast Becky te gaan zitten. Tim Reed kende zijn tekst, en Sarah Jo kwam goed tot haar recht; ze liet zien hoe goed ze in de huid van het personage kon kruipen, zoals Katy haar had zien doen tijdens de tweede auditie.

Opluchting nam bezit van Katy, die bijna helemaal voor in de kerkzaal zat. Dit ging in ieder geval allemaal goed. Ze stond op en beschreef met haar hand een cirkel. 'Goed, doe het nog maar een keer van voren af aan.'

De helft van de kinderen nam plaats in het zogenaamde klaslokaal, terwijl de anderen door een deur de gang in liepen. De tiener die de juf speelde, nam haar plek voor in het lokaal in en begon op nasale, klaaglijke toon te praten. 'Vandaag beginnen we met de rekenles, jongens.' Ze draaide zich om naar het schoolbord.

Terwijl ze dat deed, slopen Tom en zijn maatjes het lokaal binnen en gingen snel op hun plaats zitten.

Met een knalrood gezicht draaide de juf zich om. 'Tom Sawyer! Alweer te laat! Je hebt vast nog een afstraffing nodig voordat de dag om is, Tom.' Ze draaide zich weer om naar het bord.

Deze keer gooide Tom een appel naar Becky om haar aandacht te trekken. Ze hadden dit zo geënsceneerd dat de appel precies in Sarah Jo's handen terechtkwam. Maar Sarah Jo zat te fluisteren met het meisje naast haar. De appel vloog over het middenpad en kwam hard in aanraking met Sarah Jo's hoofd.

'Au!' Sarah Jo wreef over haar slaap. De appel rolde naar de zijkant van het klaslokaal en meer dan de helft van de kinderen begon te giechelen.

Katy had ook zin om te lachen, maar ze bedacht zich. Ze stond op en maakte oogcontact met de kinderen die zaten te lachen. 'Als dat tijdens de voorstelling gebeurt, wat doen we dan? Blijven we dan zitten giebelen?' Ze hield haar gezicht in de plooi, zodat de kinderen wisten dat het haar ernst was.

Een van de kleine meisjes op de voorste rij stak haar hand op. 'Misschien moeten we achter de appel aanrennen als hij wegrolt. Daarna zouden we hem aan Sarah Jo kunnen geven.'

'Goed zo.'

De ochtend sleepte zich voort, maar ze slaagden erin drie scènes in te studeren en dat was voldoende om de verloren tijd in te halen. De groep nam ook nog twee liedjes door, totdat Katy tevreden was. Om de vijf minuten wierp ze een blik op de klok. Uiteindelijk nam ze een besluit. Zodra de repetitie achter de rug was, zou ze Dayne bellen om hem het grote nieuws te vertellen.

Ze accepteerde de rol.

Alice Stryker nam haar na de pauze fronsend apart. 'Sarah Jo moet niet zo ver achter op het toneel staan, vind je ook niet? Iedereen weet dat zij de mooiste stem heeft. Als je wilt dat de voorstelling een succes wordt, moeten ze haar kunnen horen zingen.'

Katy keek de vrouw alleen maar verbijsterd aan. Hoe kon zo'n lief meisje zo'n afschuwelijke moeder hebben? Ze schraapte haar keel. 'Ik geef hier de aanwijzingen, dank u. Als ik hulp nodig heb, vraag ik er wel om.'

Mevrouw Stryker streek de kreukels in haar blouse glad en schudde arrogant haar hoofd. 'Zodra we thuis zijn, ga ik met Sarah Jo aan de slag. Als ze meer naar voren komt, kun je haar waarschijnlijk beter horen. Ik zat bijna helemaal achter in de zaal en ze komt niet luid genoeg door.' Ze wierp Katy een boosaardige blik toe. 'Als je haar niet meer naar voren laat komen, zal ik haar dwingen om harder te zingen.'

Katy was nooit in de verleiding gekomen om een ouder te verbieden de repetities bij te wonen, maar Alice Stryker dwong haar er bijna toe. Ze negeerde de laatste opmerkingen van de vrouw en begon aan het tweede gedeelte van de repetitie.

Krissie Schick, de coördinator van het CKT, kwam een paar minuten voordat de repetitie was afgelopen naar Katy toe. 'De eerste vijf voorstellingen zijn al uitverkocht!' Ze grinnikte. 'Goed gedaan, Katy. Ik weet niet wat we zouden doen als we jou niet hadden. Iedereen in Bloomington heeft het over het CKT.'

Katy merkte dat de moed haar in de schoenen zonk. Wat zou Krissie van streek zijn als ze tot de ontdekking kwam dat Katy een rol in een grote speelfilm had geaccepteerd! Dat betekende namelijk dat ze niet bij de eerstvolgende voorstelling zou zijn, en dat haar toekomst bij het CKT op losse schroeven stond! Na enige aarzeling zei ze: 'Bedankt, Krissie. Dat is fijn om te horen.'

Krissie was een geweldig, vriendelijk, hartelijk mens en moeder van vier kinderen. Wanneer Katy het niet meer zag zitten met een bepaalde voorstelling of optreden, ging ze altijd naar Krissie toe. De vrouw had de gave dat ze altijd meteen doorhad waar het bij Katy aan schortte, en vertelde haar dan precies datgene wat ze nodig had om weer op te fleuren.

Dat was deze keer niet anders. Ze nam Katy op. 'Gaat het wel goed met je? Je lijkt er niet helemaal met je gedachten bij.'

Katy boog zich naar haar toe en omhelsde haar. 'Wat ben je hier toch goed in, Krissie. Je voelt altijd precies aan in wat voor stemming ik ben.' Ze deed een stapje achteruit en glimlachte. 'Het gaat prima met mij. Ik heb alleen veel op mijn bordje.'

'Goed.' Het was Krissie aan te zien dat ze niet overtuigd was. 'Ik ben er voor je als je me nodig hebt. Onthoud dat. Ik ben altijd beschikbaar.'

Katy werd bestormd door schuldgevoelens. Krissie deed alles om ervoor te zorgen dat Katy een heerlijke tijd had in Bloomington. Ze zou haar binnenkort moeten vertellen wat ze had besloten. Anders zou Krissie het gevoel hebben dat ze dingen voor haar verborgen had gehouden. Dat mocht Katy niet laten gebeuren.

Toen de repetitie voorbij was, moest ze nog 52 vragen over kostuums en repetitietijden beantwoorden en 38 suggesties doen over hoe er nog verbetering te brengen was in een stuk tekst of een scène. Daarna keek ze Al en Nancy Helmes en Rhonda Sanders aan en haalde een keer diep adem. 'Nou, vertel, hoe zag het eruit?'

Nancy grinnikte. 'Alles krijgt fantastisch vorm, Katy. Je verricht weer wonderen.'

'Ik ben eerlijk gezegd verbaasd.' Al knipoogde naar haar. 'Ik begon me deze keer een beetje zorgen te maken.'

Rhonda wees recht omhoog. 'In afhankelijkheid van Hem zijn we hier bezig. Vergeet niet dat het dan altijd goed komt, al zal het misschien anders gaan dan wij denken.'

'Goed gezegd, Rhonda!' Al gaf zijn vrouw een arm en zij liepen naar de deur. 'We gaan een halve kop koffie voor haar halen. Tot volgende week.'

Rhonda wachtte totdat ze weg waren. Toen wendde ze zich tot Katy. 'Je gaat het doen, hè?'

Katy kon niet liegen tegen haar vriendin. Ze wist dat ze het nog voordat ze een woord had gezegd, al aan haar ogen had kunnen zien. 'Heb je het nu over de filmrol?'

'Ja. Je accepteert hem, hè?'

'Ja. Ik ga hem zo dadelijk bellen.'

'Ik kan het niet geloven, Katy.' Rhonda gaf haar een knuffel. Ze keek even onzeker als blij. 'Ik ben blij voor je. Als je maar niet vergeet om terug te komen.'

'Zal ik niet vergeten.' Ze kneep even in Rhonda's hand, pakte haar handtas en samen liepen ze naar buiten.

Pas toen Katy alleen in haar Nissan zat, nam ze haar besluit. Ze zou Dayne niet bellen, nog niet. Ze zou de studio bellen en haar reis naar Los Angeles plannen. Dayne zou ze maandag bellen, zodra ze daar was aangekomen. Op die manier konden ze onder vier ogen het contract tot in de kleinste bijzonderheden bespreken.

Katy's hart sloeg op hol toen ze startte en het parkeerterrein van de kerk af reed. Ze had het al aan de Flanigans verteld en die keurden het goed. Nu hoefde ze alleen nog maar plannen te maken voor haar vlucht en haar spullen te pakken. Alleen al het idee dat ze naar LA ging om haar handtekening te zetten onder een filmcontract was voldoende om haar de adem te benemen.

Ze popelde van ongeduld om in het vliegtuig te stappen.

ଔ

Dayne zat nog steeds alleen thuis op het telefoontje van Katy te wachten en kreeg daar op een gegeven moment genoeg van.

Hij belde zijn vriend Marc David, de acteur die een van de grootste roddelbladen een proces aandeed vanwege het artikel over zijn vader. Een avondje stappen zou een goede manier zijn om te horen hoe de zaken er nu voorstonden. Ze spraken af dat ze elkaar zouden ontmoeten in het Starleen Café, de allernieuwste uitgaansgelegenheid in een buitenwijk van Hollywood. Deze club was ook bijzonder populair bij de Hollywood-elite en er was net als in andere clubs een besloten gedeelte voor filmsterren. De hele bovenverdieping was uitsluitend toegankelijk voor clubleden.

Terwijl Dayne en Marc wachtten totdat ze met de lift naar boven konden, greep een vrouw Dayne bij de arm. 'Dayne Matthews! Ik kan het niet geloven… Dayne Matthews!' Ze gilde zijn naam, en iedereen op de begane grond kreeg hen nu in het oog, terwijl het hun eerder niet was opgevallen dat de twee acteurs bij de lift stonden.

'Hé.' Hij trok zijn arm los, en toen herinnerde hij zich de waarschuwing van de brigadier over een mogelijk gevaarlijke, vrouwelijke fan. Stel dat zij dat was? Misschien was ze wel gewapend. Hij keek even naar de vrouw en zag dat ze haar hand in haar zak had.

Ze sprong weer op hem af en deze keer duwde hij haar achteruit, zodat ze haar evenwicht verloor en op haar achtste viel. De vrouw begon te schreeuwen en wees naar Dayne. 'Ik neem contact op met mijn advocaat! Je mag me geen zet geven!'

De andere mensen werden onrustig en wierpen Dayne en Marc vuile blikken toe. Maar voordat de situatie uit de hand kon lopen, stootte Marc Dayne aan. De lift was er. Ze glipten naar binnen en lieten zich tegen de achterwand vallen. 'Dat was waanzinnig.' Dayne ademde luid en snel. 'Ik dacht dat ze een mes bij zich had.'

'Een mes?' Marc keek hem eerst bevreemd aan, maar toen was aan zijn gezicht te zien dat het hem begon te dagen. 'Je hebt het nu over die vrouw, over wie ik heb gelezen dat ze je stalkt?'

'Ja.' Dayne haalde zijn vingers door zijn haar. Hij deed nog steeds zijn best om weer normaal adem te halen. 'De politie heeft me verteld dat ik moet oppassen voor uitzinnige vrouwelijke fans, en toen ze mij vastgreep...' Hij schudde zijn hoofd. 'Dat ik haar een zet heb gegeven... Niet te geloven!'

'Je hebt niets verkeerds gedaan.' Mark rolde met zijn ogen. 'Als zij haar advocaat inschakelt, moet je mij bellen. Ik zal je getuige zijn.'

De deuren gingen open en op de tweede verdieping hing een heel andere sfeer. Het was er lang zo donker niet en niemand kwam op hen afgerend toen zij op een tafeltje achterin afgingen. Drie vooraanstaande filmsterren uit de stad zaten aan het tafeltje ernaast en zij knikten of zwaaiden allemaal naar Dayne en Marc.

'Wat is er aan de hand, jongens?' Een van de mannen stond op en gaf eerst Dayne en daarna Marc een hand. 'Jullie zien er een beetje verdwaasd uit.'

Dayne wreef over zijn voorhoofd. 'De mensen beneden waren lastig.'

'Ik heb toch tegen je gezegd, man,' grinnikte een van de andere acteurs, 'dat je aan de achterkant naar binnen moet gaan. Daar is ook een lift, maar dat weet verder niemand.'

Zijn collega had gelijk. Dayne had er niet aan gedacht dat daar ook een ingang was, maar dat zou hem na vanavond niet meer overkomen. Hij ging nooit meer door de hoofdingang naar binnen. 'Goed plan,' lachte hij.

De derde man aan het tafeltje was een legende in Hollywood. Hij gedroeg zich altijd onberispelijk, terwijl hij al twintig jaar lang hoofdrollen speelde in films. Hij dronk zo te zien ijsthee. 'Vertel, feestbeest Dayne, geen vrouwen vanavond?'

Hij schudde zijn hoofd. 'Nee, vanavond niet. Ik leid tegenwoordig een wat netter leven.'

De man glimlachte. 'Wat goed van je.'

Nadat ze nog een paar minuten met elkaar gepraat hadden, gingen Dayne en Marc aan hun tafeltje zitten. Ze bestelden iets te drinken en Marc vertelde hem hoe zijn zaak tegen het roddelblad er voorstond. 'Het lijkt een heel solide zaak.' Hij leunde met zijn ellebogen op de tafel. 'Ik zou graag zien dat door het proces het blad niet meer verschijnt.'

Danny leunde achterover en trok een wenkbrauw op. 'Daar zou ik maar niet op rekenen. Die roddelbladen hebben meer geld dan wij weten.' Hij sloeg zijn armen over elkaar. 'Iedereen wil graag de laatste roddels over filmsterren weten. Het is vast verslavend.'

De serveerster kwam hun drankjes brengen. Ze was een beroepskracht die ervoor betaald werd dat ze deed alsof ze niet onder de indruk was van de bekende gezichten op de alleen voor leden toegankelijke tweede etage.

Ze begonnen over iets anders, over de projecten die ze onder handen hadden. Marc speelde een rol in het vervolg op een kaskraker, maar hij was bang dat het niet zo'n sterke film was als de eerste. 'Je moet zo oppassen.' Hij ademde langzaam in. 'Accepteer een rol in een waardeloze film en de fans nemen het je een jaar later nog kwalijk.'

'Ja, weet ik.' Dayne trok een scheef gezicht. 'Dat is mij een paar jaar geleden ook overkomen. En het zou weer kunnen gebeuren als ik het meisje dat ik voor *Dream on* wil hebben, niet binnenhaal.'

'Een nieuw meisje?'

'Ja, een onbekende.' Dayne sloeg zijn ogen neer. Hij wilde niet te veel prijsgeven, vooral niet omdat hij niet precies wist wat hij nu eigenlijk voelde voor Katy. 'Ik zal het je laten weten als ze aan de verwachtingen voldoet.'

Ze praatten nog even door over *Dream on* en over de scènes die Dayne in de loop van de week met Mitch Henry had doorgenomen.

Toen haalde Marc een flyer uit de binnenzak van zijn sportjasje. 'Zeg, Dayne, heb je weleens iets gehoord over de kabbala?'

'Ja, een heleboel mensen hebben het erover.' Dayne nam een slokje van zijn drankje. 'Ik begrijp er niet veel van.'

'Ik ga het eens uitproberen. Niet ver hier vandaan is een centrum waar je er meer over te weten kunt komen.' Omdat de muziek harder stond dan daarnet, moest Marc met stemverheffing praten om zich verstaanbaar te maken. 'God is in jou, is een deel van jou. Als je een voldoende hoog niveau van bewustzijn bereikt, kun je je eigen god worden. Zoiets.' Hij haalde zijn schouders op. 'Overtreft alle traditionele religies waar ik ooit van heb gehoord.'

'Ja, misschien moet ik me er ook maar eens in verdiepen.' Dayne wilde er een goed gevoel bij hebben, maar er werden nog steeds oude schuldgevoelens door wakker geroepen. Dat waren de restanten van zijn christelijke opvoeding.

'Maar vertel me nog eens wat meer over het nieuwe meisje.' Marc wierp Dayne een nieuwsgierige blik toe. Zijn vriend wist vast meer van het meisje dan dat ze goed kon acteren. 'Ken ik haar echt niet?'

'Niemand kent haar.' Dayne voelde zich warm worden nu hij aan Katy dacht. Belde ze nu maar! Hij stond op het punt te vertellen dat ze uit Bloomington afkomstig was, en dat ze niets te maken wilde hebben met het losbandige leven in Hollywood, toen zijn telefoon ging. Hij stak hem omhoog en zei grijnzend: 'Misschien is zij het wel.'

Hij glipte een gang in waar het rustiger was, en klapte zijn mobiele telefoon open zonder te kijken wie er belde. 'Hallo?'

'Dayne...' De stem klonk schor en ademloos, alsof de beller naar lucht hapte. 'Help me... Dayne, help me.'

‘Met wie spreek ik?’ Dayne moest onmiddellijk aan de ontspoorde fan denken. Kon zij aan het nummer van zijn mobiele telefoon zijn gekomen?

‘Met Kelly.’ Ze sprak langzaam maar was niet erg goed te verstaan.

‘Kelly?’ Dayne ijsbeerde van het ene naar het andere eind van de gang. Had de stalker haar gevonden? Hij kreeg opeens pijn in zijn buik. ‘Kelly, vertel me wat er aan de hand is!’

‘Ik ben... misselijk.’ Ze haalde twee keer bibberig adem. ‘Help me... Dayne.’

Hij merkte dat de spanning van hem afviel. Het ging niet om de stalker. Kelly had vast griep of iets dergelijks. ‘Wat is er, schatje? Je voelt je zo te horen belabberd.’

‘Pillen... teveel pillen.’

Zijn hart sloeg over. ‘Heb je geprobeerd om... Kelly, je hebt het toch niet met opzet gedaan?’

‘Help me... niet... veel tijd meer!’

Dayne kwam opeens in actie. Dit was niet zomaar een telefoontje, het was een noodkreet. ‘Houd vol, Kelly. Ik zal het alarmnummer bellen, schatje. Blijf wakker. Niet gaan slapen, hoor je me?’

‘Ja.’ Er klonk een klik.

‘Kelly?’ Er kwam geen antwoord; het gesprek was beëindigd. Hij toetste het alarmnummer in en ijsbeerde nog weer even door de gang.

De alarmcentrale meldde zich. ‘Zegt u het eens.’

‘Een vriendin van me heeft een flesje pillen ingenomen. Ze heeft hulp nodig.’

‘Goed, meneer. Mag ik uw naam weten?’

Er waren twee minuten verstreken, voordat de telefonist alle informatie had ingewonnen die hij nodig had: zijn naam, Kelly’s naam, haar adres. Het duurde naar zijn gevoel eindeloos.

Na afloop van het telefoontje stormde Dayne terug naar het zitgedeelte en zei tegen Marc: 'Kom mee. Het is helemaal mis met Kelly Parker.' Hij knikte in de richting van de deur. 'Ik denk dat ze teveel pillen heeft ingenomen.'

Marc vloog overeind en vijf minuten later zaten ze in de auto, ook al probeerden fans hen in te sluiten, en waren ze op weg naar Kelly's huis. Minstens twee fotografen volgden hen en deze keer werd Dayne er woedend om.

'Weet je het zeker? Heeft Kelly Parker teveel pillen ingenomen?' Marc had zich met een gespannen gezicht naar Dayne toegewend. 'Waarom zou ze zoiets doen? Daar heeft ze toch helemaal geen reden voor?'

'Dat zie je verkeerd.' Dayne tikte op zijn achteruitkijkspiegel en keek naar de personenwagen die hen volgde. Hij knarsetandde. 'Ze wordt helemaal gek van die fotografen.'

Toen ze bij haar huis aankwamen, stond er al een ambulance met zwaailichten voor de deur. De fotografen kwamen ongetwijfeld alle pikante details aan de weet, maar daar kon Dayne nu niets aan doen. Hij moest weten hoe het met Kelly ging. Marc en hij renden van zijn Escalade naar haar voordeur.

Ambulancebroeders hadden haar op een brancard gelegd en in een arm een infuus ingebracht. 'Ik ben Dayne Matthews. Ik ben degene die heeft gebeld.' Hij kwam een paar stappen dichterbij. Kelly's gezicht was angstaanjagend grauw en ze gaf geen enkel teken van leven. 'Is ze... Komt het wel weer goed met haar?'

'Haar hartslag is traag maar regelmatig.' De ambulancebroeders die het dichtst bij hem stond, keek over zijn schouder naar Dayne. 'We brengen haar naar het ziekenhuis, maar ik denk dat we er nog op tijd bij zijn.'

Dayne zuchtte diep van opluchting. Terwijl de ambulancebroeders aanstalten maakten om haar het huis uit te rijden, realiseerde Dayne zich opeens wat er zou gaan gebeuren. De fotografen zouden het moment vastleggen en de foto's in het eerstvolgende roddelblad publiceren, zodat iedereen zou weten dat Kelly Parker een zelfmoordpoging had gedaan. 'Zeg.' Hij stak zijn hand op en zei tegen de ambulancebroeder die voorop liep: 'Kunnen jullie even wachten tot ik de paparazzi het bos in heb gestuurd?'

De man keek even naar Kelly en knikte. 'Als je maar opschiet.'

'Kom mee.' Dayne greep Mark bij de elleboog en trok hem mee naar buiten. Ze renden de voordeur uit, Dayne voorop, en sprongen in zijn auto. 'Het zijn er maar twee. Laten we zorgen dat ze er allebei intrappen.'

'Wat ben je van plan?'

Dayne dacht vooruit. 'Laten we doen alsof we met elkaar op de vuist gaan.' Hij wees naar twee auto's die een eindje verderop geparkeerd stonden. 'Daar staan ze allebei. Zie je ze? Nou, ben je zo ver?'

'Absoluut.' Marc keek naar hem, in afwachting van een teken.

Toen Daynes SUV nog maar een paar meter bij de fotografen vandaan was, ging hij opeens op de rem staan, duwde het portier open en stormde om het voertuig heen. 'Stap uit en doe er iets aan!' schreeuwde hij met inzet van al zijn acteertalent naar Marc.

Marc sprong uit de auto en gaf Dayne zo'n harde zet dat hij anderhalve meter achteruit vloog en bijna viel. Vanuit een ooghoek zag Dayne dat de fotografen zich omdraaiden en hun fototoestel op hen richtten. De list werkte.

Het geschreeuw over en weer duurde bijna een minuut en de paparazzi namen al die tijd foto's. Uiteindelijk duwde Dayne Marc weer in de SUV, deed alsof hij een trap tegen het portier gaf en rende om de auto heen om weer achter het stuur te gaan zitten. Toen hij snel de straat uit reed, zaten de twee fotografen vlak achter hem.

Na een tien minuten durende achtervolging stopte Dayne en stapten Marc en hij allebei uit. Terwijl de fotografen foto's bleven nemen, ongetwijfeld in de overtuiging dat ze zo dadelijk het vervolg van een hevige ruzie te zien zouden krijgen, liepen Dayne en Marc om de SUV heen, gingen tegen de bumper aan staan en schudden elkaar lachend de hand.

'Goed gedaan,' zei Dayne, nog steeds met een vrolijk gezicht. 'Kelly is ondertussen al halverwege het ziekenhuis.'

Marc bleef in zijn rol en lachte. 'Missie voltooid.'

Ze wachtten nog drie minuten, totdat de fotografen genoeg kregen van het vrolijke tafereel. Intussen moesten ze zich hebben gerealiseerd dat ze in het ootje genomen waren, want ze reden allebei weg in de richting van Kelly's huis.

Zodra ze verdwenen waren, knikte Dayne in de richting van de SUV. 'Laten we nu maar doorrijden naar het ziekenhuis.'

Er schoten onderweg allerlei gedachten door Dayne heen. Wat was er daarnet gebeurd? Kelly Parker was in vliegende vaart op weg naar het ziekenhuis omdat het leven dat ze als vooraanstaand Hollywood-actrice leidde, niet de moeite waard was. Hij had een ruzie met een van zijn beste vrienden in scène moeten zetten, alleen maar om ervoor te zorgen dat Kelly onopgemerkt op een brancard haar eigen huis uit kon worden gereden.

Wat een waanzin! En ergens in Bloomington, Indiana probeerde Katy te besluiten of ze een hoofdrol zou accepteren die haar van het ene op het andere moment midden in die wereld terecht zou doen komen. Onderweg naar het ziekenhuis dacht hij erover na wat hij tegen Kelly moest zeggen om haar weer hoop te geven, maar de enige gedachte die bij hem opkwam was dat hij zijn best had gedaan om Katy zo ver te brengen dat ze ja zei.

Maar als hij om haar gaf, was dat waarschijnlijk het ergste

wat hij had kunnen doen. Hij had haar namelijk voorgehouden dat ze overdreef, toen ze vertelde wat voor beeld zij had van het leven van een beroemdheid met veel geld.

Dat beeld klopte echter precies en zij maakte zich er dan ook terecht zorgen over.

ଓ

Geen waarschuwingen meer. Chloe had zich voorbereid om in actie te komen.

Ze had drie dagen niet gegeten, alleen af en toe een kop koffie gedronken en een stuk of twee smoothies uit de ijssalon op Malibu Market. Verder kwam ze nauwelijks haar auto uit. Dat wil zeggen, zij niet en Anna niet. Ze hield Anna onder de duim en herinnerde haar er telkens aan dat zij de baas was. Zij en niemand anders.

Het mes had ze altijd bij zich, het mes en het fototoestel, voor het geval iemand vragen stelde. Ze had het fototoestel zelfs een paar keer gebruikt. De foto's kon ze naderhand in hun familiealbum plakken. Maar het mes kon ze tegenwoordig geen moment meer uit haar hoofd zetten; ze kon nergens anders meer aan denken. Eindelijk was ze zo ver dat ze het durfde te gebruiken.

'Je bent stapelgek,' had Anna gisteren tegen haar gezegd toen ze vanaf haar eigen plekje op de heuvel Daynes huis in de gaten hield. 'Je wordt betrapt en dan komen we allebei in de gevangenis terecht!'

'Ik word niet betrapt!' had Chloe tegen haar zuster geschreeuwd. 'Laat me met rust!'

Het begon er alleen op te lijken dat Dayne op de een of andere manier bij haar vandaan werd gehouden. Hij had nu allang naar buiten moeten komen om zich aan haar voor te stellen, en te vertellen hoezeer het hem speet dat hij zich niets meer gelegen liet liggen aan hun trouwbeloften.

Hij had haar toch beloofd dat hij voorgoed bij haar zou blijven? Ja, zo was het toch?

Ze had tegen Anna gezegd dat ze Dayne in het handschoenenvak bewaarde, maar dat was niet helemaal waar. Het handschoenenvak was niet echt een handschoenenvak, maar een aparte plek in haar hoofd waar niemand bij kon komen, zelfs Anna niet. Daar woonde Dayne sinds ze getrouwd waren. Maar het werd nu tijd dat hij naar huis kwam.

Als ze hem er met geweld toe moest dwingen, dan moest dat maar. Zij was er klaar voor.

Ze was er trouwens volledig van overtuigd dat een andere vrouw hem bij haar vandaan hield. Dat was Daynes manier van leven die ze hem zou moeten afleren. Hij rotzooide voortdurend met andere vrouwen, maar hij zou niet tegen haar kunnen liegen omdat ze de bladen las. Als Dayne met iemand naar bed ging, was zij daarvan op de hoogte. Feitelijk was het zo dat zij dan de eerste was die daarvan op de hoogte was, omdat er geen dag, geen uur voorbijging of ze wist waar hij was.

Dat konden de roddelbladen niet zeggen.

Het was nu maandag en ze stond weer bij de studio geparkeerd. Wat haar betreft mocht de politie komen om haar te ondervragen. Wat gaf het? Ze kon toch altijd nog met het mes gaan zwaaien?

'Nee, stommerd, je kunt niet met een mes naar een politieagent zwaaien,' sneerde Anna, die op de stoel naast haar was komen zitten. 'Dan trekken ze hun pistool en schieten ze je dood.'

Daar moest Chloe even over nadenken. 'Ik kan beter dood zijn dan dat Dayne niet bij me is. Hij is mijn man, Anna. We hebben het recht om samen te zijn.'

'Je bent niet wijs.'

Chloe keek haar boos aan. 'Houd je kop of ik rijg je aan mijn mes.'

Dat snoerde haar de mond. Net als altijd.

Ze draaide zich om, om naar de oprijlaan te kijken die naar de studio liep. Als Dayne zich wenste te amuseren met andere vrouwen, dan was dat zijn zaak. Maar het was aan haar om de ordinaire sletjes in Hollywood die het waagden om met haar man naar bed te gaan, uit de weg te ruimen.

Dat was de reden dat het nu zover gekomen was, dat de eerste de beste vrouw die ze met Dayne Matthews samen zag, zo goed als dood was. Ze zou hem ieder uur van de dag volgen, totdat ze zag wie beslag legde op zijn tijd, op zijn hart. Dan zou ze een manier weten te vinden om de vrouw naar zich toe te lokken en haar te vermoorden. Om haar voorgoed het zwijgen op te leggen. Als je dat met een mes deed werd het een vieze boel, maar Chloe had geen keus. Ze zou haar vermoorden en het lijk begraven. Dat had ze eerder gedaan.

Niets stond Dayne daarna nog in de weg om de plek aan haar zijde in te nemen, en kort daarop zouden ze plannen maken voor de reis die ze al te lang hadden uitgesteld.

Hun huwelijksreis.

25

Katy belde maandag om vijf uur, twee uur nadat ze in Los Angeles was geland. Het was haar derde vliegreis binnen een maand en deze keer had ze niet aan Dayne verteld dat ze kwam. Ze had het nummer van zijn mobiele telefoon, en zodra ze zich in haar hotelkamer had geïnstalleerd toetste ze dat nummer in.

Hij nam vrijwel meteen op. 'Katy?' Hij klonk zo hoopvol, dat ze er bijna om moest lachen.

'Hallo.' Aan haar stem moest te horen zijn dat ze glimlachte. 'Raad eens waar ik ben?'

'In Hannibal, Missouri?'

Dit keer lachte ze wel. 'Nee, niet meer.' Na een korte stilte voegde ze eraan toe: 'Ik heb aan de studio gevraagd een vlucht voor mij te boeken. Ik ben in LA.'

'Echt waar?' De hoop was nu twee keer zo sterk. 'En... heb je een besluit genomen?'

'Ja.' Ze wilde hem geen minuut langer meer laten wachten. 'Ik accepteer de rol. Ik heb het contract bij me.'

Dayne slaakte een kreet maar vermande zich bijna meteen weer. 'Je zult er geen spijt van krijgen. Het zal een feest zijn om samen deze film te maken.'

'Ja, dat denk ik ook.' Ze had vanuit haar hotelkamer zicht op de drukke boulevard beneden. 'Het je al gegeten?'

'Nog niet. Ik ben nog in de studio.' Hij reageerde terughoudend, maar zo te horen wel met toenemend enthousiasme. 'Wat zou je ervan zeggen als jij mij komt oppikken en we dan doorrijden naar Paradise Cove? Dat is een privéstrand waar heel vaak gefilmd wordt.'

Katy voelde hoe een koude rilling over haar rug liep. Zou het steeds zo gaan? Zou ze dag in dag uit samen met hem eten en praten? Een vriendschap opbouwen? Katy probeerde haar gedachten onder controle te krijgen, maar ze leken op afgevallen bladeren in een storm. 'Lijkt me prima. Maar waar eten we dan?'

'Ik haal wel even voor ons allebei een picknickdoos uit de kantine van de studio.'

Een halfuur later was Katy bij de studio. Ze ging via een achterdeur naar binnen en trof Dayne aan waar hij eerder ook had gezeten: in de werkkamer halverwege de gang. Stralend stond hij op en stak haar zijn hand toe. Toen ze die schudde moesten ze allebei lachen. 'U kunt instappen, meneer.'

Hij reed. 'Dit is prima. Met zo'n huurauto lukt het vast wel de paparazzi te slim af te zijn.' Hij keek haar grijnzend aan. 'Het leven lijkt bijna normaal.'

De lach op Katy's gezicht verflauwde. 'Is het zo erg? De roem en de aandacht?'

'Het ligt er maar aan hoe je het bekijkt.' Hij duwde zijn zonnebril recht en haalde zijn schouders op. 'Als je nooit verder kijkt dan één dag, dan is het zo erg niet. Je raakt eraan gewend.'

'Ze achtervolgen je toch niet altijd?' Het verbaasde haar dat ze zich zo op haar gemak voelde, terwijl ze over de kustweg reden met Dayne aan het stuur. 'De paparazzi, bedoel ik.'

Hij keek haar schuin aan. 'Jawel, dat doen ze wel. Met hun sterke lenzen kunnen ze door het raam in de donkerste vertrekken van je huis kijken. Je moet voortdurend op je hoede zijn.'

Ze had zich zo zonnig gevoeld; deze gedachte wierp er een schaduw op. 'Maar dat geldt toch alleen maar voor mensen zoals jij en nog een paar anderen? Voor de grootste beroemdheden?'

'Niet echt.' Hij liet het raampje zakken en leunde met zijn elleboog op het portier. 'Als je een naam hebt of een gezicht dat de lezers waarschijnlijk herkennen, volgen ze je.' Hij grinnikte naar haar. 'Voor het geval je op je hoofd krabt of als je haar niet helemaal goed zit, snap je.'

Haar hart begon sneller te kloppen en inwendig berispte ze zichzelf. Waarom maakte ze zich zo druk? Het was toch aan Gods leiding te danken dat ze dit besluit had genomen? En hoe kwam ze erbij te denken dat de paparazzi belangstelling voor haar zouden hebben? 'Ik denk dat je de roddelbladen maar beter kunt laten liggen.'

'Daar heb je helemaal gelijk in.' Hij leunde achterover tegen de hoofdsteun, zodat de zon op zijn gezicht scheen, en keek vanuit een ooghoek naar haar. 'Jij leest ze toch niet?'

'Zelden.' Ze keek naar de Grote Oceaan links van hen. Op het water deed de zon talloze diamanten glinsteren. 'Ik denk trouwens ook niet dat ik de onzin die ze daarin afdrukken, zou geloven.'

'Zo mag ik het horen.'

De kustweg liep door heuvelachtig gebied, en toen ze aankwamen op een heuveltop nam Dayne gas terug. De oceaan werd op dit punt aan het zicht onttrokken en tussen de weg en het strand in lag een exclusieve wijk met veel bomen. Op een bord stond *Paradise Cove*.

'We zijn er.' Dayne maakte een bocht. Bij het toegangscontrolesysteem aangekomen toetste hij een code in en het hek ging open. Hij reed over een smalle asfaltweg totdat hij uitkwam bij een parkeerplaats en een strand. Die waren samen niet groter dan een voetbalveld en werden omgeven door natuurlijke rotsen die aan beide kanten uitstaken in de oceaan.

'Wat mooi!' Katy wees naar een korte pier links van hen. 'Die heb ik eerder gezien.'

Dayne zette de motor uit en leunde achterover. 'Die is

in meer films en televisieprogramma's voorgekomen dan je kunt tellen. Het kost niet veel moeite om hier een filmploeg naartoe te krijgen en je kunt er bijna helemaal aan de publieke belangstelling ontkomen.'

Hij keek haar aan. 'Maar dat geldt niet voor de paparazzi. Die komen met een kajak of lopend vanaf de snelweg hiernaartoe en vinden dan altijd wel een gat in de afrastering. Zij schrikken echt nergens voor terug, als ze maar foto's kunnen maken.'

De gedachte dat er zo constant inbreuk op je privacy werd gemaakt irriteerde Katy, maar ze begon over iets anders. Het had geen zin om je zorgen te maken over wat er morgen zou kunnen gebeuren. Met maar één film op haar naam zou ze bovendien geen doelwit zijn. Als ze het daarbij wilde laten, hoefde ze ook niet per se nog meer films te maken. Ze liet haar ogen over het kleine strand dwalen en zag nergens andere mensen. Dayne had gelijk. Het was maar goed dat ze in haar huurauto hiernaartoe waren gekomen. Deze avond zou hij zich in ieder geval geen zorgen over fotografen hoeven te maken.

'Alles veilig?' Dayne pakte de twee picknickdozen van de achterbank.

'Zo te zien wel.' Grinnikend stapte ze uit en duwde het portier dicht. 'Het is jouw schuld dat ik nu aan achtervolgingswaanzin lijd.'

'Dat is nu net waar het om draait. Je moet zorgen dat je daar geen last van krijgt. Je moet erin meegaan in plaats van je er druk over te maken. Soms lach ik ze uit en dan hebben ze opeens geen lol meer in de achtervolging.' Dayne liep voor haar uit de helling af naar het strand en bleef bij een picknicktafel op een klein grasveld staan. 'Wat vind je hiervan?'

Katy ademde diep in en hield haar hoofd schuin in de richting van de zon. 'Prima.' Ze keek hem aan. 'Een zonsondergang op een privéstrand... Beter kan het toch niet?'

Ze nam tegenover hem plaats en wilde bidden voor het eten, maar bedacht zich. Ze wilde niet dat hij zich er ongemakkelijk bij voelde. Daarom bad ze gauw in stilte en maakte haar picknickdoos op hetzelfde moment open als hij.

'Broodjes met kalkoenvlees, chips en fruit. Niets bijzonders.' Glimlachend keek hij haar vanaf de andere kant van de tafel aan. 'Vertel me dan nu maar eens, Katy Hart, hoe je tot je besluit bent gekomen. Wat heeft de doorslag gegeven?'

'God.' Ze keek hem aan en hield zijn blik vast. 'Ik zou niet hiernaartoe hebben kunnen komen als ik niet het gevoel had gehad dat Hij mij Zijn zegen heeft geven.'

Dayne had zijn zonnebril nog op; toch kon ze zien dat hij haar opnam. 'Meen je dat nou?'

'Jazeker.' Ze probeerde hem te peilen. 'Is een dergelijke manier van bezig zijn met je geloof jou vreemd?'

'Ja, eigenlijk wel.' Hij nam een hap van zijn broodje en keek een poosje strak naar de oceaan, voordat hij haar weer aankeek. 'Mijn ouders waren zendelingen.'

Katy moest zich vasthouden aan de bank om er niet vanaf te vallen bij dit nieuws. Waren Dayne Matthews' ouders zendelingen? 'Zitten ze in het buitenland?'

'Nee.' Dayne haalde een keer diep adem en ging een beetje rechterop zitten. 'Ze zijn omgekomen toen een eenmotorig vliegtuigje neerstortte boven het oerwoud van Indonesië. Achttien was ik toen.' Zijn kaakspieren bewogen en hij praatte niet meteen verder. 'Ik was enig kind.'

Er kwam een sombere sfeer tussen hen in te hangen. 'Waar was jij toen het vliegtuig verongelukte?'

'Ik zat in de bovenbouw van de middelbare school. Ik ben opgegroeid op een kostschool voor kinderen van zendelingen.' Hij grinnikte even, maar het klonk bitter. 'In mijn leven heeft God het altijd gewonnen. Iedere keer.'

Katy begon te begrijpen waarom Dayne het niet vaak

over zijn geloof had. Ze wilde hem nog meer dingen vragen, bijvoorbeeld wat hij ervan vond dat hij niet in de nabijheid van zijn ouders was opgegroeid, en hoe hij zich had gered zonder familie. Maar daar was dit niet het goede moment voor, merkte ze. Ze kon trouwens ook al aan de klank van Daynes stem horen wat hij zou antwoorden. Hij had het allemaal afschuwelijk gevonden.

'Het geeft niet.' Hij grijnsde naar haar en maakte zijn zakje chips open. 'Het is allemaal al zo lang geleden. Het gaat best goed met mij.'

'Dat is fijn.' Ze wilde eigenlijk nog iets zeggen, maar nam in plaats daarvan een hap van haar broodje. Ze konden het vast nog wel over andere dingen hebben. 'Bedankt dat je me hiernaartoe hebt gebracht. Het is een prachtige plek.'

'Ik wilde je in de ogen kunnen kijken op het moment dat je uitsluitsel gaf.' Hij schoof zijn zonnebril lager op zijn neus en keek haar met half dichtgeknepen ogen aan. 'Ga je het echt doen?'

'Ja.' Het geluksgevoel was terug. Ze wist niet wat Dayne God aanrekende, maar daar zou ze het zeker nog een keer met hem over hebben. De filmopnamen zouden bijna twee maanden duren en al die tijd zouden ze samen zijn. Ze nam zich voor eenvoudigweg te bidden om een kans om echt met Dayne in gesprek te raken, en wie weet vond hij dan ondertussen de weg terug naar het geloof dat zijn ouders hem hadden voorgeleefd. Het was een extra reden dat God het goedkeurde dat ze deze kans met beide handen aangreep.

Toen ze uitgegeten waren, hadden ze het nog even over alle films die op dit strandje waren gemaakt.

Katy duwde haar picknickdoos weg en keek hem aandachtig aan. 'Mag ik je een persoonlijke vraag stellen?'

'Ja, hoor.' Dayne deed zijn doos dicht en stopte hem in die van haar. 'Vraag maar raak.'

'Ik lees bijna nooit de roddelbladen, Dayne, maar weet

wel, net als iedereen, wat voor reputatie jij hebt. Heb je momenteel een vriendin?'

'Nee.' Het was een snel, gedecideerd antwoord. 'Ik heb genoeg van de kortstondige Hollywood relaties.' Hij legde zijn onderarmen op de tafel. 'Dan ben ik liever alleen.' Hij hield zijn hoofd een beetje scheef. 'En jij? Is je grote liefde in Bloomington achtergebleven? Ik heb je dat geloof ik al een keer gevraagd.'

Katy moest aan Heath denken en lachte. 'Nee, ik heb geen serieuze relatie.'

'Dat zal het gemakkelijker maken als we aan het filmen zijn.' Dayne sprak zachter dan daarnet; hij was nauwelijks boven de wind vanaf de oceaan uit te horen. 'Voor mensen die niet betrokken zijn bij de amusementsindustrie is het lastig te begrijpen dat we zo veel uren maken.'

Dayne stond op en reikte over de tafel heen naar haar hand. 'Ga je een eindje met me lopen, Katy? Dan kun je me nog wat meer over jezelf vertellen.'

Ze stond op en liet toe dat hij haar bij de hand nam. Ze gooiden hun afval in een vuilnisbak vlakbij en liepen langzaam het strand op. Halverwege de vloedlijn bleven ze staan om naar het water te kijken. Katy merkte dat ze kippenvel kreeg. Ze wist niet goed of de temperatuurdaling daar debet aan was, of Daynes nabijheid.

Dat ze hand in hand liepen was alleen maar zijn manier om aardig voor haar te zijn; daar was ze heel zeker van. Toch moest ze op de binnenkant van haar lip bijten om zichzelf eraan te herinneren dat ze werkelijk hand in hand met een van Hollywoods beroemdste acteurs hier op het strand stond.

Dayne vertelde haar iets over de film, over een wijziging die Mitch in een bepaalde scène wilde aanbrengen, maar het drong niet echt tot Katy door. Zij kon alleen maar denken aan wat hij eerder had gezegd, dat het tijdens de opnamen gemakkelijker zou zijn als ze niet gebonden was. Ze leek wel niet wijs, maar ze had het angstaanjagende idee dat zijn woorden een dubbele bodem hadden gehad. Dat ze alleenstaand was, was waarschijnlijk niet alleen gemakkelijker vanwege het feit dat ze zo veel uren maakten.

Het was ook gemakkelijker als zij tweeën samen iets kregen.

26

Dayne had zich nog nooit zo gelukkig gevoeld.

Met Katy's hand in de zijne had hij het idee dat hij een groot, kostbaar geschenk had ontvangen, een zeldzame, broze schat die ieder moment weer verdwenen kon zijn. Het was een geschenk dat hem even snel ontnomen zou kunnen worden als hij het gekregen had.

Het was bijna acht uur, de zon ging onder. Ze hadden het over de manier waarop hij steeds beroemder was geworden; hoe snel dat was gegaan. 'Ik heb het niet gepland een ster te worden.' Hij voerde haar mee, wat dichter naar het water toe, en trok haar naast zich neer op het zand.

'Ik denk dat niemand dat plant.' Ze trok haar knieën zo hoog mogelijk op. 'Wanneer wist je het? Dat er geen weg terug was, bedoel ik.'

Hij keek omhoog naar de donkere lucht. 'Ik moet een jaar of achtentwintig zijn geweest. Ik maakte in die tijd de ene na de andere film en kreeg telkens een grotere rol. Ik ging uit eten met een oudere acteur die een van de grootste beroemdheden in de amusementsindustrie was.' Hij gaf zich een moment over aan herinneringen. 'Die avond heb ik op zijn minst twintig keer een handtekening gezet, terwijl de veel oudere man slechts drie of vier keer werd herkend. Toen we afgerekend hadden, keek hij mij aan en zei: "Dayne, jongen, je hebt het gemaakt."' Hij keek Katy even aan. 'Sindsdien is alles anders geworden.'

Zij vertelde hem het een en ander over haar verleden, over haar droom om in films te spelen, en over haar relatie met

Tad Thompson. 'Hij was mijn grote liefde.'

'Wat is er met hem gebeurd?' De laatste keer dat ze elkaar hadden gesproken, die middag bij Pepperdine University, had Dayne geraden dat het iets met een man te maken had dat ze opgehouden was met acteren. 'Zat hij in de showbizz?'

Na een korte aarzeling vertelde Katy hem dat ze samen naar dezelfde universiteit waren gegaan, en dat Tad succes had gekregen als filmacteur.

'Nu je dat zo zegt, herinner ik me hem. Ik denk dat we elkaar een paar keer op een feest hebben ontmoet.'

Dat leek haar niet te verbazen. 'Maar dan weet je ook onder wat voor omstandigheden hij overleden is?'

Dayne kneep zijn ogen halfdicht terwijl hij het zich probeerde te herinneren. Even later wist hij weer precies hoe het was gegaan. 'Hij overleed als gevolg van een overdosis drugs, meen ik.'

Katy knikte. De zon was intussen helemaal ondergegaan en duisternis overspoelde het strand.

'Het had te maken met het wilde nachtleven waar je het eerder over had.'

'Ja, precies.' Ze liet haar kin op haar knieën rusten. 'Arme Tad. Hij had zich er te diep in gestort en wist niet meer hoe hij eruit moest komen.'

'Wat erg voor je.' De stukjes vielen allemaal op zijn plek. Hij begreep nu waarom Katy het acteren had opgegeven. Ze associeerde het verlies van haar vriend met wat naar haar idee de manier van leven in Hollywood was. 'Hij heeft zich ingelaten met mensen die niet deugden, meer niet.' Dayne kneep even in haar hand. 'We zijn niet allemaal zo.'

'Weet ik.' Aan haar ogen was te zien dat ze nog terugdacht aan die verdrietige tijd, maar haar mondhoeken gingen een klein stukje omhoog. 'Het is ook al lang geleden.'

De wind vanaf de oceaan was intussen killer geworden. Dayne stond op en hielp haar overeind. 'We kunnen jou nu maar beter bij je hotel afleveren.' Hij had haar graag mee terug gevraagd naar zijn huis om naast haar op de bank in zijn warme woonkamer naar een film te kijken. Misschien zelfs naar haar proefopnames. Maar zij zou daar niet mee instemmen, aangezien ze elkaar eigenlijk nauwelijks kenden.

'Dit was fijn.' Ze keek naar hem terwijl ze naar de auto liepen. De maan was nog hooguit een smal streepje en de parkeerplaats en de huizen die een paar honderd meter verderop stonden, waren in duisternis gehuld. Toch kon hij zien dat haar ogen glansden. 'Ik kom morgen naar de studio, zodat we samen met Mitch het contract kunnen doornemen.'

'Lijkt me een goed idee.' Dayne vertraagde zijn pas, en toen ze bij het stukje grasveld vlak bij de picknicktafel aankwamen, draaide hij zich naar haar toe. Terwijl hij onafgebroken het bruisen van de golven hoorde en het ruisen van een windje door hun haar, kon hij de verleiding opeens niet meer weerstaan. Hij deed een stap dichter naar haar toe, boog zich naar haar over en kuste haar. Dat gebeurde niet zo hartstochtelijk als wanneer het om Kelly Parker of een andere actrice met wie hij recent de hoofdrol in een film had gespeeld, zou zijn gegaan. Het was eerder een kus waaruit onzekerheid sprak en tegelijk interesse.

Aanvankelijk beantwoordde ze zijn kus, maar algauw trok ze zich terug, haar ogen wijd open, haar ademhaling snel en ongelijkmatig. 'Dayne...' Ze liet zijn hand los en deed nog een stapje achteruit, 'ik kan dit niet.'

Boos op zichzelf kwam hij weer iets dichter naar haar toe. 'Katy, het spijt me. Het komt gewoon... doordat ik zo heb genoten van deze avond.'

Er zweemde weer een glimlach om haar mond. 'Dat geldt ook voor mij, maar... Ik kus niet zomaar iemand, gewoon omdat ik er toevallig zin in heb. Het moet voor mij ook echt iets te betekenen hebben.'

'Die kus van daarnet was niet zomaar.' Hij keek haar indringend aan. 'Ik kan niet goed zeggen wat voor gevoelens jij bij mij oproept, Katy.'

Ze reageerde er niet meteen op. Je kon zelfs in het donker zien dat ze even niet wist hoe ze het had. 'Je vriendschap stel ik erg op prijs.' Ze sloeg haar armen over elkaar. 'Maar daar moet het bij blijven, goed?'

'Goed.' Hij stak zijn handen met de palmen naar boven voor zich uit. 'Je moet het me verder maar niet kwalijk nemen. We zullen het alleen nog tijdens repetities doen, goed?'

Ze deed haar best om niet te lachen, maar verloor de strijd. Zachtjes begon ze te giechelen, maar een paar seconden later sloeg ze dubbel van het lachen en snakte ze naar adem. Toen ze zich weer oprichtte, keek ze hem schaapachtig aan. 'Het moet niet gekker worden, hè?'

'Geeft niks.' Hij glimlachte naar haar en stak zijn handen naar haar uit. 'Ik houd wel van een beetje gekkigheid.'

Ze legde haar hand in die van hem. 'Bedankt voor je begrip. Ik denk dat ik nog een oude...'

Klikgeluiden uit de struiken een eind bij hen vandaan onderbraken Katy. Fototoestellen.

'Daar zullen we het hebben.' Dayne ging met grote stappen op de geluiden af en trok Katy met zich mee. Hij keek haar over zijn schouder aan en fluisterde: 'Let op!'

Op haar tenen liep ze over het gras achter hem aan en fluisterde terug: 'Wees voorzichtig.'

'Maak je geen zorgen.' Hij trok haar mee, dichter naar de geluiden toe, liet haar hand los en stormde in volle vaart schreeuwend op de bosjes af. Een paar meter voor hem viel zo te horen iets en renden mensen weg alsof hun leven op het spel stond.

Dayne gromde luid en deed nog een paar passen naar voren. Toen keerde hij zich om en barstte in lachen uit. 'Ik heb ze nog niet eerder zo snel op de vlucht doen slaan.'

Katy sloeg haar hand voor haar mond en smoorde een

lach. 'We weten niet wie het waren, maar ze hebben waarschijnlijk gedacht dat je je verstand had verloren. Zo zag je er ook uit.'

'Ik heb ze in ieder geval zo bang gemaakt dat ze de benen namen.' Hij lachte niet meer en deed een stap in haar richting. 'Het slechte nieuws is dat ik geen flauw idee heb hoeveel foto's ze hebben genomen voordat wij hen hoorden.'

'Met andere woorden,' ze trok een scheef gezicht, 'de kans bestaat dat ik mijn foto tegenkom in een tijdschrift?'

'Ja.' Hij wierp zijn handen in de lucht en grijnsde: *Dayne Matthews ontmoet geheimzinnige geliefde op het strand*. Zoiets zal eronder komen te staan.'

'Ze weten in ieder geval niet hoe ik...

Plotsklaps sprong een vrouw met blond haar achter Katy tussen de struiken uit en greep haar bij de armen. Katy schreeuwde luid, maar voordat Dayne iets kon doen om haar te helpen hield de vrouw al een 25 centimeter lang lemmet van een mes tegen Katy's keel.

'Verroer je niet, want dan vermoord ik je,' siste de vrouw tegen Katy. Die trilde eerst van top tot teen en verstijfde toen. Op dat moment keek de vrouw Dayne aan. 'Wordt het niet eens tijd dat je ophoudt met deze onzin, Dayne?'

Daynes hart bonsde zo heftig dat het bijna uit zijn borst sprong. Hoe had dit kunnen gebeuren? Waar was die vrouw vandaag gekomen? 'Hé.' Behoedzaam deed hij een stapje dichter naar haar toe, terwijl hij op geforceerd rustige toon zei: 'Wat voor onzin?'

'Blijf daar!' De vrouw deed denken aan een heks met lang, warrig haar en een boosaardige blik in haar levenloze ogen. 'Kom niet dichterbij.'

'Dit gaat niet werken, stommerd.' De vrouw was weer aan het woord, maar deze keer zonder te slissen. In plaats daarvan klonk haar stem schril toen ze zei: 'Zo meteen worden we allebei nog opgepakt.'

'Echt niet!' Het geslis was er weer. 'Houd je kop. Als je niet doet wat ik zeg, vermoord ik je. Dat heb ik je al eerder gezegd.'

Dayne deed toch nog een stapje dichter naar haar toe. Hij moest zo dicht bij de vrouw zien te komen dat hij haar arm kon beetpakken of het mes uit haar handen kon slaan.

Katy ademde snel, te snel. Ze sperde haar ogen wijd open en schudde haar hoofd. 'Blijven staan, Dayne. Ze meent het. Ik... ik voel het mes op mijn keel.'

'Slet!' De slissende stem sprak het woord zo fel uit dat er speeksel tegen Katy's wang spatte. 'Over een paar minuten zal ze nog veel meer voelen van dat mes.' Ze ontspande zich enigszins, al hield ze het mes tegen Katy's keel gedrukt. 'Ik moet eerst even met Dayne praten. Daarna kan hij zien hoe ik me van jou ontdoe.'

Dayne kwam toch weer dichterbij. 'Je zei daarnet zoiets als ophouden met onzin.' Hij was nog nooit van zijn leven zo doodsbang geweest. Dit moest de stalker zijn, de vrouw die de brieven had verzonden. Hij wierp snel even een blik op de parkeerplaats. Ja hoor, in het vak naast Katy's huurauto stond een gele Honda Civic. Hij slikte moeizaam. 'Laten we het daar eens over hebben.'

'Je weet niet eens hoe ik heet,' zei ze boos.

'Nee, dat spreekt voor zich, stommerd.' De schrille stem kwam tussenbeide. 'Dat komt doordat hij jouw man niet is.'

'Jawel, dat is hij wel, Anna!' Ze verstijfde en drukte het mes nog harder tegen Katy's keel. 'Hij is mijn man, en hij weet heus wel dat ik Chloe heet.'

Dayne zag onmiddellijk een kans om vat te krijgen op de situatie. 'Je hebt gelijk, Chloe. Het is allemaal mijn schuld.' Hij deed weer een stapje vooruit. Hij zag hoe Katy's ogen daarop reageerden, maar hij schudde bijna onwaarneembaar zijn hoofd. Hij moest dicht genoeg bij haar zien te komen om haar te kunnen helpen, anders maakte ze geen enkele kans. 'Ik heb overal spijt van.'

Chloe's schouders ontspanden zich enigszins. 'Zie je nou wel, Anna, heb ik het niet gezegd?' Ze wierp Dayne een blik vol weerzin toe. 'Anna zegt steeds tegen me dat ik niet getrouwd ben met Dayne Matthews.'

'Dat is wel zo, Chloe. Het is allemaal mijn schuld.'

Ze schudde haar aan elkaar geklitte, warrige haar over haar schouders. 'Betekent dat dat je bereid bent met mij mee naar huis te gaan?'

'Ja.' Weer een stapje. 'Maar dan moet je wel eerst mijn vriendin laten gaan, hoor.'

Chloe's gezicht liep rood aan van woede, en ze deed gauw een paar passen achteruit en sleurde Katy met zich mee. Katy probeerde te slikken, te praten, maar het lemmet van het mes werd te hard tegen haar keel gedrukt. 'Ze is je vriendin niet; ze is iemand die een huwelijk stukmaakt, een Hollywoodslet. En sletten moeten sterven, Dayne.' De manier waarop ze dit zei, deed rillingen over Daynes rug lopen. Het klonk zo boosaardig dat het uit een andere wereld afkomstig leek te zijn. 'Begrijp je dat?'

Dayne stak zijn hand uit, maar ze schreeuwde naar hem: 'Laat dat!' Toen zette ze het mes in de binnenkant van Katy's bovenarm, zodat er een tien centimeter lange, oppervlakkige snijwond ontstond.

Katy schreeuwde het uit, maar klemde meteen haar kaken op elkaar om te voorkomen dat ze luidkeels begon te gillen. Het bloed liep langs haar arm en drupte op de grond.

'Kijk, Dayne. Er is niet veel voor nodig om mooie meisjes te laten bloeden.' Ze duwde het mes weer tegen Katy's keel. 'Dat geldt niet voor mij… Mij krijg je niet aan het bloeden.'

Dayne had het liefst het mes uit haar hand gegrist en het diep in haar hart gestoken, om uit te vinden of die laatste uitspraak van haar klopte. Hij wierp Katy een blik toe die bedoeld was om haar te kalmeren. Toen deed hij een stap achteruit en richtte al zijn aandacht weer op de gestoorde vrouw. 'Ik ben bang dat ik niet met jou mee naar huis kan gaan, Chloe. Niet als jij dat mes bij je houdt.'

Met deze opmerking overviel hij haar. Ze liet het mes een centimeter zakken. 'Wat wil je daarmee zeggen? We moeten plannen maken voor een huwelijksreis.'

'Niet zolang jij het mes bij je houdt, Chloe. Ik kan niet met jou getrouwd blijven als je mijn vriendin met je mes pijn blijft doen.'

'Het is een valstrik, Chloe!' Het was de andere, schrille stem. 'Dayne geeft niet om jou. Hij is je man niet!'

'Wel waar!' protesteerde ze. 'Als hij met mij mee naar huis wil gaan, moet ik hem laten uitspreken.' Met een boze, hatelijke blik in haar ogen keek ze Dayne strak aan. 'Als ik haar de keel doorsnijd, is ze er geweest. Dan zal ze ons nooit meer dwarszitten.'

Dayne was wanhopig. Eén verkeerde beweging en Katy bloedde dood. Hij slikte en zei: 'Maar je hebt de verkeerde vrouw te pakken, Chloe. Je moet eigenlijk Kelly Parker hebben.'

'Kelly Parker?' De slissende stem fluisterde de naam. 'Ja! Haar moet ik hebben, niet dit,' ze schudde Katy vol afkeer door elkaar, 'dit hoertje.'

'Goed gezien.' Dayne nam geen gas terug. Als zij de tijdschriften las, en dat was natuurlijk zo, en daardoor zo geobsedeerd was geraakt, dan had ze ook die pagina's vol foto's van hem met Kelly gezien. 'Ik heb een idee.'

'Het is een valstrik, Chloe. We komen zo allebei in de nor terecht.' De schrille stem klonk dringender.

'Houd je kop!' siste ze, terwijl ze deze keer over haar schouder keek naar een open plek. 'Laat me met rust. Heb ik eindelijk mijn man gevonden en ben je nog niet blij voor mij.' Ze draaide met een ruk haar hoofd om en keek Dayne recht aan. 'Je hebt gelijk. Kelly moet ik hebben.' Maar ze hield het mes nog steeds tegen Katy's keel. 'Het is waarschijnlijk het beste dat ik deze hier doodmaak en dan op zoek ga naar Kelly.'

'Nee, Chloe, dat gaat niet werken.' Als een te strak opgewonden veer stond Dayne klaar om bij het minste of geringste teken van zwakheid op de vrouw af te springen. 'Dat is niet volgens de regels.'

'De regels?' Ze knipperde met haar ogen en begon van top tot teen te beven. 'Wat voor regels?'

'Dat weet je best, Chloe.' Dayne deed zijn best om relaxed over te komen. 'De regels over messen. Je mag er maar één persoon per dag mee doden.' Hij knikte in Katy's richting. 'Je wilt je kans niet aan haar verspillen.'

Chloe liet het mes een halve meter zakken. Ze deed haar mond open om iets te zeggen, maar dat wachtte Dayne niet af. Hij kwam onverwachts naar voren en schopte uit alle macht tegen Chloe's hand. Het mes vloog weg en Dayne stormde op de vrouw af. Hij greep haar bij de armen en rukte haar bij Katy vandaan. Toen smeet hij de vrouw met haar gezicht omlaag tegen de grond en liet zich boven op haar vallen.

Hij keek over zijn schouder en schreeuwde naar Katy: 'Heb jij een mobiele telefoon bij je?'

'Ja!' Katy was in alle staten en ze klonk doodsbang.

'Bel de politie.'

'Dayne, kijk uit!' schreeuwde Katy terwijl ze naar Chloe wees.

De vrouw had zich zo lang mogelijk gemaakt om naar het mes te reiken en was er intussen in geslaagd het heft van het mes vast te pakken. Dayne liet zijn vuist zo hard mogelijk neerkomen op haar onderarm en hoorde een weerzinwekkend gekraak. Haar hand verslapte. Kreunend wrong ze zich in allerlei bochten en verzette zich tegen hem. Ze deed alles wat in haar vermogen lag om hem van haar rug af te krijgen.

Hij trok het mes uit haar hand en smeet het over zijn schouder in de richting van de picknicktafel. 'Lig stil, of ik wurg je!' Hij duwde haar gezicht in het gras en schoof naar een plek hoger op haar rug. 'Je mag van geluk spreken dat ik je niet vermoord, en achteraf zeg dat het zelfverdediging was.'

Achter zijn rug hoorde Dayne Katy praten met iemand van de alarmcentrale. Ze leek buiten adem, in shock, en haar werd twee keer gevraagd iets nog een keer te zeggen. Chloe stribbelde nog steeds tegen. Ze schopte en sloeg om zich heen om hem van haar rug te gooien.

'Anna, help me! Waar ben je?'

De schrille stem antwoordde: 'Het is allemaal je eigen schuld. Dankzij jou zijn we in deze situatie verzeild geraakt.'

Dayne kreeg kippenvel toen hij zich realiseerde dat de vrouw op zijn minst twee persoonlijkheden in zich had die het met elkaar aan de stok hadden. Beide stemmen hadden een duistere, angstaanjagende ondertoon. Het leed geen twijfel dat ze Katy vermoord zou hebben en hem misschien ook, als ze er nog een paar minuten over had kunnen nadenken.

Katy had het telefoongesprek beëindigd. 'Pas op, Dayne!' Ze was nog steeds buiten adem. Hij had de gestoorde vrouw het liefst laten liggen waar ze lag om Katy te gaan troosten, maar dat kon hij niet doen. Hij moest zich nog steeds tot het uiterste inspannen om de maniak tegen de grond gedrukt te houden.

'Als dit de manier is waarop je met je vrouw omgaat...' Het was de slissende stem. Chloe. Ze sprak kortaf, omdat ze zich nog steeds verzette en intussen duidelijk was geworden dat haar onderarm gebroken was. 'Als jij je vrouw op deze manier behandelt... zal ik jou ook moeten doden, Dayne.'

Dayne reageerde er niet op. Hij was niet geïnteresseerd in dit geraaskal. Hij maakte zich alleen maar druk om het zachte gekreun dat hij achter zich hoorde. Wat zou dit met Katy doen? Het gestoorde mens had al vaak bedreigingen geuit, waarom moest ze er nu net naar handelen op het moment dat hij met Katy samen was? Wat voor gevolgen zou dit hebben? Hij vreesde het ergste.

Met zijn knie hield hij de gezonde arm van Chloe tegen de grond gedrukt. Ze wrong zich nog steeds in allerlei bochten toen er in de verte sirenes te horen waren. 'Je bent er bijna bij, Chloe.'

'Sla niet zo'n toon aan tegen mijn zuster!' beval de schrille stem. Nu sprak Anna hem toe. 'Ik heb tegen haar gezegd dat ze je niet moest doden, maar nu… Ik zou maar oppassen als ik jou was, Matthews.'

Dayne drukte haar gezicht weer harder tegen de grond. 'Houd je mond!' Hij vond het afschuwelijk dat zij zich nog steeds tegen hem verzette, en dat Katy waarschijnlijk doodsbang was. Hij kon Katy niet aankijken, maar hij wist gewoon dat ze doodsangsten uitstond, ook al bevond hij zich vijf meter bij haar vandaan. Hijgend van de adrenaline die door hem heen schoot, hoorde hij de politie aankomen. Vanaf de parkeerplaats renden ze naar hen toe.

De agent die het eerst ter plaatse was, trok zijn wapen. 'Politie! Verroer je niet.' Hij keek Dayne aan. 'Laat het nu verder maar aan ons over, meneer Matthews.'

Dayne liet zich opzij rollen, van de vrouw af, en rende naar Katy toe. Zij stond te trillen op haar benen en had een starre, doodsbange blik in haar ogen. De jaap in haar arm bloedde niet meer, maar er liep een streep opgedroogd bloed tot halverwege haar pols.

'Gaat het een beetje?' Ze waren allebei buiten adem, maar ook in het halfdonker onder de bomen kon hij zien dat Katy's gezicht lijkbleek was.

'Ik… Ik kan niet…' Ze beefde nog steeds, verkrampte bijna, en was nog zo bang dat ze geen woord kon uitbrengen.

'Stil maar.' Dayne sloeg zijn arm om haar heen. 'Het komt goed. De politie heeft haar aangehouden.'

Katy bracht haar hand naar haar keel. Er zaten lelijke krassen op de plek waar de vrouw het mes tegen haar keel gehouden had. 'Ze… ze was van plan me te vermoorden.'

Hij drukte haar hoofd tegen zijn borst en streek haar blonde haar glad. 'Het is voorbij, Katy. Er is nu niets meer om bang voor te zijn.'

Een van de agenten kwam naar hen toe en zei tegen Dayne: 'Ze heeft toegegeven dat ze u stalkte, en dat zij de brieven heeft geschreven.' Hij keek in zijn notitieboekje. 'We hebben uw adres. Vanavond zullen een paar agenten bij u thuis langskomen om een verklaring op te nemen. U zult allebei een verklaring moeten afleggen.' Hij keek Katy aan. 'Gaat het?'

Ze hield nog steeds haar hand tegen haar keel. 'Ja.'

'Goed, dan mogen jullie tweeën nu gaan.' Hij keek met afkeer naar de in de boeien geslagen vrouw die nog steeds op de grond lag. Toen richtte hij zijn aandacht weer op Katy. 'Het spijt me dat dit heeft kunnen gebeuren, maar dat is de tol die voor roem wordt betaald, neem ik aan.'

Dayne knikte. Met zijn arm nog steeds om Katy heen voerde hij haar mee naar de parkeerplaats. Onderweg bleef hij in haar oor fluisteren, om haar gerust te stellen en haar te verzekeren dat ze de verschrikking achter de rug hadden.

Katy keek naar hem op toen ze bij haar auto aankwamen. 'Gaan we naar jouw huis?'

'Ja.' Hij hield het portier voor haar open en wachtte tot ze was ingestapt. Het ruisen van de branding was hier nog duidelijk te horen, maar het ritme waarin de golven kwamen aangerold, klonk nu onheilspellend. 'Is dat goed?'

'Het zal wel moeten. De politie zei toch dat ze nog bij jou thuis langs zouden komen?'

'Klopt.' Hij liep om de auto heen en stapte in. 'Er is nu echt niets meer aan de hand, Katy.'

Maar de politieagent had benadrukt dat dit niet het geval was. Wat had hij ook alweer tot slot gezegd? Dat dit de tol was die je betaalde voor roem? Dat was waar, maar hij wilde nu juist niet dat Katy dat dacht. Hoe kon hij Katy na vanavond nog voorhouden dat het anders was?

Ze waren halverwege zijn huis toen Katy zich naar hem omdraaide. 'Had die vrouw brieven geschreven waarin het over jou ging?'

Hij keek Katy even van opzij aan. 'Ja, dat schijnt zo te zijn. De politie heeft me er een paar dagen geleden over ingelicht.'

'Dan hadden we daar niet naartoe moeten gaan.' Ze zei dit niet op boze of beschuldigende toon, maar op de man af. 'Waarom heb je mij er niets over verteld?'

'Omdat ik het niet geloofde. Er lopen heel wat mensen rond die ze niet allemaal op een rijtje hebben, Katy. Ik geloofde niet dat ze werkelijk een bedreiging vormde.'

De rest van de rit zwegen ze voornamelijk, maar toen ze zijn garage binnenreden draaide hij zich naar haar om. 'Het spijt me. Het is nooit mijn bedoeling geweest om jou in gevaar te brengen.'

Ze was zo te zien rustiger en kreeg weer kleur op haar wangen. 'Weet ik.' Doordat haar lippen trilden, was ze slecht te verstaan. 'Je hebt gelijk. De politie zal zich met haar bezighouden.'

'Precies.' Hij raakte haar wang geven aan. 'Ze zal niemand meer kunnen bedreigen.'

Om de een of andere reden klonk het niet overtuigend. Kelly Parker lag nog steeds in het ziekenhuis, waar ze een psychiatrisch onderzoek onderging, en de roddelbladen waren nog steeds meedogenloos en daar zou ook nooit verandering in komen. Doordat iedere stap die een filmster verzette, werd vastgelegd en afgedrukt, bleef de kans bestaan dat een fan zoiets waanzinnigs zou doen als ze vanavond hadden meegemaakt.

Dayne kon er alleen maar naar raden hoe de rest van de avond zou verlopen, maar hij had het gevoel dat het niet goed zou uitpakken. En dat hij morgen geen poging meer hoefde te wagen om Katy ervan te overtuigen dat er helemaal niets aan de hand was.

Hij zou naar iemand anders op zoek moeten gaan om haar rol te spelen.

27

Katy was nog steeds overstuur.

Ze had eigenlijk helemaal geen oog voor de luxueuze inrichting van de ruime kamers toen ze hand in hand met Dayne zijn huis binnenliep. Direct achter zijn huis begon het strand, maar het was te donker om er iets van te zien. Ze hoorde slechts het beuken van de golven, en dat deed haar alleen maar terugdenken aan wat er daarnet was gebeurd.

Dayne nam haar mee naar de woonkamer, waar ze naast elkaar op de bank gingen zitten. 'Koffie? Of iets anders?'

Ze was nog niet goed aanspreekbaar, uitgeput als ze was van het gevecht voor hun leven. Ze keek hem aan. 'Nee, dank je, ik hoef nog even niets.'

'Ik ga toch maar koffie zetten.' Hij stond op en liep naar de keuken. 'Misschien ga je je er beter door voelen.'

Katy betwijfelde dat, maar dat zei ze niet. Toen hij de kamer verliet, keek ze naar haar trillende handen. Wat was dit eigenlijk voor een bizar leven? Ze was nog maar een paar uur in Los Angeles, en toch was ze al betrapt en gefotografeerd op het moment dat ze Dayne Matthews kuste op een privéstrand. Het had niet veel gescheeld of ze was daarna door een geobsedeerde fan vermoord.

Ze sloot haar ogen en zag de vrouw meteen weer voor zich, het warrige blonde haar en de intens boosaardige uitdrukking op haar gezicht. En met een mes in haar handen met een dof zwarte handgreep, en een dik lemmet van roestvrij staal dat het maanlicht opving en in het donker oplichtte. Ze zou zich zo lang als ze leefde het mes herinneren.

Haar hals deed pijn, al had de vrouw haar daar niet met het mes gesneden. Alleen maar in haar arm. Ze stond op en ging op de geluiden af die Dayne in de ruimte ernaast maakte.

Hij was bezig het koffiezetapparaat te vullen met water, maar hij moest gehoord hebben dat ze hem van achteren naderde, want hij draaide zich om. 'Hallo.'

'Hallo.' Ze glimlachte. Het was niet Daynes schuld en hij had gelijk: ze waren nu veilig. 'Waar is hier het toilet?'

Hij wees dat ze de gang in moest lopen, en zij bedankte hem. Toen ze het toilet had gevonden, deed ze daar het licht aan en keek in de spiegel. Haar keel zag er akeliger uit dan ze had verwacht. Het lemmet van het mes had daar drie lange, horizontale strepen op achtergelaten. Ze boog zich voorover om ze beter te bekijken. Er zou geen litteken van achterblijven, maar het zou op zijn minst een paar weken duren voordat ze niet meer te zien waren.

Katy greep de rand van de wastafel vast, sloot haar ogen en liet haar hoofd hangen. *God, dank U dat U me gespaard hebt.* Ze had het gevoel dat ze een dikke, gekneusde keel had. Doordat ze nu nog voelde hoe het mes tegen haar huid was geduwd, kostte het slikken haar moeite. *Wat doe ik hier eigenlijk, God? Ik dacht dat U had laten zien dat dit Uw wil was.* Ze deed haar uiterste best om de tranen die opwelden in haar ogen, binnen te houden. *Maar hoe kan dit in overeenstemming zijn met het plan dat U met mij hebt?*

DOCHTER... LUISTER NAAR MIJN STEM... LEER MIJ KENNEN.

Ze deed haar ogen open en keek omhoog. 'God,' fluisterde ze, 'bent U dat?'

Er kwam geen antwoord, maar de geluidloze woorden vonden nog steeds weerklank in haar hart. LUISTER NAAR MIJN STEM... LEER MIJ KENNEN. Wat betekende dat? Had God haar niet eerder duidelijk gemaakt welke weg zij gaan moest? De Flanigans hadden haar hun zegen gegeven, en

Dayne had haar verteld dat het zelden voorkwam dat iemand onder dezelfde omstandigheden als Tad overleed; dat was een uitzonderlijke situatie geweest. Als kind had ze al graag actrice willen worden; mocht het dan toch niet zo zijn dat deze droom werkelijkheid werd?

Ze knipperde met haar ogen en vermande zich. Dayne wachtte op haar, en morgen zouden ze haar contract tot in de kleinste bijzonderheden bespreken. Dat leek nu echter helemaal niet meer zo opwindend als een paar dagen of zelfs een paar uur geleden. Ze verliet het toilet en liep door de gang terug naar de keuken.

Haar hartritme bleef ondertussen onregelmatig.

Dayne was bezig een bord vol te leggen met stukjes kaas en fruit. Hij glimlachte naar haar. 'Ga daar in de eetkamer maar aan de tafel zitten. Ik kom er zo aan en dan kunnen we praten.'

Ze deed wat hij zei, maar ze vroeg zich af waar ze het over zouden moeten hebben. Over het feit dat stalkers niet zo vaak voorkwamen? Dat het leven van een acteur in Hollywood eigenlijk vrij normaal was, als je de paparazzi, stalkers, het wilde nachtleven en handtekeningenjagers buiten beschouwing liet? Ze keek op haar horloge. Het was al laat en de politie was nog onderweg. Ze zou waarschijnlijk pas tegen middernacht haar bed in rollen.

Aan de andere kant van de tafel lag een tijdschrift, een van de roddelbladen die in de supermarkt in een rek bij de kassa stonden. Dat soort bladen kocht ze zelden en ze keek er ook eigenlijk nooit in. Maar omdat Dayne nog steeds in de keuken bezig wat, trok ze het naar zich toe.

Op het omslag stond een foto van Dayne met actrice Kelly Parker. De twee kusten elkaar en eronder stond de vraag of de twee weer samen waren. Fronsend keek Katy naar de datum. Het was het laatst uitgekomen nummer. Had Dayne niet gezegd dat hij geen vriendin had? Ze sloeg het blad open bij de twee pagina's vol foto's van Dayne en Kelly. Als het verhaal dat de foto's vertelden waar was, was Kelly misschien niet Daynes vriendin, maar ging hij in ieder geval wel met haar naar bed.

Katy voelde zich misselijk worden. Het vreemde gevoel in haar borst, alsof er een strakke band omheen zat, en haar vreemde hartritme werden naar haar gevoel erger. Waarom had hij tegen haar gelogen? Dacht hij soms dat ze er niet achter zou komen dat hij iets met Kelly had? Dit was kennelijk de manier waarop Dayne en consorten met elkaar omgingen. Hij vond het waarschijnlijk helemaal geen probleem om met iemand de nacht door te brengen.

Ze huiverde.

De woorden die God haar een paar minuten geleden op het hart had gedrukt, kwamen weer bovendrijven: DOCHTER... LUISTER NAAR MIJN STEM... LEER MIJ KENNEN. In het licht van alles wat God voor haar in petto zou hebben, leek alles aan Dayne Matthews en aan zijn aanbod goedkoop en onecht.

Ze bladerde verder en kreeg eerst een artikel over twee jarenlang getrouwde stellen onder ogen die beide uit elkaar gegaan waren, en daarna over een actrice die tienduizenden dollars aan botoxinjecties en facelifts had uitgegeven om er maar een jong uit te blijven zien. 'In de amusementsindustrie,' scheen de actrice gezegd te hebben, 'ben je niet meer in trek als je geen strak gezicht meer hebt.'

Ze begon misselijk te worden. Waarom zat ze hier eigenlijk nog? Ze voelde zich net Dorothy in *De Tovenaar van Oz*. Als ze door drie keer haar hakken tegen elkaar te laten klikken terug kon zijn bij de Flanigans, zou ze dat doen.

'Hoe is het daar? Gaat het goed met je?' riep Dayne vanuit de keuken. 'Ik ben bijna klaar.'

Het kostte Katy moeite om de juiste woorden te vinden. 'Ja. Ik... Ik red me wel.' Op de volgende twee pagina's zag ze filmsterren die op afschuwelijke momenten gefotografeerd waren: terwijl ze hun neus snoten of hun kleren recht trokken. En bijna helemaal achterin stond nog een reeks foto's van Dayne in een nachtclub, een glas in de ene, een sigaret in de andere hand.

Verbijsterd bestudeerde Katy de foto. Had Dayne niet gezegd dat hij het nachtleven links liet liggen? Wat had hij daar eigenlijk mee bedoeld? Dat hij maar een paar keer per week de stad inging om zich uit te leven? Ze had een gevoel alsof ze een heel nieuwe kant van de man te zien kreeg, en het was geen aanlokkelijk beeld dat ze zo van hem kreeg.

Met Tad Thompson was het precies zo gegaan.

Opeens was alles wat God haar op het hart had gelegd helemaal duidelijk. Wat had ze eerder gehoord wanneer ze bad of ze de rol moest accepteren? Toch dat God haar een teken zou geven? Nu ging het weer precies zo. God wilde dat ze luisterde naar Zijn stem, dat ze Hem leerde kennen. En hoe kon ze Hem beter leren kennen dan door te beseffen wat Hij niét was, wáár Hij niet was.

Dayne kwam met twee borden met iets te eten erop de kamer binnen en bleef opeens staan. 'Waar zit je in te lezen?'

Katy sloeg het blad dicht en duwde het van zich af. Ze draaide zich om en keek Dayne recht aan. 'Ik wil graag dat je me terugbrengt naar mijn hotel, Dayne.'

'Katy, je moet niet alles geloven wat je leest; dat heb ik al eerder tegen je gezegd.' Hij zette de borden neer en ging op de stoel naast haar zitten. Hij wilde nog iets zeggen, maar op dat moment werd er aangebeld.

'De politie?' Ze leunde achterover in haar stoel. Ze wilden ook háár verklaring opnemen. 'We hebben het er nog over als ze weer weg zijn.'

Dayne deed open en er kwamen twee politieagenten binnen. Dayne liet hen plaatsnemen aan de tafel en een uurlang vertelden ze wat er die avond allemaal was gebeurd. Met iedere minuut die verstreek, raakte Katy er meer van overtuigd dat ze het juiste besluit had genomen. Haar verblijf in Los Angeles zou niet lang meer duren. Ze zou naar huis gaan en zich settelen in Bloomington, waar ze thuishoorde. God was getrouw geweest, net als altijd.

Als de gebeurtenissen van vanavond nog niet genoeg tekenen waren geweest, keek ze niet goed.

Toen de agenten alle informatie die ze nodig hadden, hadden ingewonnen, pakten ze hun boeltje bij elkaar en beloofden ze dat ze contact zouden houden met Dayne. 'We zijn er vrij zeker van dat ze voor lange tijd achter de tralies zal verdwijnen, gezien de dreigementen in haar brieven en de poging om mevrouw Hart om het leven te brengen.'

Katy wenste dat dit bericht tot gevolg zou hebben dat de angst die haar benauwde, minder werd, maar dat was niet het geval.

Toen de politie weg was zei Dayne tegen haar: 'Hoorde je wat ze zeiden? Ze is weg, opgeborgen. Ze zal geen problemen meer veroorzaken.' Hij ging naast haar zitten en hield haar blik gevangen. 'Loop niet weg, Katy. Alsjeblieft...'

Zijn woorden kwamen te laat en boden geen enkele soelaas.

'Dayne, jij hebt je best gedaan.' Ze keek naar het tijdschrift en trok een schouder op. 'Ik kan het niet doen.'

'Luister naar me, Katy.' Hij haalde zijn vingers door zijn haar, terwijl hij wanhopig naar de juiste woorden zocht. 'Wat er vandaag is gebeurd zal nooit meer voorkomen. Geobsedeerde fans die met een mes in hun hand tussen de struiken uit springen?' Hij probeerde te lachen, maar dat mislukte. 'Wat de fotografen en de tijdschriften betreft, tja, aan die kant van de showbusiness valt niet te ontkomen.' Hij liet zijn tong over zijn onderlip gaan. 'Maar wat er vanavond is gebeurd zal in geen...'

Hij maakte de zin niet af en de stilte die nu viel, trok een muur tussen hen op.

Wat probeerde hij nu eigenlijk te doen? Wilde hij haar ervan overtuigen dat het voor háár het beste was dat ze bleef? Dat zou het beste voor hem zijn, ja, maar niet voor haar. Ze sloot even haar ogen. *God, laat hem alstublieft inzien wat hij aan het doen is.* Dayne moest haar er niet van overtuigen dat ze moest blijven; hij moest haar juist laten gaan.

Even later zuchtte hij diep en liet zijn hoofd hangen. 'Sorry.' Hij nam haar handen in de zijne. 'Jij hoort hier niet thuis, hè?'

Voor het eerst sinds de politie was vertrokken, was hij volkomen eerlijk. Ze schudde nauwelijks waarneembaar haar hoofd. 'Nee, Dayne, ik hoor hier niet thuis.' Er blonken tranen in haar ogen.

Hij wreef met zijn duimen over haar handen. 'Weet je wat daar het verdrietige aan is?' Hij hief zijn hoofd op om haar recht aan te kijken.

'Nee. Wat?'

'Dat dat nu juist de reden was dat je geknipt was voor de rol.' Uit de manier waarop hij haar opnam, bleek wat er leefde in zijn hart. 'Tegelijkertijd is het de reden waarom je hem niet kunt accepteren.'

Hij was er vast even ontdaan van als zij. Er zou geen vriendschap ontstaan, geen kans op liefde zijn, nu was gebleken dat de kloof tussen hun werelden groter was dan door enige brug overspannen kon worden.

Het werd tijd dat hij haar liet gaan en daartoe vond hij even later ook de kracht. 'Ik zal je nu terugbrengen naar je hotel.'

'Ja graag, Dayne.' Ze stond op en liet de riem van haar tas over haar schouder glijden. 'Bedankt voor je begrip.'

Met afhangende schouders stond ook hij op. Dayne Matthews, de succesvolle acteur op het witte doek, zag er voor het eerst in de korte periode dat Katy hem kende, volledig verslagen uit. 'Het is al goed.' Hij klemde zijn lippen opeen, zodat ze een rechte streep vormden. 'Het spijt me, Katy. Ik had niet gedacht dat het zo zou lopen.'

Ze wilde niet huilen, nu nog niet in ieder geval. Ze schonk hem een trieste glimlach. 'Ik ook niet.'

Op de terugweg naar het hotel zeiden ze niet veel tegen elkaar. Katy moest terugdenken aan haar gesprek met Rhonda, dat Dayne Matthews misschien de man was die God voor haar in gedachten had gehad. Dat was nu niet alleen maar een verdrietig, maar ook een belachelijk idee. Dayne had waarschijnlijk de rol van een oprechte, goedgemanierde man gespeeld. Hij had haar ervan overtuigd dat hij niet alleen ongebonden, maar ook in haar geïnteresseerd was.

Ze huiverde bij de gedachte wat er zou hebben kunnen gebeuren als ze de rol had geaccepteerd. Dan zou om de haverklap haar foto in de roddelbladen hebben gestaan en zou gegist worden of zij een relatie hadden en of Kelly Parker daardoor van streek was. En wanneer hij niet bij haar was, zou ze zich al de tijd dat zij op hem wachtte en van niets wist, afvragen of Dayne was teruggegaan naar een van zijn vroegere liefjes.

Ze staarde uit het zijraam naar het drukke verkeer. *God, U heb me vandaag meer dan één keer gered. Ik ben zo blij dat ik naar U heb geluisterd.*

'Waar zit je aan te denken?' Dayne keek snel even opzij, maar hield verder zijn ogen op de weg gericht. Hij vroeg dit op een toon waaruit duidelijk naar voren kwam dat hij met haar meeleefde, maar daar twijfelde Katy ook niet aan.

'Ik zat te bidden.'

Na een korte aarzeling zei Dayne: 'Dat verbaast me niet.'

Katy had met hem te doen. Deze succesvolle acteur ging alles voor de wind, maar hij koesterde een wrok tegen God die groter was dan zijn huis in Malibu. Ze beet op haar lip en keek hem aan. 'Ik bid omdat ik er iets aan heb,' zei ze zacht. 'Toen jij jong was bad je toch ook?'

'Ja, dat klopt.' Dayne keek haar even met een laatdunkende blik in zijn ogen aan. 'Maar wat ben ik ermee opgeschoten? Ik ben opgegroeid zonder familie en mijn ouders kwamen om bij een vliegtuigongeluk.' Hij probeerde te glimlachen, maar zijn mondhoeken kwamen nauwelijks omhoog. 'Je snapt dat dat niet echt bemoedigend was.'

Nu ze had besloten terug te keren naar huis, kon ze met een frisse blik naar Dayne kijken. Hij was verder afgedwaald dan ze zich aanvankelijk had gerealiseerd. 'Zouden we met elkaar bevriend kunnen blijven, ook al accepteer ik de rol niet? Ik denk... Ik denk dat dat goed zou zijn.'

Hij voelde zich kennelijk meer ontspannen, want hij grinnikte. 'Je bedoelt te zeggen dat je me misschien zou kunnen helpen?'

'Nee! Helemaal niet.' Voor het eerst sinds ze was aangevallen voelde ze zich minder terneergeslagen. 'Ik wilde er maar mee zeggen dat ik voor jou iemand zou kunnen zijn met wie je kunt praten, zonder je zorgen te maken dat de pers er lucht van krijgt.'

'Weet ik.' Zijn gezichtsuitdrukking verzachtte. 'Ik maak het je alleen maar moeilijk.' Hij stopte voor haar hotel. Een hele poos keek hij haar alleen maar aan. Toen raakte hij even haar wang aan zoals hij al eerder had gedaan. 'Weet je zeker dat ik je niet op andere gedachten kan brengen?' Na een korte stilte voegde hij eraan toe: 'Het gaat maar om één film.'

Ze kwam geen moment in de verleiding om de rol alsnog te accepteren. God had haar het antwoord gegeven dat ze nodig had, en in Bloomington zouden zeker honderd CTK-jongeren nooit afscheid van haar hoeven te nemen. Dat vooruitzicht gaf haar een veilig, warm gevoel; ze had de juiste beslissing genomen. Bloomington was de plek waar God haar wilde hebben en zij zou zonder spijt teruggegaan.

Hij zat nog op antwoord te wachten. Ze pakte zijn hand vast en schudde haar hoofd. 'Ik kan niet op mijn besluit terugkomen, Dayne. Daar hoeft geen enkele twijfel over te bestaan.'

'Goed.' Hij leunde tegen het portier. 'Laat me nogmaals zeggen dat ik dat jammer vind.' Hij duwde zijn knokkels tegen zijn lippen, alsof hij nog veel meer wilde zeggen. Uiteindelijk liet hij zijn hand zakken. 'Kan ik in alle eerlijkheid iets tegen je zeggen?'

'Ja.'

'Het spreekt voor zich dat ik er niet blij mee ben,' zijn ogen glansden iets meer dan daarnet, 'maar ik heb het gevoel dat je het juiste besluit hebt genomen.' Hij haalde zijn schouders op. 'Het is zoals ik al eerder heb gezegd: jij hoort hier niet thuis.'

Ze namen afscheid van elkaar en Katy ging naar haar hotelkamer. Toen ze de deur achter zich dichttrok, viel ze ertegenaan en liet haar adem ontsnappen. Het was opeens alsof het allemaal een droom geweest was, dat ze was gebeld door Mitch Henry, auditie had gedaan met Dayne en gedacht had dat ze Hollywood kon binnen huppelen om er een hoofdrol te accepteren zonder dat dit haar gewone leven helemaal op zijn kop zou zetten.

Maar dat was nu voorbij en dat was het enige wat telde.

Ze dacht na over wat Dayne op het laatst had gezegd. Hij moest tot op zekere hoogte toch gevoelens voor haar gehad hebben, want anders zou hij haar niet verteld hebben wat er in zijn hart leefde. Dat had hij gedaan hoewel hij zo graag wilde dat ze de rol accepteerde, hoewel hij haar ervan wilde overtuigen dat de hoofdrol spelen in één film nergens verandering in zou brengen, maar feitelijk was hij het eens met haar beslissing.

Bloomington was een betere plek voor haar; dat kon iedereen zien.

Een vreemd gevoel begon zich door Katy's lichaam te verspreiden; het begon in haar handen en voeten en baande zich via haar armen en benen een weg naar haar hart. Toen het daar was aangekomen besefte ze pas dat het een vredig gevoel was. Daarop haalde ze haar mobiele telefoon uit haar tas en toetste Rhonda Sanders' telefoonnummer in.

Haar vriendin nam bijna meteen op. 'Met Rhonda.'

'Met mij, Rhonda.' Katy merkte dat een lach zich breed maakte op haar gezicht. 'Ik moet je iets vertellen...'

28

Er werd in het huis van de familie Baxter feestgevierd.

Ze waren bijeengekomen om Ashley en Landon de beste wensen mee te geven op hun veel te lang uitgestelde huwelijksreis tijdens een barbecue op kosten van Ashleys vader. Iedereen was daarvoor naar huis gekomen, behalve Luke en Reagan in New York City en Erin en Sam in Texas.

Ashley was samen met Brooke en Kari in de keuken bezig een fruitsalade klaar te maken.

'Je bent vast heel opgewonden.' Brooke was met de bananen bezig. De mouwen van haar bleekblauwe blouse waren opgerold. 'Landon en jij verdienen dit na alles wat jullie hebben meegemaakt.'

Ashley knikte; ze was er de afgelopen week steeds meer naar uit gaan kijken. 'Ik kan bijna niet wachten om een hele week op cruise te gaan. Zie je het voor je: Landon en ik op de Caribische Zee?' Ze lachte en trok haar wenkbrauwen op. 'Opgewonden is niet het goede woord. Uitgelaten ben ik.'

Kari gooide een hoopje appelschillen in de vuilnisbak en keek Brooke aan. 'Laten we het zo regelen dat de kinderen een paar keer samen kunnen optrekken in de tijd dat ze weg zijn.' Ze pakte nog een paar appels en liep terug naar haar plek bij het aanrecht. 'Cole vindt het geweldig om met Jessie op te trekken, maar ik weet dat hij het ook heerlijk vindt om Hayley en Maddie te zien.'

'Afgesproken. We zouden naar het park kunnen gaan.'

Ashley voelde een vreemd soort hartenpijn. 'Ik zal mijn jongetje missen.'

'Jullie zijn nog nooit zo lang bij hem vandaan geweest sinds hij is geboren, hè?' Kari schilde nog een appel af.

'Nee, dat klopt.' Ashleys slikte. 'Maar het zal voor ons alle drie goed zijn.'

'Wees daar maar van overtuigd.' Brooke glimlachte naar haar. 'Je kunt hem niet voortdurend terzijde staan.'

De opmerking bleef een poosje in de lucht hangen. Brooke was hierin gegroeid sinds de kleine Hayley bijna was verdronken. Peter en zij waren in therapie geweest, en zij wisten nu dat ouders hun kinderen niet altijd kunnen beschermen, en dat zij uiteindelijk in de eerste plaats kinderen van God zijn.

Kari sloeg een arm om Brooke heen. 'Hoe is het met Hayley?'

'Het gaat heel goed met haar.' Brookes ogen glinsterden. Ze hield een handvol witte druiven onder de kraan. Nadat ze de kraan had dichtgedraaid, keek ze eerst Kari en toen Ashley aan. 'Ze heeft gisteren een zinnetje gezegd. Ze zei: "Mama, kijk Maddie!"' Brooke schudde haar hoofd van verbazing. 'Elk woord dat ze zegt, elk stapje dat ze zet, herinnert me eraan dat God ook nu nog wonderen doet.'

Ashley merkte dat haar ogen vochtig werden. 'Ik hoef alleen maar naar de trouwfoto van Landon en mij te kijken om te weten dat dat waar is.'

'Ik heb werkelijk weleens getwijfeld of jullie ooit nog een paar zouden worden.' Kari pakte nog een appel en begon hem af te schillen. 'Ik ben zo blij dat mam het nog heeft meegemaakt dat jij met hem bent getrouwd. Ze had er zo lang voor gebeden.'

'Weet ik.' Ashley merkte dat haar lippen begon te trillen, maar ze vermande zich. Ze had nog zo veel gelukkige momenten in het verschiet dat ze nu niet verdrietig mocht zijn. 'Dat is ook iets om dankbaar voor te zijn. God is goed.'

Landon kwam de keuken binnen. 'Jullie voeren zo te horen een ernstig gesprek.' Hij ging achter Ashley staan, sloeg een arm om haar middel en kuste haar achter in haar nek. 'Ons vliegtuig vertrekt over twaalf uur.'

'Er popelt hier iemand om te vertrekken,' giechelde Kari.

'Je maakt een grapje zeker?' Landon deed een stap achteruit en lachte naar hen alle drie. 'Ik popel al een jaar.'

Iedereen lachte, en opeens viel het Ashley op dat Peter buiten bij de barbecue met haar vader stond te praten. Ze vond het heerlijk dat iedereen nu hier was. Ze waren net de tafel aan het dekken toen Cole kwam binnenstormen. Hij had een bruin gezicht gekregen dankzij de laatste warme dagen, en zijn haar was blonder dan ooit. 'Papa zegt dat de kip over drie minuten gaar is.'

'Mooi.' Kari maakte zijn haar in de war en glimlachte naar hem. 'Zeg maar tegen papa dat wij dan ook klaar zijn.'

Hun moeder zou trots zijn geweest als ze had gezien hoe zij samen de maaltijd klaarmaakten. Het was een jaar geleden dat ze was overleden, maar zij misten haar nog steeds even erg als toen ze nog maar een paar dagen geleden was heengegaan. Op dit soort momenten hadden ze het er vooral moeilijk mee. Ashley betrapte zichzelf er nog steeds op dat ze over haar schouder keek, in de verwachting dat ze haar moeder in de keuken bezig zou zien met het in elkaar flansen van een van haar beroemde salades.

Maar nu ze er niet meer was, waren ze beter af als ze met elkaar genoten van het leven, zoals zij samen met hen gedaan zou hebben als ze er nog bij had kunnen zijn.

De sfeer aan tafel was vrolijk en levendig.

Cole vertelde aan iedereen dat hij op zijn handen leerde lopen. 'Als ik groot ben,' hij had barbecuesaus op zijn kin gesmeerd, 'wil ik bij het circus en de hele dag op mijn handen lopen.'

Ashley hield angstvallig verborgen dat ze moest lachen. Bedachtzaam knikkend zei ze: 'Daarvoor zullen we zeker kaartjes kopen.'

'Hé, Cole,' zei Peter met zijn vork in zijn ene hand en zijn blik op de tafel gericht. 'Ik dacht dat je brandweerman zou worden, net als je vader.'

'Dat is ook zo.' Cole kauwde op een stukje kip voordat hij Peter grinnikend aankeek. 'Ik ga alle branden in het circus blussen en als er nergens brand is, ga ik op mijn handen lopen.'

Ashley schoot vol. Ze hield zo veel van Cole. Ze hoopte dat Landon en zij ook samen een kind zouden krijgen. Hoe eerder hoe beter. Cole zou een fantastische grote broer zijn.

Het gesprek kwam op de baby van Kari en Ryan. Kleine Ryan probeerde zich al op te trekken.

'Nog even, en hij kan onze werper worden bij het honkballen.' Ryan moest er zelf om grinniken. 'Daaraan denk ik in elk geval als ik naar hem kijk.'

'Ja, is het niet verbazingwekkend?' Hun vader had tijdens de maaltijd nog niet veel gezegd, maar nu glimlachte hij naar Ryan en de anderen. 'Niets is beter dan je kinderen te zien opgroeien, te zien hoe zij worden zoals hun Schepper hen heeft bedoeld. Jullie moeder en ik...' Hij zweeg even omdat zijn stem te schor was om verder te praten. 'Jullie moeder en ik hebben in de tijd dat we jullie hebben opgevoed, van iedere minuut genoten.'

'Hé, pap,' Ashley liet haar onderarmen op tafel rusten, 'heb je nog gedacht aan die brieven van mam? Ga je er echt een paar kopiëren, zodat we er een stelletje van kunnen lezen?'

De gezichtsuitdrukking van hun vader veranderde. Hij ging iets rechterop zitten en knipperde twee keer met zijn ogen. 'De brieven?'

Ashley had opeens het gevoel dat ze iets had gezegd wat ze beter niet had kunnen zeggen. Maar wat was de reden dat ze dat gevoel gehad? Wat was er met die brieven dat haar vader er zo door van streek raakte? Datzelfde gevoel had ze gehad toen haar vader haar die middag in zijn inloopkast betrapte. Alsof ze met iets verkeerds bezig was, terwijl ze alleen maar een paar brieven had willen lezen die haar moeder in de loop der jaren had geschreven. Het kon toch best zo zijn dat die brieven hen zouden helpen om zich haar nog iets beter te herinneren?

Brooke keek eerst Ashley en toen haar vader aan. 'Brieven?'

'Ja, in de inloopkast staat een doos vol brieven van mam,' zei Ashley tegen haar zus. Toen richtte ze zich weer tot haar vader. 'Je hebt toch gezegd dat je van de mooiste een brievenboek zou samenstellen, zodat wij ze konden inkijken?'

'Ja, dat is zo.' Hun vader kuchte en bleek niet in staat oogcontact met een van zijn dochters te maken. 'Ik zal het binnenkort doen, Ashley. Ik... ik heb er nog geen tijd voor gehad.'

'Er is geen haast bij.' Ashley wilde hem absoluut niet opjagen. Hij leek zich helemaal niet op zijn gemak te voelen. Als hij steeds als zij over de brieven begon, zo reageerde, moest ze misschien een jaar wachten voordat ze er weer naar vroeg. Ze stond op, liep naar haar vader toe en sloeg een arm om hem heen. 'Sorry, pap.'

De anderen keken zwijgend toe.

'Je hoeft je niet verontschuldigen, schat.' Hij keek op en legde zijn hand over die van haar . 'Het probleem is alleen... Nou ja, het zal me moeite kosten om die brieven door te nemen. De kans is groot dat het nog een poosje gaat duren.'

Ze gaf hem een kus op zijn wang en knuffelde hem even onhandig. 'Neem er alle tijd voor die je nodig hebt, pap. Maar als je eraan toe bent, wil je er dan aan denken dat wij graag zo'n brievenboek zouden willen hebben?'

Brooke knikte. 'Dat zou geweldig zijn.' Ze keek Kari aan. 'Ik wist niet dat ze een doos met brieven in haar inloopkast bewaarde.'

'Ik ook niet,' antwoordde Kari.

Ashley ging weer op haar plaats zitten. Haar vader had genoeg te verduren gehad. Het was nu tijd om over iets anders te beginnen. Met opgetrokken wenkbrauwen keek ze Landon aan en glimlachte. 'Je bent toch nog niet klaar met pakken?'

'Nee, nog niet.' Hij kuste haar op het puntje van haar neus. 'Maar dat geeft niet.' Hij knipoogde naar de anderen. 'Ik vind het prettig om alles op het laatste nippertje te doen.'

Ryan hief zijn glas. 'Hier is een rasechte brandweerman aan het woord.'

Iedereen moest lachen, en ontstond meteen een minder naargeestige sfeer. Kort na acht uur begonnen al Ashleys familieleden om beurten afscheid te nemen van haar en Landon. Cole had zijn spullen bij zich, omdat hij vanavond met Kari en Ryan en hun kinderen mee naar huis ging.

Ashley en Landon wilden apart afscheid nemen van Cole. Daarom bleven de anderen in de hal op hem staan wachten. Cole had het steeds een opwindend idee gevonden dat hij een week zou gaan logeren bij zijn oom en tante en neefjes en nichtjes. Maar toen het moment aanbrak om afscheid te nemen, sprongen er tranen in zijn ogen. Hij sloeg eerst zijn armen stevig om Landons hals en hield hem zo lang zo vast dat Ashley vrijwel zeker wist dat hij huilde.

'Hé, maatje, kom op,' fluisterde Landon. 'Het komt allemaal goed. Je zult het zo leuk hebben bij tante Kari en oom Ryan dat je ons niet eens mist.'

Cole knikte tegen Landons schouder. 'Een week… duurt heel lang.'

Landon keek Ashley aan; zijn eigen ogen waren ook vochtig. Hij drukte Cole nog een keer stevig tegen zich aan. 'Wij zullen ook vinden dat het lang duurt, maar we zullen bellen, goed?'

Cole knikte twee keer en deed een stapje achteruit. 'Goed.' Toen keerde hij zich om naar Ashley en dreigde opnieuw in tranen uit te barsten. 'Mama... weet u wel zeker dat u wilt gaan?'

'Coley.' Ze stak haar armen uit en hij rende naar haar toe. De brok in haar keel was zo groot dat ze even niets kon uitbrengen. In plaats daarvan hield ze zijn lijfje tegen zich aan en sloeg in haar geheugen op hoe dit jongetje van zes dat allang niet meer haar baby was, aanvoelde. Hoe lang zou hij haar nog op deze manier nodig hebben? Het duurde niet zo heel lang meer of hij zou in sneltreinvaart de middelbare school doorlopen en naar de universiteit vertrekken.

God, help me alstublieft om dit goed te doorstaan. Ze deed haar ogen dicht en merkte dat ze de kracht kreeg om niet meer aan de diploma-uitreiking op de middelbare school te denken. *Stel je niet aan, Ash,* dacht ze bij zichzelf. *Aan het eind van de zomer gaat hij pas naar groep drie!* Ze snufte. *Dank U, God. U bent erbij. Dat voel ik.*

'Het is zoals papa daarnet zei, lieverd.' Ze deed een stapje achteruit en keek hem indringend aan, zodat hij zou begrijpen wat ze zei, en net zo dapper zou zijn als hij gisteren was geweest. 'Het zal zo leuk zijn dat je ons niet eens mist.'

Cole wreef met zijn vuisten over zijn wangen. 'Weet ik.' Hij haalde snel een paar keer achter elkaar adem. 'Tante Kari heeft gezegd dat we een keer gehaktbrood gaan maken.'

Ashley had alles verwacht behalve dat. Ze lachte en naast hen begon Landon ook te lachen, maar haar twee mannen konden onmogelijk hebben geweten wat haar van haar stuk had gebracht.

'Waarom moet u lachen, mama?' Cole giechelde ook en was daardoor opeens niet meer verdrietig. 'Omdat gehaktbrood grappig spul is?'

'Nee.' Ze trok hem weer tegen zich aan en lieten de twee uitlachen, voordat ze zei: 'Omdat ik al helemaal voor me zag hoe jij gehaktbrood zou maken terwijl jij op je handen stond.'

Cole wierp nu zijn hoofd achterover en kreeg de slappe lach. Hij moest zo hard lachen, dat hij zijn buik moest vasthouden. 'Doe niet zo dom, mama.' Zijn gelach veranderde in gegiechel. 'Ik kan toch nooit gehaktbrood maken terwijl ik op mijn handen sta!'

'Nee.' Landon wreef in kleine cirkels over haar onderrug. 'Mama is echt heel dom.' Hij grijnsde naar haar.

'Zo kan hij wel weer.' Ashley wierp Cole en vrolijke, maar veelbetekenende blik toe. 'Je moet nu gaan, Coley. Zeg dus maar gedag.' Opeens bedacht ze nog iets. 'Hé, wacht even. Wat moeten we voor je meebrengen van onze reis? Een kapiteinspet of misschien een T-shirt?'

Cole dacht even na en toen begonnen zijn ogen te glanzen. 'Een baby?'

Ashleys mond viel open. Ze keek Landon aan. Die lachte zo breed dat zijn hele gezicht ervan oplichtte. 'Zit jij hier soms achter?' fluisterde ze.

Hij schudde zijn hoofd en keek alsof hij de onschuld zelve was. Toen richtte Ashley zich tot Cole. 'Een baby kunnen we niet meebrengen van onze reis, schatje. Hoe kwam je op die gedachte?'

'Omdat papa heeft gezegd dat het lang duurt voordat er een baby komt, en dat ze dan bij je in huis komen wonen.' Hij haalde zijn schouders op. 'En omdat jullie zo lang wegblijven, dacht ik dat jullie misschien wel een baby voor me mee konden brengen.' Hij dacht even na. 'Een broertje.'

'Schatje, het duurt veel langer dan een week voordat er een baby komt.'

Coles gezicht betrok een beetje. 'O.'

Landon hurkte neer om op dezelfde hoogte te komen als Cole. 'Maar we zullen het in de gedachten houden, goed, maatje?' Cole zag niet hoe plagerig hij naar Ashley grijnsde.

'Goed, papa.' Cole leek er nu vrede mee te hebben dat ze weggingen. Fijn vond hij het niet, maar hij was nu een stuk rustiger dan een paar minuten geleden. 'Dag papa, veel plezier met mama.'

'Komt voor elkaar.' Landon kwam overeind en wachtte tot Ashley afscheid had genomen.

Deze keer sprong Cole in haar armen. Hij was zwaarder geworden, bijna te zwaar. Over een jaar zou ze hem niet meer zo kunnen vasthouden. Ze wreven hun neuzen tegen elkaar. 'Veel plezier bij tante Kari en oom Ryan!'

'Dag, mama. Ik houd van u.'

'En ik van jou.' Terwijl ze haar best deed om de brok in haar keel kwijt te raken, kuste zij hem. Toen zette ze hem weer op de grond en keek hem na toen hij wegrende. Ashley en Landon liepen achter hem aan, en er werd nog snel een keer afscheid genomen voordat Kari en Ryan met de kinderen vertrokken.

Ashley en Landon vertrokken als laatsten. Haar vader liep met hen mee naar de deur. 'Wat zou je moeder blij zijn geweest als ze had geweten dat jullie deze reis gingen maken.' Hij kuste Ashley op haar wang. 'Ze heeft het jammer gevonden dat haar ziekte jullie ervan weerhield op huwelijksreis te gaan.'

Ashley omhelsde haar vader. 'Ik wou dat ik het haar kon vertellen.'

Haar vader glimlachte, maar de blik in zijn ogen bleef droevig. Hij schudde Landon de hand en trok hem toen naar zich toe om hem te omhelzen. 'Wanneer jullie terug zijn houden we nog een keer een barbecue, zodat we kunnen horen hoe het geweest is.'

'Dat lijkt me leuk.' Landon deed een stap in de richting van de deur. 'En bedankt voor het eten. Dat was net als altijd prima.'

Het was stil in de auto zonder Coles onafgebroken gekwebbel, en toen ze bijna thuis waren draaide Ashley zich om naar Landon. 'Wat moeten we nu eigenlijk voor Cole kopen? Een kapiteinspet vindt hij vast wel leuk, denk je niet?'

'Ik vond die eerste optie van hem eigenlijk wel leuk.' Landon pakte haar hand. 'Een broertje.'

೧೫

John Baxter bleef een hele tijd in de deuropening staan om Ashley en Landon na te kijken. Wat was het opeens stil! Op een moment als dit zouden Elizabeth en hij een wandeling zijn gaan maken, of op de veranda aan de voorkant van het huis zijn gaan zitten. Daar zouden ze samen een kopje koffie hebben gedronken en de gesprekken aan tafel nog eens de revue hebben laten passeren.

Daarna bespraken ze dan nog tot in de kleinste details wat hun kinderen in hun leven meemaakten, verheugden zich over de positieve dingen en dachten na over de punten waarvoor meer gebed nodig was. Ze lachten om de grappige dingen die de kleinkinderen hadden gezegd, en zeiden tegen elkaar dat ze erg snel groot werden. Elizabeth zou hem vervolgens voorhouden dat alles in het leven veel te snel voorbijging, en John zou daarmee instemmen. Wanneer de zon onderging en het donker begon te worden, hadden ze nog de hele nacht om van elkaars gezelschap te kunnen genieten.

De zon ging op dit moment ook onder, maar nu was hij alleen. Het was een hele tijd geleden dat hij zich zo alleen had gevoeld, besefte hij. Hij liep op zijn gemak de veranda op en ging in de schommelstoel zitten die naast die van haar stond. Hij zette even af om de stoel in beweging te zetten. Dit waren toch hun gouden jaren, waarin ze zouden meemaken hoe hun kinderen een gezin stichtten en ze eindeloos met elkaar lachten en praatten?

In de laatste uren voordat ze aan kanker was overleden, had Elizabeth nog iets gezegd waarin ze gelijk had gehad. Ze had tegen hem gezegd dat ze niet echt weg zou zijn; dat hij haar zou terugzien in Hayleys vastberadenheid, Ashleys schilderijen en Coles lach. Dat was waar; hij zag haar in hen allemaal.

Maar een moment als dit was er niet minder verdrietig door, hoewel de gesprekken en het gelach nog door het huis echoden. Op zonder haar doorgebrachte avonden was de stilte oorverdovend.

Hij liet zijn hoofd achterover zakken en keek naar de donker wordende lucht. Als ze nu hier was, zou hij tegen de haar zeggen dat de brieven een probleem veroorzaakten. Hij wilde de doos niet verstoppen, maar was er nog niet aan toe om de brieven door te nemen. Hij kon natuurlijk de brief die zij aan hun eerstgeboren zoon had geschreven, en de brief die hij aan haar had geschreven toen Luke was geboren, wegstoppen, maar er zaten vast nog meer brieven in de doos die hun geheim zouden verklappen.

Hij zuchtte diep.

Volgende week maandag zou het een jaar geleden zijn dat ze was heengegaan. Steeds vaker betrapte hij zichzelf erop dat hij de laatste weken van haar leven opnieuw beleefde. Het was emotioneel gezien te vergelijken geweest met een rit in een achtbaan. De mooiste en de naarste momenten uit hun leven vormden samen een caleidoscoop van donkere schaduwen en stralende kleuren. De bruiloft van Ashley en Landon, de familiereünie en Elizabeths overlijden hadden slechts met een tussenruimte van enkele dagen plaatsgevonden.

Hoe vaker hij eraan terugdacht, hoe meer hij zich verwonderde over haar laatste gebed, waarin ze God gevraagd had haar nog een kans te geven om haar eerstgeboren zoon te ontmoeten. Hij vond het zo verdrietig dat God die laatste wens van haar niet in vervulling had doen gaan. Hoe graag ze dat had gewild, was gebleken uit het feit dat ze zichzelf ervan had overtuigd dat de jongen in haar laatste uren bij haar was geweest. Hij heet Dayne en is acteur, had ze gezegd, en het is een lange jongen die heel erg op Luke lijkt.

Het waren natuurlijk hallucinaties geweest, maar hij wist nog dat ze heel zeker van haar zaak was geweest.

Had Elizabeth misschien gewild, vroeg hij zich nu af, dat hij alles wat in zijn vermogen lag zou doen om hun volwassen zoon te vinden, de zoon die ze niet kenden, die Elizabeth slechts een paar minuten had mogen vasthouden voordat ze hem afstond?

Hij besloot er voorlopig niet verder over na te denken. Het leek wel een goed idee, totdat hij bedacht wat voor gevolgen het zou hebben. Wat moest hij tegen de andere kinderen zeggen? En hoe zouden ze reageren op het feit dat hun ouders een buitenechtelijke kind hadden? Nee, op zoek gaan naar hun eerstgeborene was te veel gevraagd. Hij kon zich niet voorstellen dat Elizabeth zou hebben gewild dat zij daarvan wisten.

Na Elizabeths overlijden had hij er wel af en toe over gedacht om Mark Atteberry, de voorganger van hun gemeente, ervan op de hoogte te stellen. Dan had hij hem om raad kunnen vragen, en misschien wist Mark of er nog een andere optie was om de jongeman te traceren.

Maar hij bedacht zich altijd voordat hij de telefoon pakte. Het leek zo lang geleden dat het kind geboren was, dat het was alsof het in een vorig leven was gebeurd. En omdat Elizabeth was heengegaan, was het ook niet meer zo belangrijk als het vorig jaar was geweest. Waar hij zich ook bevond, hij zou intussen een eigen bestaan hebben opgebouwd en ook zelf een gezin hebben. De kans was groot dat hij het niet zou waarderen dat zijn leven op zijn kop werd gezet, net zomin als Kari, Brooke, Ashley, Erin en Luke daar blij mee zouden zijn.

Het begon nu echt donker te worden en John hield op met schommelen. Met een bezwaard gemoed stond hij op en liep langzaam naar de voordeur. Toen Elizabeth nog leefde had hij zich jong en springlevend gevoeld. Als het aan hem had gelegen, zou hij het leven aan haar zijde zeker nog dertig jaar hebben voortgezet, maar de laatste tijd voelde hij zich moe en bewoog hij zich traag, alsof zijn hart tegelijk met dat van haar voor de helft stil was blijven staan.

Nadat hij nog even naar de lucht had gekeken, ging hij naar binnen en deed de lampen uit. Moeizaam liep hij de trap op naar zijn slaapkamer, naar hún slaapkamer. Terwijl hij in slaap probeerde te komen in hun bed, liet hij alles wat hij eerder had bedacht nog eens de revue passeren. Vroeg of laat zou hij de brieven moeten doornemen. Anders bestond de kans dat een van zijn dochters hem voor was, en stel dat er in die doos een brief zat waar hij niet van wist, waarin iets stond wat betrekking had op hun eerstgeboren zoon?

John kreeg buikpijn bij die gedachte.

Het ergste wat hij zich kon voorstellen was dat zijn dierbare kinderen het gevoel zouden krijgen dat Elizabeth en hij tegen hen hadden gelogen. Het was toch nooit de bedoeling geweest dat de waarheid over hun oudste broer aan het licht zou komen? Nee, hij kon en wilde hen niet op de hoogte stellen van het bestaan van de jongeman.

Morgen zou hij zich meteen met de brieven bezighouden. Voordat iemand anders hem voor was.

Het duurde lang voordat hij in slaap viel; dat was het afgelopen jaar steeds het geval geweest. Maar vlak daarvoor dacht hij altijd aan mooie, fijne dingen. Aan een gelukkig leven met de geweldigste vrouw die hij ooit had gekend.

Elizabeth Baxter.

ଓଃ

Het was de derde dag van hun cruise en Ashley had niet gelukkiger kunnen zijn. Landon en zij kenden elkaar al heel lang, maar in al die jaren hadden ze zich om de beurt verzet tegen hun gevoelens voor elkaar. Toen ze hun verzet uiteindelijk opgaven omdat duidelijk was geworden dat het Gods wil was dat ze samen door het leven gingen, deden ze aan Hem en aan elkaar een belofte.

Ze zouden wachten tot ze getrouwd waren.

Sinds ze elkaar in de kerk trouw hadden beloofd, was hun huwelijksleven mooier geweest dan Ashley zich ooit had kunnen voorstellen, dan ze ooit had durven dromen. Tijdens deze huwelijksreis bleek nog eens te meer dat haar liefde voor Landon iets was dat prachtig was begonnen en dat ieder jaar sterker zou worden.

Ze kregen heerlijke maaltijden voorgeschoteld en dansten elke avond, maar ze trokken zich altijd bijtijds terug in hun hut. Soms stapten ze om twee uur 's ochtends uit bed om in hun badstof badjassen buiten op het privébalkon van hun hut het zilverachtige schijnsel van de maan op het water te bewonderen, en te bedenken hoe verrukkelijk de liefde tussen man en vrouw was, en dat dat al vanaf de schepping Gods bedoeling was geweest.

Ze sliepen iedere ochtend uit en lagen overdag altijd te luieren in hun ligstoelen met uitzicht op open zee. Het was een fantastische ervaring, en Ashley kon eigenlijk niet geloven dat de cruise al half voorbij was.

's Middags draaide ze zich naar Landon om en prikte met haar vinger in zijn bruine buik. 'Je zorgt toch wel dat je niet verbrandt, hè?'

'Tuurlijk.' Hij rolde op zijn zij, zodat hij haar beter kon zien. 'En jij? Moet ik nog wat zonnebrandcrème op je rug smeren?'

Ze glimlachte. 'Nee, dat hoeft niet.' Ze bleef even naar hem kijken om in haar geheugen te prenten hoe hij er nu eruitzag. Op een winterse dag die nu nog heel ver weg was, zou ze dat beeld weer oproepen om het op het schildersdoek vast te leggen. Ze ademde langzaam in en kneep haar ogen halfdicht tegen de felle zon. 'Weet je wat ik hoop?'

'Nou?' Hij vervlocht zijn vingers met die van haar. 'Dat we een broertje voor Cole mee naar huis nemen?'

De glimlach die ze hem nu schonk, was veelzeggend. 'Ja, dat ook.' Na een korte stilte voegde ze er op ernstige toon aan toe: 'Ik hoop dat God het ons schenkt dat er in de hemel ramen zijn.'

Daar moest Landon even over nadenken. De zeewind streek langs hun gezichten en voelde nog net zo fris aan dat de warmte te houden was. Uiteindelijk zei hij: 'Dat vind ik een mooie gedachte.'

Ze bracht zijn vingers naar haar lippen en kuste ze. 'Omdat ik dat geloof, word ik niet meer zo verdrietig als eerst.' Ze keek naar de strakblauwe lucht boven hen. 'Dat zou betekenen dat mam op ons neer kan kijken wanneer ze maar wil.' Er zweemde weer een glimlach om haar mond. 'Is dat geen mooie gedachte?'

'Ja.'

'Als er in de hemel een raam is, kan ze mét ons blij zijn als het goed met ons gaat, en voor ons bidden wanneer we het moeilijk hebben.'

'Hmmm.' Landon beet op zijn lip. 'God is zo goed; dat zou Hij Zijn kinderen best kunnen gunnen.'

'Zo denk ik er ook over.' Ze duwde haar knokkels tegen zijn ribben. 'Hé, Landon Blake, je gloeit helemaal.'

Hij nam haar van top tot teen op. 'Jij ook, mevrouw Blake.'

'Laten we gaan zwemmen.'

'Alweer zo'n goed idee.' Landons ogen schitterden, ook al was het bloedheet. 'Maar ik vond dat andere idee beter.'

Ze fronste, maar niet van boosheid. 'Dat idee dat er in de hemel ramen zijn?'

'Nee, dat was wel een goed idee, maar ik dacht aan het eerste.'

Aan haar gezicht was duidelijk te zien dat ze niet begreep waar hij het nu over had.

'Ach, Ash, dat weet je toch nog wel. We hadden het erover dat we hoopten dat we voor Cole een baby mee naar huis zouden kunnen nemen.'

29

Sinds Katy vier weken geleden LA had verlaten, was er opeens zo veel veranderd in Daynes leven dat hij het bijna niet kon geloven. Kelly Parker had de rol in *Dream on* gekregen en daar was ze zo van opgemonterd, dat de behandeling die ze had moeten ondergaan vanwege de overdosis een stuk soepeler was verlopen.

Hij had natuurlijk ook een bijdrage geleverd aan haar herstel.

Zij tweeën waren nu samen. Een paar dagen nadat ze de rol had geaccepteerd, was ze bij hem ingetrokken, in het begin onder het mom dat ze toch vrienden waren, het haar herstel ten goede zou komen en ze liever niet alleen in haar huis verbleef. Maar de vriendschap maakte een paar weken later een onvermijdelijke ontwikkeling door, zoals ze allebei van tevoren hadden geweten. Op een avond kwam ze uiteindelijk toch bij hem in bed terecht en daarna liet ze zich die plek niet meer ontnemen.

Omdat ze nu bijna iedere dag over de voorbereidingen voor de productie van de film vergaderden, had Dayne het voor het eerst sinds maanden weer erg druk. Slechts af en toe had hij tijd om zich af te vragen waarom hij zich niet gelukkiger voelde.

Het was tien uur 's avonds en Kelly lag al te slapen. Hij kon aan de temperatuur buiten voelen dat de zomer wel zo ongeveer ten einde liep. Hij stond leunend op de balustrade van zijn dakterras naar de weerspiegeling van het maanlicht op het water te kijken. Het had allemaal fantastisch moeten zijn.

Binnenkort zou hij met een van de meest talentvolle actrices in Hollywood aan de opnames van een film beginnen die een kassucces zou worden, en daar kwam nog bij dat zij momenteel zijn minnares was. Als iemand haar zou vragen of het een serieuze relatie was, zou ze een bevestigend antwoord geven. Heel serieus.

Hij kon er alleen maar niet achterkomen waarom hij Katy Hart niet uit zijn hoofd kon zetten.

Belangrijk was dat natuurlijk niet. Hij had niets meer van haar gehoord sinds ze was teruggekeerd naar Bloomington. Ze was nu waarschijnlijk volop bezig met de reeks voorstellingen van *Tom Sawyer.* Hij keek hoe het maanlicht glinsterde op de golven. Als hij er maar lang genoeg naar keek, waren de glinsteringen helemaal geen weerkaatsing van het licht, maar zag hij er Katy in, hoe haar ogen hadden geschitterd toen ze die dag bij Pepperdine University met hem mee had gelachen.

Het had natuurlijk helemaal geen zin om zijn gedachten die kant uit te laten gaan.

Hij richtte zich op en liet de zeewind langs zich heen strijken. Katy Hart en hij leefden ieder in een andere wereld, en de kloof tussen die werelden was zo breed dat deze op geen enkele wijze overbrugd zou kunnen worden. Beroemde mensen leefden op een eiland, op een vreemde, geïsoleerde plek waar men horloges van tachtigduizend dollar kocht en iedere week duizenden dollars uitgaf in luxueuze kuuroorden en warenhuizen. Deze zogenaamd bevoorrechte mensen kozen net zo makkelijk voor een andere vrouw als men in Katy's wereld voor een ander kapsel koos.

De roem had hem alles gekost, en toch bleef hij zich ophouden in die wereld, omdat hij die niet kon en ook niet wilde verlaten. Op dat eiland zou er nooit sprake kunnen zijn van een band met de familie Baxter en ook niet van een relatie met Katy, maar zo was dat nu eenmaal.

Dat wilde echter niet zeggen dat hij een leven leidde zonder hoop.

Kelly en hij hadden het best goed samen. Ze hadden veel met elkaar gemeen, bijna alles eigenlijk, vooral nu ze samenwerkten. Ze hadden het ook samen over dingen gehad die te maken hadden met hoe je in het leven stond, en zij was bereid om zich daarin te verdiepen, al was ze er niet zo in geïnteresseerd als hij. Deze week had ze hem beloofd dat ze samen naar een kabbalacentrum zouden gaan.

Het leven was dus helemaal zo slecht nog niet.

Het beantwoordde alleen niet helemaal aan zijn verwachtingen. Hij had een tijdje gedacht dat het heel anders zou lopen, dat Katy Hart niet alleen zijn tegenspeelster zou worden, maar ook zijn grote liefde.

Dat was natuurlijk een belachelijk idee.

Mensen uit de filmwereld konden eigenlijk helemaal niet opschieten met 'gewone' mensen. Maar vanavond bleef Katy's gezicht hem achtervolgen, en dat bracht hem op een gedachte die maakte dat hij zich verdrietig, oud en in het nauw gedreven voelde. Hij vroeg zich namelijk af of hij Katy binnenkort vergeten zou zijn; of hij zo ver zou gaan in het sluiten van compromissen dat hij aan Kelly Parker genoeg zou hebben.

Of zou hij zich de rest van zijn leven blijven afvragen hoe het was met het meisje uit Bloomington, Indiana?

Een meisje dat hij lief gekregen zou hebben als hij er de kans voor had gekregen.

Een meisje dat Katy Hart heette.

☙

Vanavond was de première van *Tom Sawyer*, en Katy kon het moment niet afwachten dat de voorstelling begon. In het begin had er veel tegengezeten, maar het was uiteindelijk net als altijd helemaal goed gekomen met de musical. De generale repetitie was de vorige avond zo indrukwekkend geweest dat ze er tranen van in haar ogen had gekregen, én opeens zeker wist dat ze er goed aan had gedaan om terug te keren naar Bloomington.

In de weken na haar terugkeer hadden de kinderen die een rol hadden in de musical, een band met elkaar gekregen. Sarah Jo speelde haar rol uitstekend en wat haar moeder haar ook voorhield, tijdens de repetities had het geen nadelige invloed meer op haar. Tim Reed en Ashley Zarelli waren precies zoals ze zijn moesten als Tom en tante Polly en er scheen een bijzondere vriendschap te zijn ontstaan tussen Tim en Bailey Flanigan.

Alle betrokkenen bij het CKT vormden op vele manieren een familie, en ze waren vooral háár familie. Deze groep mensen verrijkte haar leven, en dat zou ze er niet bij gewonnen hebben als ze een rol in een film had geaccepteerd of voor Dayne Matthews gevallen was.

Het enige waarvan ze spijt had, was dat ze hem die avond op het strand zomaar had gekust. Een kus had in haar ogen meer betekenis, en dat was altijd zo geweest, maar toen ze met hem alleen was in Paradise Cove had het heel vanzelfsprekend geleken dat ze zijn kus beantwoordde. Het had een tijdje geduurd voordat ze tot bezinning kwam, en daarvoor schaamde ze zich.

Het zat haar soms zo dwars dat ze hem bijna belde om de zaak op te helderen.

Maar hij zou dat waarschijnlijk alleen maar vreemd vinden. Hij was eraan gewend dat meisjes hem in alles zijn zin gaven. In zijn ogen was ze waarschijnlijk niet meer dan een van de vrouwen op zijn lijstje tot wie hij zich min of meer aangetrokken voelde.

Dat was uiteindelijk de reden dat ze niet belde. Hij zou

haar trouwens intussen al wel vergeten zijn. Kelly Parker had de rol gekregen, had Katy in een van de roddelbladen gelezen. Die had ze eerder nooit gelezen, maar sinds ze was thuisgekomen kocht ze er elke week een, voornamelijk om het vol afschuw door te bladeren en God ervoor te danken dat ze de rol niet had geaccepteerd.

Een paar weken na haar terugkeer in Bloomington stonden er foto's van haar en Dayne in. Het waren donkere, onduidelijke plaatjes en eronder stond: *Dayne Matthews ontmoet geheimzinnige geliefde op het strand.* Ze ging ervan uit dat niemand het blad had gelezen, totdat Rhonda Sanders het voor een repetitie uit haar rugzak haalde.

'Waarom heb je me daar niets over verteld?' Rhonda had alles tot in de kleinste details willen weten toen ze terugkwam, maar Katy had niet veel gezegd.

'Ik heb je verteld dat we bijna zijn vermoord.' Katy glimlachte naar Rhonda, maar het ging niet van harte. 'Veel meer valt er niet over te vertellen. God wilde dat ik terugkeerde en daarom ben ik nu hier.'

Rhonda trok een wenkbrauw op. 'Veel meer is er niet gebeurd, hè?'

Katy deed geen poging om te ontkennen dat ze Dayne had gekust. In plaats daarvan liet ze haar hoofd even hangen, voordat ze haar vriendin aankeek. 'Het was maar een kus, maar het was verkeerd.'

Katy stond nu in de artiestenfoyer, waar ze probeerde te voorkomen dat de kinderen helemaal over hun toeren raakten van spanning. Tim en het groepje volgelingen van Tom Sawyer werden ingewreven met een bepaald soort make-up en daarna werd hun haar in de war gemaakt om hen er onverzorgd uit te laten zien.

Sarah Jo kwam naar haar toe toen ze rondliep om de laatste puntjes op de i te zetten. 'Katy?'

Ze draaide zich om en haar mond viel open. 'Wat zie je er

mooi uit, Sarah Jo. Die jurk had je gisteren tijdens de repetitie toch niet aan?'

'Nee.' Sarah Jo sloeg haar ogen neer; ze was er duidelijk verlegen mee. 'Mijn moeder heeft hem voor me gekocht. De jurk die ze zelfgemaakt had, vond ze te… te gewoon.'

Katy tandenknarste. Alice Stryker zou niet de kans krijgen om haar première te bederven. Ze streek haar witte blouse en zijden sjaal glad en glimlachte naar Sarah Jo. 'De jurk is prachtig, Sarah Jo. Bedank je moeder er maar voor.'

Sarah Jo's gezicht klaarde op. 'Zal ik doen, Katy. Bedankt.'

De zaal was die avond tot op de laatste plaats bezet en het werd een fantastische voorstelling. Het enige wat misging, deed zich voor in de scène waarin de schutting wordt gewit. Op het moment dat de acteurs hun kwasten over de schutting haalden, moesten een paar meisjes die achter de schermen hun aandeel leverden, ervoor zorgen dat er een witte streep op de schutting verscheen.

Wanneer dit op de juiste wijze gebeurde, gaf dat een fantastisch effect; het leek dan alsof de jongens echt bezig waren de schutting te witten. Maar die avond praatten de jongens alleen nog maar over het witten van de schutting toen één plank zomaar ineens wit werd. Dat probleem bleef bestaan, totdat Tim aan één kant van de schutting ging staan en tussen zijn tekst door de meisjes toefluisterde dat ze de schutting weer in zijn oude staat moesten brengen.

Het publiek moest hard lachen om de vergissing en de kinderen op het toneel lieten zich er niet door van de wijs brengen. Katy maakte zich er ook niet druk om. Dit was nu juist wat ze zo leuk vond aan een live voorstelling. Er konden onvoorspelbare dingen gebeuren, zeker als het om jeugdtheater ging.

Toen de voorstelling afgelopen was, zochten de Flanigans haar op. Jenny gaf haar een roos met een lange steel en zei: 'Het was een prachtige voorstelling, Katy. Je hebt het er weer uitstekend afgebracht.' Glimlachend boog ze zich naar haar over. 'De rolverdeling was precies goed. Je bent fantastisch.'

Toen de Flanigans doorliepen, werd Katy overspoeld door een golf van emoties. Alleen een moeder bij wie God in het middelpunt stond, kon het aanzien dat haar dochter een minder belangrijke rol kreeg en weten dat het uiteindelijk toch goed zou komen.

Er kon geen mens meer bij in de foyer van het theater, waar de ouders in hun mooiste kleren met elkaar stonden te praten omdat Katy hun had verzocht zich zo te kleden op de avond van de première. Ze baande zich een weg door de menigte, terwijl ze de ene na de andere ouder of leerling groette, totdat ze eindelijk aankwam op de plek waar de acteurs de programmaboekjes van dweperige kinderen signeerden.

Katy nam even de tijd om het tafereel in zich op te nemen. Zo hoorde het zijn, dat ze je bewonderden, maar dat dit voorbij was zodra er aan een nieuwe voorstelling werd begonnen. Ze wilde net verder de foyer in lopen toen Ashley Blake-Baxter op haar afkwam. Bruinverbrand en stralend was ze teruggekeerd van de cruise en zo zag ze er nu nog steeds uit.

'Het was een schitterende voorstelling.' Ashleys ogen werden groot toen ze Katy bij de schouders pakte. 'Je hebt wonderen verricht met deze kinderen.'

Katy wees recht omhoog. 'Ik word daar een beetje bij geholpen!'

Ashley lachte breed. 'Ik weet precies wat je bedoelt. Laten we een keer samen koffie gaan drinken.'

'Dat lijkt me leuk.' Katy glimlachte. 'Ik denk dat we elkaar van alles te vertellen zullen hebben.'

Ze bleef dit soort gesprekken voeren, totdat Rhonda Sanders haar in de buurt van de trap naar de artiestenfoyer tegen het lijf liep. De twee renden naar elkaar toe en omhelsden elkaar. 'Het is ons gelukt! Het was prachtig, Katy. Precies zoals het zijn moest!'

Ze waren de hoogtepunten van de voorstelling aan het bespreken toen Heath Hudson bij hen kwam staan. Hij was in het gezelschap van een vriend, een knappe man die Doug Lake heette. Katy omhelsde Heath en bedankte hem voor zijn hulp met het soundboard. Doug maakte ondertussen een praatje met Rhonda.

Na een paar minuten zorgde Heath ervoor dat Katy en hij iets dichter bij Doug en Rhonda kwamen te staan. 'Hoor eens', hij knikte in de richting van zijn vriend, 'Doug en ik willen met Rhonda en jou een ijsje gaan eten. Dat wil zeggen, als jullie niets anders te doen hebben.'

Rhonda trok nauwelijks waarneembaar een wenkbrauw op, wat haar manier was om te zeggen dat zij daar wel zin in had. Katy keek Heath glimlachend aan. 'Prima idee.'

Ze hadden tijdens de rit naar de ijssalon meer plezier dan Katy had verwacht. Ja, ze vroeg zich af en toe nog wel af waar Dayne Matthews mee bezig was, en of de manier waarop Kelly de rol invulde Dayne aanstond, maar dat was een kwestie van nieuwsgierigheid, meer niet.

Dayne hoorde bij een fantasiewereld; ze had soms het idee dat ze dat stukje van haar leven alleen maar gedroomd had. Maar Heath Hudson bestond echt. Misschien kostte het tijd om gevoelens voor iemand als Heath te krijgen, maar die avond wees alles erop dat dat best zou kunnen gebeuren.

Toen Katy's hoofd neerkwam op haar kussen, viel ze niet meteen in slaap. Er was nog te veel om over na te denken. Ze had een goed leven, een heel goed leven. God had haar op meer dan één manier bewaard en nu was ze op de plek waar ze thuishoorde. Er moesten nog twaalf voorstellingen van *Tom Sawyer* op de planken gebracht worden, maar daarna zou ze voorbereidingen treffen voor hun najaarsproductie. Dan zouden ze *Annie* opvoeren, waarvoor al over krap drie weken de audities begonnen.

Katy glimlachte in het donker. Ze kon dat moment nauwelijks afwachten.

Nawoord van Karen Kingsbury

Voor al mijn trouwe lezers

Ik vind het geweldig dat ik nu aan het begin sta van dit nieuwe avontuur: de Dayne Matthews-serie. Jullie hebben intussen al begrepen hoe dynamisch de opzet is voor Dayne Matthews, Katy Hart en de familie Baxter.

Dayne Matthews en John Baxter hebben allebei geheimen die, als ze aan het licht komen, tot gevolg zullen hebben dat iedereen in hun omgeving voorgoed verandert. En als dat niet gebeurt, zal men er levenslang onder te lijden hebben.

Het zal duidelijk zijn dat ik voor dit eerste boek op ontdekkingsreis ben gegaan in de wereld van de beroemdheden, maar daar bleef het niet bij. Ik kreeg zicht op de mensen die naar roem verlangen, op de aantrekkingskracht van de rijkdom en de macht in het centrum van de amusementswereld, waar Amerika's bekendste mensen hun leven leiden.

Bijna iedereen heeft weleens beroemd willen zijn. Een beroemde zanger, acteur of danser, een beroemde politicus of astronaut. Maar wat zit er aan die rol vast? Wat doet onze moderne maatschappij deze mensen aan? Er wordt altijd een hoge tol voor betaald, ondervindt Dayne Matthews. Hij heeft familieleden in Bloomington, van wie hij zou kunnen houden en met wie hij een bestaan zou kunnen opbouwen. Hij durft echter niet te bellen omdat hij ervan overtuigd is dat hun twee werelden niet te combineren zijn.

Ben jij iemand die in een vergelijkbare situatie verkeert? Misschien is dat geen geheim voor de mensen van wie je houdt. Je hebt misschien angstgevoelens, terwijl je niet beroemd en ook niet bang voor paparazzi bent. Maar misschien houden die angstgevoelens je wel bij de mensen vandaan met wie je het meest op hebt.

Misschien heb jij in je hart diepgaande gevoelens, complimenten of een bepaalde bewondering waaraan je geen uiting durft te geven. Als dat het geval is, laat mij je dan bemoedigen. Als liefde niet aan het licht komt, is het helemaal geen liefde. Pak de telefoon en bel, schrijf de brief, vergeef telkens wanneer dat nodig is.

De urgentie van de tijd waarin wij leven is een van de dingen waar ik het het liefst over heb, wanneer ik de kans krijg om overal in het land groepen mensen toe te spreken. We mogen niets uitstellen als het gaat om de mensen die we liefhebben, de mensen die God op onze weg heeft gebracht. Als je een ouder bent, leg dan de krant neer. Ga bij je kinderen op de vloer liggen zolang zij nog klein genoeg zijn om dat leuk te vinden.

Speel, zing en lach naar hartenlust, want die tijd gaat snel genoeg voorbij.

Mijn jongste zoon zei laatst iets tegen mij wat ik nooit meer zal vergeten. Het was op een mooie, heldere dag in december met een strakblauwe lucht, maar in de winter wordt het vroeg donker en dat wist Austin maar al te goed. 'Mama,' hij keek naar buiten waar het al donker begon te worden, 'waarom heeft de zon zo'n haast om weg te gaan?'

De tijd gaat snel. De kansen die je vandaag krijgt, zullen morgen nog slechts een herinnering zijn.

Dat moest ik even kwijt, voordat ik je kon vertellen dat ik popelde om Katy Hart te laten terugkeren naar Bloomington, weg uit de vreemde, bizarre wereld van Hollywood en roem. Ik bestudeerde de roddelbladen en walgde van de dingen die over deze mensen worden geschreven. Ik merkte dat ik te doen kreeg met de grootste beroemdheden die niets kunnen doen zonder dat het wordt opgemerkt.

Is het wel mogelijk om daar nog een enigszins normaal leven te leiden?

Ik popel om Daynes verhaal verder te vertellen, om jullie de volgende hoofdstukken over Katy Hart, de Flanigans en de familie Baxter voor te leggen. Er staat deze personages nog zo veel te wachten; ze zullen veel triomfen en moeilijke tijden meemaken, nog veel leren en op vele manieren op de proef gesteld worden.

Ik heb goed nieuws voor je! De Familie Baxter-serie bestond in het totaal uit vijf boeken, zoals je je zult herinneren. De Dayne Matthews-serie zal eveneens uit vijf boeken bestaan en de daaropvolgende serie uit vier boeken.

Ik blijf het leuk vinden om iets van je te horen. Laat een bericht achter op mijn website www.KarenKingsbury.com of mail naar rtnbykk@aol.com. Ik ben dankbaar voor al jullie gebeden, opmerkingen en feedback, en ik zal jullie ook altijd aan God opdragen, zodra ik terugkeer naar mijn laptop om te zien wat God me op het hart legt om aan jullie door te geven.

Totdat we elkaar weerzien in Zijn licht en liefde,
Karen Kingsbury.

Woord van dank

Het spreekt voor zich dat een roman als *Beroemd* niet goed uitpakt zonder de hulp van vele mensen. Het is een lange, maar ook heel belangrijke lijst.

Allereerst bedank ik mijn echtgenoot en kinderen die niet protesteerden tegen mijn soms hectische werkschema en me hielpen om de deadlines te halen. Wanneer ik met mijn koptelefoon op achter mijn computer zit, halen jullie het geen van allen in je hoofd mij te vragen waar je huiswerk is gebleven. Betere familieleden kan ik me niet wensen. Bedankt voor jullie begrip.

Ik bedank ook mijn vrienden bij Tyndale House Publishers. Becky Nesbitt, jij zag deze serie al helemaal voor je en ook dat ik als auteur van fictie bij Tyndale mijn plek zou vinden. Daarvoor zal ik altijd dankbaar zijn. Dit boek en deze serie zouden niet voltooid zijn zonder Becky, Mark Taylor, Ron Beers, Travis Thrasher en nog vele anderen. Een bijzonder woord van dank gaat uit naar Jeremy Taylor en mijn redacteur Lorie Popp.

Ik zou niet kunnen doen wat ik in de wereld van de fictie doe zonder mijn fantastische agent Rick Christian. Rick, ik reken op jou op zo veel terreinen: als strateeg, onderhandelaar en gebedskrijger. Mijn gezin en ik danken God ervoor dat jij in ons leven bent gekomen. Een bedankje is bij lange na niet genoeg.

Ik bedank ook mijn moeder, Anna Kingsbury. Ik had me geen ijverigere en aandachtigere assistente kunnen wensen. Ik kijk ernaar uit om nog tientallen jaren met u samen te werken in deze heerlijke wereld die God mij heeft gegeven. Ook bedank ik mijn vader, Ted Kingsbury, die me altijd heeft aangemoedigd. Ik wist altijd tot wie ik mij moest wenden als ik een glimlach nodig had.

Hartelijk bedankt worden de mensen die mijn kinderen opvangen als ik het een beetje te druk heb. Tot hen behoren Cindy en Al Weill, Barb en Bill Schaffer, de familie Head en al mijn vrienden van het CKT, alsook Kira Elam, Paige Grenning en het voetbalelftal Juventus, en de familie Schmidt.

Verder bedank ik de grote groep mensen die mij hebben gesteund, en die voor mij bleven bidden. Deze bijzondere mensen hebben naast me gestaan, welke kant mijn bediening als auteur ook opging. Onder hen waren mijn zussen Susan, Tricia en Lynne, en mijn broer David, de Russells, de Cummins en ook mijn nichtje Shannon en mijn schoonmoeder Betty.

Mijn dank gaat ook uit naar mijn dierbare vrienden Kathy en Ken Santschi, Bobbi en Erika Terret, Randy, Vicki en Lola Graves, John en Melinda Chapman, Stan en De-Ette Kaputska, Aaron Hisel, Theresa Thacker, Ann Hudson, Sylvia en Walt Walgren, Richard Camp en de rest van de familie, de Dillons en tientallen vrienden van de middelbare school.

Ik wil ook de honderden boekhandelaren die mijn boeken verkopen, hartelijk bedanken. Jullie zijn een onmisbare schakel in hoe God deze boeken gebruikt om levens te veranderen, en ik bid dat jullie aangemoedigd zullen worden om hiermee door te gaan. Boeken zorgen ervoor dat alles anders wordt. Ik vind het een eer dat ik daar mijn aandeel in mag hebben.

In dat licht bezien moet ik ook alle lezers bedanken die door middel van mijn boeken in contact komen met God. Vele van hen sturen mij iedere week een berichtje en dat vind ik bijzonder ontroerend. Weet dat jullie in mijn gebeden zijn zo lang als ik schrijf.

De meeste dank gaat uiteraard uit naar God die mij toestaat deze droom na te jagen. Ik twijfel er geen moment aan dat het allemaal voor Hem, dankzij Hem en door Hem tot stand komt. Hem zij de glorie tot in eeuwigheid.

Deel 2 in de Dayne Matthews-serie

Vergeven

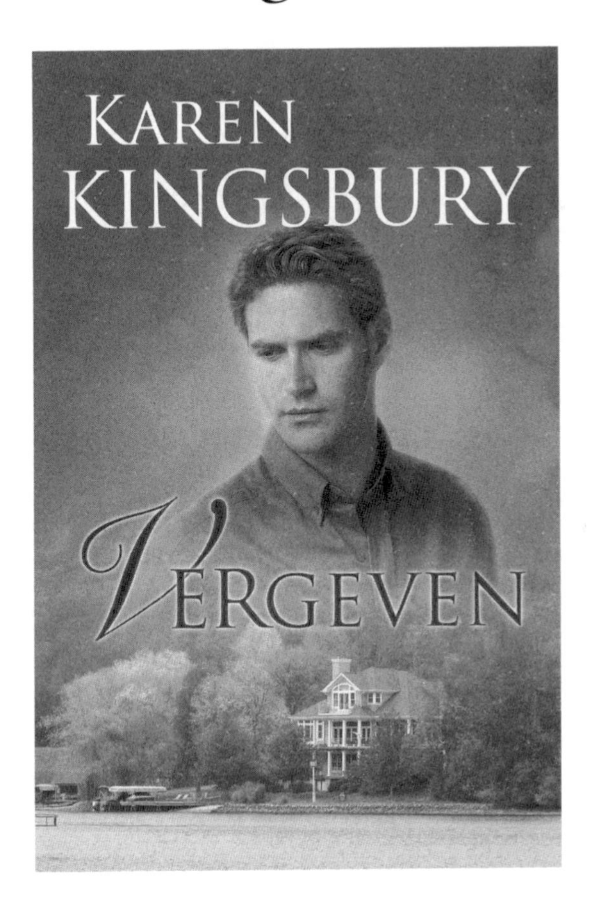

ISBN 978 90 297 0989 7
paperback, 400 blz.
verschijnt in juni 2012

WORD OOK LID VAN DE FAMILIE BAXTEI

De vijf volwassen kinderen van John en Elizabeth Baxter zoeken ieder hun weg het leven, en dat gaat gepaard met vreugde en verdriet. Maak kennis met Brool Kari, Ashley, Erin en Luke en hun ouders - je zult je op z'n minst in een van herke nen. Deze immens populaire serie van bestsellerauteur Karen Kingsbury en relat therapeut Gary Smalley is nu compleet!

Lezersreacties:

'Dit vind ik een absolute topper van Karen Kingsbury. Je wilt doorlezen om te kijk hoe het afloopt en er zitten onverwachte voorvallen in. Ik heb tijdens het lezen v een traantje gelaten!' – Marijke (over *Nooit te laat*)

'Met de romans van Karen Kingsbury kom je de zondag zeker door. Wat een gew dige schrijfstijl heeft deze vrouw. Echt een aanrader; ik hoop dat de volgende del snel zullen verschijnen.' – Elise (over *Meer dan ooit*)

'Dit boek kon ik onmogelijk wegleggen. Het deed me beseffen hoeveel ik van mijn ge houd en ik ging mijn eigen leven meer waarderen.' – Johanna (over *Tegen elke prijs*)

'Karen Kingsbury schrijft verhalen 'als geen ander'. Ook dit boek was weer ontzette meeslepend. Ik vierde de hoogtepunten in de familie mee en huilde bij tragische gebe tenissen. Alles in deze serie is gewoon zo levensecht!' – Lorraine (over *Als geen ander*)

'Nooit eerder heeft een boek me zo geraakt als deze roman. Terwijl ik met Elizabe meeleefde, moest ik voortdurend aan mijn moeder denken. Het boek zit vol verdri maar biedt daar ook een uitweg uit. Het heeft me geleerd om in tijden van zwaar we in vertrouwen op God.' – Jacqueline (over *Voor het leven*)